Et Mathilde chantait

Denis Monette

Et Mathilde chantait

ROMAN

À Corinne, Carl, Christian,
Mathieu et Sacha,
mes petits-enfants que j'adore.

Prologue

Appuyé sur deux oreillers moelleux, sa lampe de chevet diffusant un éclairage tamisé, Gilbert lisait le cinquième chapitre de *Franc comme l'or*, un roman de Joseph Heller qu'il avait saisi à tout hasard dans la vaste bibliothèque de sa femme. Un roman qu'il lisait sans l'absorber, page après page, parce que si ses yeux se posaient sur le verbiage des personnages, son esprit, au-delà du sens, ailleurs, ne retenait rien de ce livre qu'il tenait entre ses mains. Tout comme il n'avait rien retenu du précédent roman, puisque Gilbert, à travers ces lectures, ne cherchait que le somnifère qui lui permettrait de dormir, d'oublier, de ne plus s'en faire et d'en arriver à... oser. À ses côtés, la tête posée sur un oreiller douillet, Mathilde sommeillait. Les insomnies de son mari lui étaient devenues familières depuis quelque temps. Elle avait certes tenté de le faire parler en lui demandant: «Quelque chose te tracasse?» Mais il avait toujours répondu sans même la regarder: «Non, rien, je n'ai pas sommeil.» Sans insister, elle avait appris à s'endormir, nullement gênée par la veilleuse, avec, en sourdine, un concerto pour flûte et harpe de Mozart. Une musique qui la rendait sereine et belle lorsque, par inadvertance, Gilbert la regardait en tournant une page, ou au moment de tirer sur le chaînon de sa lampe de chevet qui s'éteignait.

Mais ce soir-là, en ce début de nuit du 13 septembre 1994, il ne parvenait pas à fermer l'œil, à clore le tiroir de ses pensées, à contrer son angoisse. La sentant profondément endormie, il se leva sans faire de bruit et se dirigea au salon. Vêtu d'un pyjama soyeux qu'elle lui avait offert pour son anniversaire, il prit place dans le fauteuil, s'alluma une cigarette et aperçut sur un divan une robe de soie rose dont la taille était piquée d'aiguilles. «Sans doute pour une cliente», se dit-il. Parce que pour gagner sa vie, Mathilde cousait. Si habilement, avec tant de talent, que les clientes affluaient de partout. Pour son doigté, son bon goût, et cet art qu'elle avait de mettre en valeur les silhouettes allongées tout comme les plus rondelettes. Mathilde cousait d'instinct, sans patron, sans cours de couture, avec tact et intuition, avec un savoir-faire étonnant, l'aiguille très précise. Tout près, sur une petite commode, retenues par une figurine de porcelaine, des feuilles de musique. Quatre ou cinq, dont l'une était signée de l'illustre nom de Schubert. Parce qu'en plus de coudre, Mathilde chantait. Pour son plaisir, pour se divertir avec les membres de la chorale, pour combler sans doute ce vide de n'avoir pu être mère. Et pour oublier, il s'en doutait, les mornes journées, les longues semaines où il n'était pas là.

Sur l'étagère où s'alignaient en rang d'oignons quelques poupées de collection, un cadre orné de roses d'or offrait à qui y jetait un regard la plus jolie photo de leur mariage. Gilbert la contempla, baissa les yeux et enfouit sa tête dans ses mains, les coudes appuyés sur les genoux. Vingt ans! Vingt ans qu'il était avec elle sans que rien ne vienne entraver leur quiétude. Il revoyait le jour où il l'avait ravie à sa mère pour en faire sa femme. Mathilde, chaste et pure, n'avait que dix-huit ans. Une fréquentation de six mois, puis un mariage malgré les fermes objections de madame Courcy. Car les larmes de Mathilde avaient eu raison de la possession de sa mère. Florence avait consenti. Florence avait fini par dire oui parce que Gilbert, en dépit de ses vingt ans, était un bon parti. Le mariage avait été intime, et la mariée si éblouissante dans sa robe de mousseline blanche qu'elle avait elle-même confectionnée. Une robe avec un énorme chou de satin sur l'épaule gauche. Parce que Mathilde, depuis sa tendre enfance, souffrait d'un léger handicap: elle avait une épaule plus basse que l'autre. La gauche. Mais elle était si belle avec ses yeux noisette, ses cheveux bruns lui tombant sur la nuque, avec ce voile de tulle qui recouvrait son visage rond et son nez délicat. Haute comme trois pommes dans ses escarpins de satin, taille de guêpe, elle ressemblait à s'y méprendre à la petite mariée de plâtre de son gâteau. Au bras de son mari, menue, légère, on aurait dit une poupée d'un cahier à découper. Si belle, si douce, si bonne. Et ce, depuis vingt ans, vingt ans aux côtés de l'homme qu'elle avait épousé par amour. Avec un vague souvenir du petit logement de la rue Casgrain, puis celui, inoubliable, de la coquette maison que Gilbert avait achetée cinq ans plus tard pour abriter leur bonheur. Un petit bungalow de la rue Georges-Baril dont le sous-sol était devenu l'atelier de couture de la jeune propriétaire, qui cousait aussi adroitement que l'araignée tissait sa toile. À longueur de journée pour des manufacturiers d'abord, pour ensuite mettre son talent au service d'une clientèle personnelle. Une clientèle si vaste qu'elle dut, au gré des ans, refuser des dames qui requéraient ses services. Et de ses mains habiles jaillirent de fortes économies qu'elle investissait dans des fonds bancaires. Car Gilbert, courtier immobilier, gagnait suffisamment d'argent pour deux. Et dans ses moments libres, Mathilde chantait. Jolie voix de soprano, faisant partie d'une chorale de paroisse, elle chantait parfois dans les mariages, lors de funérailles, et donnait même, à l'occasion, de petits récitals intimes dans des résidences pour les aînés et les cercles de l'âge d'or. Mathilde était comblée, heureuse. Gilbert aussi. Du moins le croyait-elle… En vingt ans, pas un seul accroc. De légers désaccords, quelques petits différends… À la vie à la mort, comme elle l'avait dit à l'autel, ayant depuis longtemps oublié… un certain pacte.

Gilbert n'avait pas fermé l'œil de la nuit. Triste, pensif, mais déterminé, il ajustait le nœud de sa cravate après s'être douché, rasé, sans qu'elle se réveille. Se regardant dans la glace, retirant délicatement le bout de papier mouchoir qu'il avait appliqué sur une coupure au menton, il marmonna en découvrant un cheveu gris dans sa crinière châtaine: «Déjà!» Puis, camouflant le fil d'argent hostile sous une mèche intacte, il enfila un veston dont il dégagea quelques poussières de la paume de la main. Quarante ans, bel homme, pas la moindre ride sauf de légers cernes autour des yeux. Ce qui était normal; il griffonnait depuis quinze ans sur des contrats de vente à caractères minuscules. Ce qui lui valut aussi, hélas, de souffrir de presbytie avant que ne sonnent les années. Une presbytie sans myopie qui le forçait à porter des verres que pour consulter ses volumineux contrats d'affaires.

Mathilde s'était levée fraîche et pimpante. Apercevant Gilbert, mallette à la main, café avalé à la hâte, elle lui dit:
— Tu n'as guère dormi, n'est-ce pas?
Sans la regarder, fouillant dans ses papiers, il rétorqua:
— Bah! J'en ai l'habitude. L'insomnie…

– Tu devrais en parler à ton médecin. Ce n'est pas normal…

Elle s'était tue. Gilbert s'apprêtait à ouvrir la porte. Puis, se ravisant, il se tourna vers elle, la regarda calmement et lui dit:

– Mathilde, il faudrait…

Il n'était pas allé plus loin. Il s'était approché et avait déposé un baiser sur son front. Il allait sortir…

– Il faudrait quoi, Gilbert?

– Rien. Je pensais à toi… Et puis, ça peut attendre. J'ai une maison à faire visiter tôt ce matin.

Il sortit et Mathilde lui fit un gentil signe de la main du coin de la fenêtre. Un geste d'affection qu'il ne lui rendit pas, pressé de gagner sa voiture. Il emprunta la rue Fleury et, loin du regard de sa femme, il s'immobilisa. Les deux mains sur le volant, haletant, le cou quelque peu en sueur, il regarda le ciel et laissa échapper un long soupir coupable. Il s'était pourtant juré que ce matin se devait d'être le moment… Il avait tant de fois répété sa scène, mais là, à rideau levé, il avait reculé. Il plongea la tête entre ses mains et, abattu sur le tableau de bord, marmonna: «Faut-il que je sois lâche! J'avais pourtant promis…» Puis, retrouvant un souffle normal, il reprit sa route, le cœur à l'envers, la tête ailleurs. Une infinie tristesse faisait obstacle à son désir de vaincre. «Que le premier pas…», songeait-il, mais il était parti en ne semant qu'un doute. «Ou peut-être même pas», reprit-il, face à l'au revoir de la main de Mathilde. Il était fatigué, épuisé d'avoir tant songé sans avoir dormi de la nuit. Mais le soir allait venir. Ou demain peut-être? Qu'importe le moment, ce n'était qu'un sursis. Mais Gilbert, aussi ému avait-il pu être par le sourire de Mathilde, se devait de lui dire qu'il allait la quitter… pour une autre.

Chapitre 1

Mathilde était pensive. Gilbert n'était plus le même depuis quelques semaines. Sans qu'il l'avoue, elle sentait que ses insomnies n'étaient pas qu'un malaise physique. Quelque chose le tracassait, le minait, mais comme il était du genre introverti, jamais elle n'aurait osé sonder son cœur ni son état d'âme. Par respect. Par considération pour l'homme qu'elle aimait. Et elle sentait que son travail n'était pas en cause. Brillant courtier pour les Immeubles Arc-en-Ciel, une filiale de Rainbow Real Estate de Toronto, les affaires étaient prospères. Gilbert vendait des maisons comme on vend des tomates au marché. Il manquait rarement son coup à moins que l'acheteur éventuel se voie refuser un prêt hypothécaire. En banlieue, en province, parfois absent pour une semaine, Gilbert rentrait toujours avec la mine souriante et un haut degré de satisfaction. Jusqu'à ces derniers temps où, croyant qu'il accusait une baisse, osant le questionner, elle reçut comme réponse: «Non, ça va toujours bien, mais je ne veux pas t'embêter avec mes tours de force. Il n'y a pas que mon travail dans la vie, tu sais.» Mathilde n'avait pas insisté. Jamais elle n'aurait osé aller plus loin, l'envahir, le presser de questions. Sa mère lui avait appris à ne pas s'immiscer dans les affaires de son mari. Tout comme elle l'avait fait avec le sien, son père, au temps de leur union. Florence lui avait dit: «En autant que tu ne manques de rien, ma fille, ne va jamais plus loin. Un homme qui se sent épié peut finir par en avoir assez. Gilbert n'est pas porté sur le dialogue, alors sois discrète. Tu sais, ton père…»

Son père! Mathilde n'en avait qu'un vague souvenir. Elle n'avait que quatre ans lorsque Raymond Courcy avait perdu la vie. Un banal accident de la route à quarante-deux ans. Elle ne se souvenait guère de la tristesse de sa mère. Elle était si petite, si fragile, et on l'avait tenue si à l'écart de la scène dramatique. Sa mère s'était retrouvée veuve à trente-huit ans avec une petite de quatre ans accrochée à ses jupes. Veuve mais à l'aise avec une maison payée et une forte indemnité d'assurance. Veuve éplorée mais consolée par cette enfant qu'elle avait enfin mise au monde après cinq fausses couches. Sa mère lui avait dit: «J'ai souffert le martyre pour t'avoir dans mes bras. L'accouchement a été terrible, j'ai failli y laisser ma peau.» Un tout petit bébé de quelques livres, frêle comme un oisillon, qu'elle avait sauvé par miracle. Et ce, avec une malformation dont la mère se rendit compte alors qu'elle était en bas âge. «Ça va se replacer tout seul», lui avait dit Raymond. Mais après sa mort, malgré les visites médicales, les traitements chiropratiques, la petite était vouée à vivre avec une épaule plus basse que l'autre. Perceptible à l'œil nu, mais savamment camouflée par Florence qui l'habillait de robes bouffantes avec des épaulettes grosses comme des pivoines. Et avec le temps, des fleurs, des coussinets, des boucles à l'épaule gauche. Au point que la petite, consciente de son problème, en développa un complexe que son talent de couturière contra de mille et une façons au fil des ans. Menue, légère de poids, cessant de grandir à l'âge de douze ans, Mathilde faisait à peine cinq pieds deux pouces, sur des talons aiguilles qu'elle porta dès l'âge de quatorze ans, pour être, du moins, juste assez grande pour regarder les garçons sans se rompre le cou. Plus que jolie, mignonne à souhait, les *hippies* du *Peace and love* des années soixante-dix la reluquaient, même si elle était très différente des filles aux *jeans* troués de leur clan. Mais Florence était aux aguets, elle qui, veuve, attirante et fort à l'aise, avait dérouté le moindre prétendant pour ne se consacrer qu'à elle. Un oiseau en cage ou presque, qu'elle surveillait d'un œil comme on le fait d'un nourrisson. Mathilde se souvenait de la honte ressentie alors que sa mère la reconduisait encore à l'école à l'âge de dix ans. Et ce, au vu et au su de ses camarades de classe qui se payaient sa tête. Elle la conduisait même en voiture à l'école secondaire de peur qu'on puisse la lui ravir.

À seize ans, Mathilde rouspéta pour la première fois: «Non, je n'irai pas au cégep! Non, je ne serai pas enseignante! Je suis trop petite! On ne respecte pas les profs de la grandeur des élèves!» Florence avait beau lui suggérer d'autres voies que sa fille répliquait: «Non, maman, c'est assez! J'ai terminé mon secondaire, je parle l'anglais... De toute façon, mon choix est fait: je serai couturière.» De guerre lasse, Florence lui dénicha un emploi dans l'un des comptoirs d'Eaton, histoire d'apprendre la discipline, de gagner sa pitance, mais ce fut de brève durée. Un an plus tard, à dix-sept ans, Mathilde rencontrait Gilbert. Et ce fut pour sa mère le coup de masse sur la tête. Le combat allait être plus rude, plus féroce. Il était impensable que sa fille unique, mineure, préfère les bras d'un homme aux siens. Elle suppliait Mathilde d'éviter ce faux pas. «Tu es trop jeune, ça n'a pas de sens, tu es encore une enfant», gémissait-elle, au point de fendre le cœur de sa fille en cage. Mais ce cœur, il battait pour Gilbert, que pour lui. Pour Mathilde, ce premier amour, ce grand amour, allait faire fi des cris et des larmes de sa mère. Gilbert Authier, vingt ans ou presque, allait la délivrer de ce joug maternel. Gilbert Authier, fils de bonne famille, déjà sur le marché du travail, était homme qui vaille. Et comme elle l'aimait à n'en plus voir clair, sa mère, décontenancée, venait de perdre son cha-pelet et ses prières.

C'est en décembre 1973, lors d'une soirée dansante pour l'anniversaire d'une cousine, que Mathilde croisa son regard pour la première fois. Gilbert Authier, charmante escorte, accompagnait l'amie de ladite cousine. Une fille mince et plu-tôt pâle. Une fille voisine de sa famille qui l'avait supplié, au nom de l'amitié, de lui servir de compagnon pour la soirée. Mathilde revoyait cette salle, cette jeunesse euphorique, des gars en *jeans*, d'autres en habits. Étourdie dans ce mélange de musique, l'une qui se périmait, l'autre qui naissait, elle était timide, craintive, causant avec une tante tout en sirotant une boisson gazeuse. Elle regardait partout, ne voyait personne, jus-qu'à ce que ses yeux croisent ceux de Gilbert qui, gentiment, lui sourit. Surprise et intimidée à la fois, elle sentit son cœur battre, ses mains devenir moites, et elle se demanda si ce garçon dont elle ignorait le nom était à sa place dans cette marée turbulente. Complet bleu, chemise blanche, cravate bleue, cheveux châ-tains abondants, yeux pers et doux, il se voulait rassurant. Elle, fort élégante dans une robe de satin vert, rougit en le voyant s'approcher et ne sut lui répondre lorsqu'il lui demanda poli-ment: «Vous dansez?» Elle le suivit, elle qui ne dansait pas, et se laissa guider, collée contre lui, sur un slow qu'elle ne connaissait pas. Sans un mot, sans même le regarder, mais éprise dès le premier contact avec ce jeune homme, dont elle humait la suave odeur de son eau de toilette. «Je m'appelle Gilbert Authier. Et toi?» Elle avait tressailli. Jolie voix, bouche charnue, elle leva enfin les yeux pour lui dire d'un trait: «Mathilde Courcy, je suis une cousine de Claire. Je suis venue pour lui faire plaisir.» Il était certes plus grand qu'elle, mais pas à s'en rompre le cou. Cinq pieds sept pouces, huit peut-être, elle n'avait pas à se hisser sur le bout des orteils pour admirer ses dents blanches et sa bouche sensuelle. La sentant plus décontractée, il l'attira à lui sans qu'elle proteste. «Accompagnée?», lui murmura-t-il à l'oreille. «Non, je suis seule, mais vous… toi, je crois…» «Non, ce n'est qu'une voisine, une amie de Claire. Je rends service, je sers d'escorte, mais je suis libre comme l'air.» Mathilde échappa un soupir de soulagement qui le fit sourire, puis, détendue, dansa sans s'arrêter jusqu'à ce que la fille pâle exprime le désir de rentrer. Gilbert remercia Mathilde d'avoir accepté de danser, la raccompagna jusqu'à la tante en question et, avant de partir avec la voisine, lui demanda: «On peut se revoir? Un numéro de téléphone, peut-être?» Mathilde le lui nota sur un carton d'allumettes qu'il glissa dans sa poche. La nuit venue, de retour chez elle, son cœur valsait encore contre celui de Gilbert. Le coup de foudre! Le premier gars qui fit que, cette nuit-là, Mathilde ne dormit pas.

Il l'avait rappelée dès le lendemain. Anxieux, il désirait la revoir, passer une soirée en tête-à-tête, et Mathilde accepta sans en parler à sa mère. Et elle n'avait jamais oublié le petit bistrot de la rue Saint-Denis où il lui avait fixé rendez-vous. Ils avaient causé toute la soirée après avoir mangé et arrosé le repas d'un bon vin. Ils découvrirent avec enchantement qu'ils étaient tous les deux Gémeaux, que Gilbert était du 18 juin, elle du 19, à deux ans d'intervalle. Et depuis leur mariage, ils avaient toujours fêté leurs anniversaires le même jour, ensemble, seuls, soit le 18 ou le 19, dans un rituel que rien n'allait enfreindre. Mais ce soir-là, soirée de leur rencontre officielle, Gilbert fut étonné d'apprendre qu'elle n'avait que dix-sept ans. Il la croyait de son âge, ou à quelques mois près. Ce qui ne fit pour autant obstacle au doux effet qu'elle lui faisait. Surpris d'apprendre aussi que Mathilde avait délaissé les études et qu'elle travaillait chez Eaton, il lui avoua qu'il les avait également abandonnées après avoir terminé son cégep, au grand désespoir de sa mère, et qu'il était en formation dans une firme immobilière. Deux «décrocheurs» qui rirent de bon cœur de cet autre point en commun. Gilbert était l'aîné de la famille, il avait un frère, une sœur. Son père était mort en 1969 d'un infarctus impardonnable. Gilbert l'avait beaucoup pleuré. Hugues Authier n'avait que quarante-six ans au moment du grand départ. Une autre similarité avec Mathilde qui lui avoua avoir perdu le sien alors qu'elle était en bas âge, tout en ajoutant que, contrairement à lui, elle était fille unique. Et c'est à ce moment, au cœur de cet entretien charmant, qu'il lui prit la main tendrement.

Madame Courcy n'avait guère apprécié «l'intrus» à première vue, mais ne pouvant tenir tête à sa fille, craignant qu'elle se rebelle, qu'elle tombe dans les bras d'un malappris, elle avait approuvé la fréquentation, après s'être informée sur la famille du garçon. Madame Authier, pour sa part, trouva Mathilde fort aimable, mais s'opposa à une fréquentation sérieuse. «Voyons, Gilbert, tu n'as que dix-neuf ans! Et la petite n'est qu'une enfant!» Mais, plus permissive, moins possessive, elle s'était peu à peu inclinée devant le choix plus que judicieux de son aîné. Son défunt mari lui aurait certes dit: «Laisse, Béatrice, ça va lui mettre du plomb dans la tête!»

Ils se revirent donc jour après jour, au gré d'un amour qui s'intensifiait. Ils ne pouvaient plus vivre l'un sans l'autre. Mathilde lui avait fait part de la malformation de son épaule… et il avait souri. Il en avait même ri en lui disant: «Vois, j'ai une jambe droite et l'autre un peu arquée.» Et c'est à ce moment, rassurés l'un par l'autre, qu'ils s'étaient embrassés.

Mathilde se souvenait encore du soir où, collés l'un contre l'autre, ils avaient regardé à la télévision le film *Valley of the Dolls*. Elle avait tant pleuré. Non sur le film mais sur le sort de l'actrice Sharon Tate que le gang de Charles Manson avait assassinée quelques années plus tôt, alors qu'elle était enceinte de huit mois. Gilbert l'avait consolée; il avait même essuyé ses larmes de sa manche de chemise. «Aussi horribles soient-elles, ce sont des choses qui arrivent, et on n'y peut rien lorsque le mal est fait», lui avait-il murmuré pour qu'elle oublie ce cauchemar. Et c'était avec lui, jamais seule, que Mathilde se rendait au centre d'achats Rockland où elle choisissait ses tissus. Et ce déplacement, chaque fois, se terminait au restaurant Aux Cascades, où l'ambiance était chaleureuse et la bouffe, excellente. Combien de fois avaient-ils mangé là en échangeant de doux propos… Et ce, jusqu'à ce que le restaurant ferme un jour ses portes.

Et Mathilde se souvenait comme si c'était hier de cette inoubliable soirée à la Place des Arts où Adamo donnait un récital. C'était le 22 mars 1974, quelques mois avant qu'elle ne devienne la femme de Gilbert. Mathilde adulait son idole. Elle trouvait Adamo si tendre, si romantique. Gilbert avait senti un doux émoi de sa part au moment où le chanteur avait attaqué les premières notes de *L'amour te ressemble*, sa chanson préférée. Mais Gilbert l'avait sentie vibrer et il fut lui-même emporté lorsque l'auteur-compositeur enchaîna avec *Tombe la neige* et *Le ruisseau de mon enfance*. Comme toute adolescente, Mathilde aurait certes aimé rencontrer ce «prince de la tendresse» après le spectacle, recueillir un autographe, lui adresser un mot ou deux, mais la file d'attente était si longue devant sa loge qu'elle se découragea et revint chez elle avec le programme de la soirée entre les bras. Pour combler cette déception, Gilbert, toujours à l'affût de lui plaire, lui avait offert le dernier microsillon de Salvatore Adamo dès le lendemain. Avec sur l'une des plages, *L'amour te ressemble*, pour elle, et sur l'autre, *Tombe la neige*, pour lui. Deux chansons fétiches qu'ils allaient écouter par la suite, maintes fois ensemble. Que de beaux souvenirs mais que de plaidoyers lorsqu'ils décidèrent quelques mois plus tard de s'épouser. Et Gilbert plaida sa cause auprès de madame Courcy. Si bien, si adroitement, que le soleil brillait dans toute sa force lorsqu'ils échangèrent les anneaux en ce samedi 20 juillet de la même année. Un mois plus tôt, ils avaient scellé dans un baiser les dix-huit ans de Mathilde et les vingt ans à peine éclos de Gilbert. Que dire de ce petit logement qu'elle avait, de ses mains, rehaussé? Un logis discret, peu onéreux, qui allait permettre à Gilbert de s'intégrer parmi les «agents» peu rémunérés avant une formation complète. Et Mathilde, pour combler le déficit, avait conservé son emploi de vendeuse chez Eaton. Du rayon des tissus à celui des cosmétiques, elle accepta même des heures supplémentaires au rayon des stores vénitiens. Et Gilbert de lui dire: «Tu verras, dans peu de temps, tu l'auras, ton atelier de couture.»

Elle aurait désiré lui donner un enfant, cajoler un petit être sur son sein. Mal lui en prit, elle ne retarda qu'une seule fois de deux semaines pour subir, à son grand désarroi, une menstruation soudaine. Elle essaya maintes fois, mais rien ne venait et le désespoir la minait. «Je suis désolée, Gilbert, j'ai hérité de l'incapacité de ma mère. À moins que, plus tard...» Il lui avait mis la main sur la bouche et, rassurant, lui avait dit: «Tu sais, moi, les enfants... Je n'ai vraiment pas la fibre, tu sais. Et puis, ne sommes-nous pas heureux, toi et moi?» Mathilde avait acquiescé de la tête, mais la tristesse lui fendait le cœur. Elle aurait tant désiré être mère. Leur amour était si fort, si pur... Ne s'était-elle pas donnée à lui chaste et vierge? Et il l'avait prise avec tant d'élégance, tant de respect, tant de délicatesse. Était-il aussi pudique qu'elle l'était? Elle en doutait. Pas un garçon! Pas en cette ère où l'on faisait l'amour au détriment de la guerre. Mais jamais elle n'aurait osé lui poser la question. Mathilde était d'une telle discrétion...

Puis les jours s'écoulèrent. Heureux, ils ne se quittaient guère, ils avaient hâte de se retrouver chaque soir, de se blottir dans les bras l'un de l'autre. Et Mathilde Courcy, devenue madame Authier, ne vivait que pour le nom qu'il lui avait donné. Elle se souvenait du 28 avril 1979 où, de bon gré, il l'avait accompagnée à la Place des Arts afin de voir sur la grande scène l'opéra *Roméo et Juliette*. Mathilde était si heureuse, si comblée. Jamais elle n'allait oublier le sacrifice qu'il s'était imposé. Car elle savait que Gilbert n'était pas friand de grande musique et encore moins des arias des plus grandes divas. Tout pour lui plaire, quitte à faire semblant. Tout pour qu'elle se serre contre lui de contentement. C'est peu après qu'ils avaient déniché le coquet bungalow de la rue Georges-Baril. Il l'avait fait visiter à une cliente et s'en était lui-même épris. Devenu «courtier» pour éviter de dire «agent», il prospérait au sein de l'entreprise dont quatre succursales avaient pignon sur rue à Montréal. Et plus tôt qu'anticipé, les Immeubles Arc-en-Ciel n'avaient plus à envier le succès de Rainbow Real Estate. En lui offrant la clef de la maison, il lui avait dit:

«Ici, ce sera pour la vie si l'ambiance te plaît.» Madame Courcy avait été ébahie, sa fille était propriétaire. Madame Authier, le frérot Pierre-Paul et la sœur cadette, Sophie, n'avaient eu que des éloges face à la jolie maison et à l'atelier de couture déjà aménagé au sous-sol.

Pierre-Paul, contrairement à Gilbert, poursuivit ses études et devint avocat au grand bonheur de la famille au moment où Sophie terminait un baccalauréat en histoire. Elle serait le professeur que Mathilde avait refusé d'être. Et voilà que vingt ans plus tard, les destins étaient tracés. Pierre-Paul avait épousé Rachel, une fille de famille huppée, et ils étaient parents de deux enfants devenus grands, Janou et Benjamin. Sophie, restée célibataire, se dévouait corps et âme pour imprégner dans les neurones de ses élèves l'histoire de l'Angleterre, celle de la France et celle du Canada. Sans avoir jamais cherché à meubler sa vie avec qui que ce soit sauf... Napoléon, Charlemagne, George V, Wolfe et Montcalm. Peu avantagée par la nature, lunettes sur le nez, elle avait fait du célibat sa seconde vocation.

Et les années s'étaient écoulées sans heurts pour le couple d'amoureux faits l'un pour l'autre. Certes, Gilbert s'absentait, mais Mathilde comblait le vide le dé au doigt, ses feuilles de chants d'église sur la commode. Sa seule peine, c'était que Gilbert n'était jamais venu l'entendre chanter. Peu porté sur les dévotions, croyant sans être pratiquant, il fuyait les églises comme la fourmi contourne le gingembre. Et il lui avait dit un jour en blaguant: «Je n'assiste pas, Mathilde, mais je suis de toutes les répétitions. Tu chantes tout le temps!» Elle s'était contentée de sourire, n'ayant pas le courage de lui dire que sa présence lui aurait fait plaisir.

Mais en ce jour du 13 septembre 1994, vingt ans plus tard, l'écho d'un certain pacte verbal refit surface. Gilbert venait à peine de sortir que, rideau fermé sur son au revoir, elle se souvint de sa première semaine conjugale. Il lui avait dit après qu'elle eut prononcé «à la vie, à la mort» quelques jours plus tôt: «Tu sais, Mathilde, dans la vie, tout peut arriver. Si jamais ça ne fonctionnait plus entre nous, si jamais un autre ou une autre allait nous dissoudre, je voudrais que ça se fasse en douce dans le respect et dans l'acceptation.» Elle était restée bouche bée. Une clause! Elle qui n'aurait jamais eu une telle idée. Revenue de sa torpeur, elle lui avait répondu: «Jamais une telle chose se produira. Je t'aime tant, Gilbert. Pour moi, tu seras l'homme de l'éternité.» Confus, il avait répliqué: «Pour moi aussi, ma douce, mais si, je dis bien «si», la vie nous jouait un vilain tour, jurons-nous de ne jamais en faire un drame, Mathilde. Moi, je te jure que malgré ma peine...» Elle lui avait mis un doigt sur la bouche pour lui dire: «Tais-toi, Gilbert, j'ai peur qu'un tel serment nous porte malheur.» Il avait insisté: «Non, non, jure comme je le jure que nous aurons ce respect l'un pour l'autre.» Et pour le rassurer, pour lui faire plaisir, elle avait juré tout en lui affirmant une seconde fois qu'elle l'aimerait toute sa vie. Il avait persisté: «Tu n'as que dix-huit ans, Mathilde, tu n'as connu que moi. Je sais que tu m'aimes comme je t'aime, mais un jour, plus tard, si jamais...» Et elle avait scellé le pacte d'un baiser, sûre et certaine que rien au monde ne viendrait entraver leur amour. Et, depuis, elle avait oublié la clause, le serment qui, après tant d'années, n'avait guère sa raison d'être. Presque trois mois plus tôt, ils avaient célébré leur anniversaire de naissance avec le même enchantement, dans le même rituel, en tête-à-tête dans un grand restaurant. Ils avaient aussi fêté leur vingtième anniversaire de mariage dans les bras l'un de l'autre, entourés

des membres de la famille. Mais le doute fit que le pacte rena-
quit de ses cendres. Ce doute que Mathilde s'efforçait de ne
point pressentir. Gilbert était plus distant, ce qui était normal,
il semblait épuisé. Et dès ce soir, elle allait l'interroger, s'enquérir de sa santé, quitte à enfreindre pour la première fois la
discrétion qui l'avait, jusqu'à ce jour, honorée.

L'horloge vibra du premier gong de l'après-midi lorsque
le téléphone sonna. Aux prises avec les piqûres de la robe
d'une cliente, Mathilde sursauta:

— Oui, allô.

— Mathilde? C'est moi. Tu cousais, sans doute.

— Oui, mais ça peut attendre. Qu'y a-t-il, Gilbert? Ça va
mieux que…

— Écoute, Mathilde, je suis désolé, mais un déplacement
inattendu me force à me rendre à Québec pour quatre ou cinq
jours. Un gros contrat, une chance inespérée, et c'est à moi
qu'on l'a confié. Ça ne te dérange pas?

— Heu… non. Cela veut dire que tu ne rentreras pas avant
dimanche? Tu n'as qu'un seul complet. Tu veux que je te prépare des vêtements?

— Non, pas la peine, je dois partir d'ici une heure. J'achèterai ce qu'il me faut. Ordre du directeur. Un pantalon, une
veste peut-être… Qu'importe, c'est sur le compte de dépen-
ses. Ça ne t'ennuie pas au moins? Tu sais, dans ce métier, les
imprévus…

— Non, je comprends, Gilbert. J'ai de la couture, la chorale… Mais c'est la première fois que tu pars ainsi à l'impro-
viste. On aurait pu te prévenir…

— C'est arrivé subito presto, Mathilde! Un coup de fil et le
directeur était aux abois!

— Marc Derouet n'était pas disponible?

— Non, Marc est à Toronto, une réunion au bureau-chef. Mais pourquoi toutes ces questions, Mathilde? Il n'est pas dans tes habitudes...

— Je sais et je m'en excuse, mais tu n'as pas dormi et un si long voyage...

— Voyons, ma douce, Québec, ce n'est pas New York! Et j'aurai la soirée pour me reposer. C'est demain que je dois être à l'œuvre.

Peu fière de sa réticence et de son indiscrétion, Mathilde ajouta d'une voix joviale:

— Bien sûr! Où avais-je donc la tête? Tu seras là dimanche, dis-tu? Pardonne mon intrusion, mais c'est que samedi, Pierre-Paul et Rachel...

— Oh! C'est vrai! Nous les avions invités! Décommande, Mathilde, mon frère va comprendre. Dis-leur que ce n'est que partie remise.

— Bon, d'accord, prends garde à toi, sois prudent sur la route, tu as si peu dormi...

— Ne t'inquiète pas, ça ira. Prends soin de toi, moi, je vois déjà le contrat... Je te laisse, on me presse. Ah! les affaires...

— Bon, qu'à cela ne tienne, je t'embrasse.

— À dimanche, Mathilde, et salue mon frère et sa femme pour moi.

Il avait raccroché. Perplexe, gênée par la situation, Mathilde était songeuse. C'était la première fois qu'il n'avait pas répondu «moi aussi, ma douce», lorsqu'elle lui avait dit «je t'embrasse». Mal dans sa peau, anxieuse, Mathilde ne put poursuivre son travail d'une main rassurante. Téléphonant à sa cliente, elle lui dit: «Un contretemps, Madame Vanasse, votre robe ne sera prête que demain.» Puis, une main sur le menton, l'autre sur la joue, Mathilde avait le cœur en boule. Gilbert n'avait jamais agi de la sorte en vingt ans. Jamais...

impulsivement. Sans rien comprendre, cherchant la cause, l'incertitude s'amplifia. Mais non! Pas la paranoïa! Mathilde se sentait déjà confuse devant ce doute qu'elle ne s'expliquait pas. Gentiment, doucereusement, elle décommanda le souper planifié, et Pierre-Paul, compréhensif mais surpris, lui répliqua: «Un contrat est plus important que son frère? Avec sept courtiers sur place?» Il éclata de rire, s'excusa de sa blague qui l'avait rendue mal à l'aise et rétorqua: «Ne t'en fais pas, Mathilde, ça ira.» Le soir venu, un livre à la main, la musique de Chopin en sourdine, c'était Mathilde qui, malgré ses efforts, ne parvenait pas à trouver le sommeil. Parce que sa main tremblait, que son cœur palpitait, et qu'un doute... un affreux doute imprécis la torturait.

Chapitre 2

Le soir même, c'est avec Lucie Chénart, la nouvelle femme de sa vie, que Gilbert signa la fiche d'inscription de l'Hôtel des Gouverneurs de Sainte-Foy, au seuil de Québec. Aucun contrat en vue, mais plutôt trois jours de détente en compagnie de celle qui allait corrompre, de son charme, les vingt ans de fidélité de Gilbert envers Mathilde. Le temps de défaire les valises, de ranger leurs effets, qu'ils étaient au bar en train de décompresser avec un gin tonic.

— Tu n'as pas eu le courage de le lui dire, n'est-ce pas? demanda la jeune femme.

Gilbert, songeur, leva à peine les yeux pour lui répondre:

— Non, Lucie, ce n'est pas facile, tu sais. Ce sera tout un choc pour elle.

— Je veux bien le croire, mais tout ce qui traîne…

— Arrête, n'en dis pas plus, Lucie. Donne-moi le temps requis. Mathilde ne se doute même pas qu'elle est une femme trompée. Ne me demande pas de la démolir en lui assénant un coup de masse de la sorte. Je veux bien…

— C'est ce matin que tu devais en finir, Gilbert! Tu oublies que, dès lundi, tu t'installes chez moi avec tes affaires. Une rupture, ce n'est pas la fin du monde! Surtout pas de nos jours! Parfois, je me demande si tu veux réellement…

— Oui, je le veux! Crois-tu que nous serions ici, ensemble, si tel n'était pas le cas? Je veux vivre avec toi, Lucie, je t'aime, je sens que nous allons être heureux.

La femme baissa la tête puis, d'un sourire narquois, lui répliqua:

— Dans ce cas-là, il va te falloir avoir des couilles, mon cher. Ce n'est pas avec des mensonges et des supposés contrats que tu vas régler le problème. Tu sais, mentir, c'est pire que d'avouer, Gilbert. Et puisque tu prétends que ta femme n'en fera pas un drame… Que comptes-tu faire? Allons-nous vivre en marge bien longtemps? Allons-nous être les amants qui se cachent, qui se dissimulent pour gagner du temps? Allons-nous moisir d'un hôtel à l'autre?

— Cesse, je t'en prie, n'envenime pas les choses. Je serai chez toi dès lundi.

— Alors, tu l'affranchis quand, ta Mathilde?

Gilbert baissa la tête, penaud, comme un gamin pris en faute.

— Je vais lui écrire, Lucie.

— Lui écrire? Tu n'es pas assez homme pour lui faire face, Gilbert Authier?

— Tu ne comprends pas… Je vais d'abord lui écrire et elle recevra la lettre par un courrier rapide qui partira de l'hôtel. Dès lors, la première manche sera jouée. Ensuite, de retour, je n'aurai qu'une brève explication, peut-être pas.

— Lui écrire quoi, Gilbert?

— Que je la quitte, que je pars avec toi, que je rentrerai pour faire mes valises.

Lucie laissa échapper un soupir de soulagement. Enfin! Après des mois d'attente, l'homme sur qui elle avait des vues, son collègue de travail, allait poser le point final. Enfin! Seule avec lui, en couple normal, à l'abri des ragots des camarades de travail. Enfin! Enfin! Sans songer qu'une femme, une femme tout comme elle, allait verser des larmes amères.

C'est en plein cœur de janvier de la même année que Gilbert avait fait la connaissance de Lucie Chénart. Grande, blonde, mince et bien roulée, elle avait fait tourner quelques têtes sur son passage. Vêtue dernier cri, tailleurs pour la plupart griffés, elle avait quitté une firme prospère pour se joindre à l'équipe des Immeubles Arc-en-Ciel, après avoir été sélectionnée par le bureau-chef de Toronto. Sa vaste expérience, sa détermination, ses succès antérieurs en avaient fait une candidate de choix. Trente-six ans, monoparentale, elle vivait dans un luxueux condo de l'Île-des-Sœurs avec sa fille unique de quinze ans, Geneviève. Et dès les premières semaines, sans qu'il s'en doute, elle avait jeté son dévolu sur Gilbert. Plus grande que lui, elle portait des chaussures à tout petits talons pour ne lui causer aucune gêne. Cheveux courts, yeux bleus, épaules carrées, traits délicats mais durs, démarche sensuelle, Marc Derouet, ami de Gilbert, avait dit d'elle: «On dirait Sharon Stone!» Pour ensuite ajouter: «Et elle te regarde d'un drôle d'air, Gilbert.» Ce dernier avait souri. Flatté, certes, mais pas aussi perspicace que Marc qui, lui, voyait toujours venir de loin. «Je te dis qu'elle a le béguin pour toi!» avait-il insisté. Gilbert, homme averti, lui avait répondu: «Pourquoi ce ne serait pas pour toi, Marc? Tu es libre, tu as belle apparence, tu es grand, tu es mince, tu as un petit côté «sexy» qui ne déplaît pas...» «Non, Gilbert, c'est toi qu'elle vise. Elle a du caractère, elle bouge sans cesse, elle est très autoritaire et ce genre de femme, à mon avis, cherche un homme calme.»

Gilbert avait encore souri sans s'en faire avec l'instinct plutôt animal de son ami. On aurait dit que Marc cherchait à le jeter tête première dans une folle aventure. Pourtant, il aimait bien Mathilde, il était venu tant de fois souper à la maison. Il était même en pâmoison devant les dernières créations de sa femme. Pour en revenir à Lucie, Marc plaisantait sans doute, se disait-il, mais Gilbert fut des plus surpris lorsque cette dernière lui demanda de faire équipe avec elle dans les grosses transactions. Et c'est avec elle qu'il vendit des immeubles à gros prix et des maisons cossues de Westmount. Ce qui gonfla d'aise son orgueil et… son portefeuille. Il avait vaguement parlé de cette collègue fort habile à Mathilde, mais sans la décrire, se contentant de lui dire qu'elle était mère d'une fille. Parce que, déjà, malgré ses efforts, il n'était pas indifférent aux approches et aux compliments de Lucie Chénart. Un soir de mars, après la vente successive de trois maisons, elle lui avait dit: «On devrait célébrer l'occasion.» Et ils s'étaient retrouvés dans un chic restaurant de la rue Crescent. Un merveilleux tête-à-tête, des fruits de mer et un vin blanc de qualité. Au moment des digestifs, après un ou deux Cointreau, timidité évaporée, il lui avait demandé:

– Tu me parles souvent de ta fille, jamais du père. Est-il encore vivant?

– Sûrement… Mais où, Dieu seul le sait.

– Que veux-tu dire?

– Un flirt de passage, un inconnu rencontré sur la plage alors que j'étais en vacances avec une amie en Martinique. Un beau gars, bronzé, musclé, dans la trentaine. Un Américain du Colorado, selon ses dires. Il disait s'appeler Jimmy, mais je ne l'ai pas cru. Je lui ai donné le change avec un faux prénom, mais après la baignade, le souper, le gin tonic, il a réussi à m'entraîner dans sa chambre d'hôtel. Et pas de force, si tu comprends ce que je veux dire. Nous avons fait l'amour, il est reparti le lendemain sans chercher à me revoir. Ce qui n'était pas mon but non plus, crois-moi. Je m'étais amusée, je m'étais envoyée en l'air, nous avions bu toute la nuit… Toujours est-il que Jimmy est reparti avec ses amis et que, le mois suivant, de retour chez moi, je découvrais que j'étais enceinte.

– Quelle histoire! Sans doute un drame pour tes parents…

– Bien sûr! Les hauts cris, les larmes de rage, mon père qui voulait que j'avorte. J'avais vingt ans, tu comprends. Mais j'ai décidé de garder le bébé. Je savais qu'il serait beau et en santé et qu'il risquait de ressembler au père. Et le «il» que je prévoyais fut «elle», Geneviève. Tu sais, dans le fond, ça ne me déplaisait pas d'avoir un enfant. Ce que je ne voulais pas, c'était d'un mari. J'étais une fille indépendante, et l'Américain était loin dans mes pensées. Mes deux frères m'ont quasiment reniée, mon père ne me l'a pas pardonné, mais que veux-tu? Je l'ai gardée, j'ai fait des sacrifices, je l'ai élevée de peine et de misère, j'ai fini par faire mon chemin dans la vie et je ne me suis jamais mariée. Moi, un homme dans les jambes!

Gilbert n'avait rien ajouté. Lucie semblait savoir ce qu'elle voulait. Tout le contraire de Mathilde qui, soumise, ne cherchait qu'à lui plaire. Mathilde, qu'il appelait affectueusement «sa petite femme d'une autre époque», parce qu'elle avait des principes et le culte des valeurs et des traditions. Mathilde qui n'aurait guère accepté qu'on puisse faire un enfant sans se soucier du père. Mathilde qui voyait un enfant comme le fruit d'un grand amour. Mathilde qui aurait tant souhaité… S'apercevant que Gilbert était songeur, Lucie s'empressa d'ajouter:

– Tout s'est arrangé par la suite. J'ai travaillé, j'ai sué quelque temps, mais j'ai pris soin de ma fille. Mes frères, mes belles-sœurs ont fini par se faire à l'idée, et mon père et ma mère l'ont aimée comme leurs autres petits-enfants.

– Les liens sont bons avec ta famille, Lucie?

– Je ne les vois pas souvent, et ça s'explique. Mes parents habitent à Baie-Comeau où la sœur de mon père leur a déniché une petite maison. Le plus vieux de mes frères vit au Manitoba et l'autre, en Gaspésie. Comme tu peux voir, les occasions sont peu fréquentes, mais dans les grandes circonstances, ça s'arrange. Voilà, c'est mon histoire! Je ne te demanderai pas la tienne, Gilbert, je la connais, et d'après ce que Marc m'en a dit, elle est assez banale.

– Comment, banale! Qu'est-ce qu'il a pu te dire, ce traître?

– Rien, moins que rien, je plaisante, Gilbert. Je n'ai rien cherché à savoir de Marc. Dis donc, ça te dirait d'aller passer quelques heures dans une discothèque?

– Une discothèque? C'est mal me connaître, Lucie. Je danse à peine, j'ai horreur du bruit…

– Alors, un dernier verre dans un bar! Dis oui! Que pour fêter ce qu'on a si bien réussi…

Ne voulant la décevoir, même s'il savait que Mathilde n'avait pas de répétition avec la chorale, il ne put lui refuser ce plaisir. Pas après tout ce qu'il venait d'empocher grâce à son savoir-faire.

– Un verre ou deux, je veux bien, mais dans un endroit tranquille, si possible.

Ils se retrouvèrent dans un petit bar peu achalandé de la rue Sherbrooke tout près de Viau. Un bar fréquenté par des gens de leur âge. Une espèce de «bar-rencontre» où les esseulés, les divorcés et les infidèles allaient à la «pêche». Sans être dérangés, ils consommèrent deux gin tonic, parlèrent longuement, et plus tard, Gilbert ne se rendit pas compte, ou

presque, qu'il venait d'immobiliser sa voiture devant le numéro 27 d'un motel en vue du boulevard Métropolitain.
Lucie, très adroite, subtile, l'avait convaincu de fêter «la
manne» un peu plus. L'alcool aidant, gêne dissipée, Gilbert se
retrouva dans le grand lit après avoir profité avec elle du bain-
tourbillon. Elle lui avait même remis un préservatif qu'il avait
enfilé maladroitement. Dieu qu'elle était belle avec ses yeux
langoureux et ses courbes parfaites dans sa tenue d'Ève. Sauf
qu'elle avait de petits seins, à peine plus gros que ceux d'une
gamine. Mais elle était suave, enjôleuse, cajoleuse et très
habile dans la manipulation d'un homme. «Tu as un corps
superbe», lui avait-elle murmuré au moment de lui encercler
la taille de ses longues jambes effilées. Et, à l'orée de la quarantaine, à l'âge où le démon sommeille, à deux pas de se
trouver vieux, Gilbert avait été conquis par cet aveu… physique. Vorace, tigresse, ingénieuse et sensuelle, elle lui fit
l'amour comme jamais il n'avait imaginé qu'une femme
puisse le faire. Lui, peu enclin, assailli de remords soudains,
lui rendit gauchement la monnaie de sa pièce. Au point que,
câline, un tantinet mesquine, elle lui chuchota à l'oreille:

— Pas chaud lapin à ce que je vois…

— Ce n'est pas ça, Lucie, c'est la gêne, la retenue et… et
ce fichu préservatif auquel je ne suis pas habitué. Et puis,
c'est la première fois…

— Tu veux dire que tu n'as jamais trompé ta femme, mon
chéri?

Il avait sursauté au doux appellatif. Il sentait qu'une histoire se tramait. Il se doutait bien qu'il ne serait pas pour elle
qu'un Américain… de passage. Il n'avait pas répondu à sa
question, préférant s'allumer une cigarette et enfiler son
pantalon. Elle, encore étendue, bras derrière la nuque, lui souriait. Subjugué, Gilbert se pencha et la combla d'un doux

baiser. Un doux baiser qui devint passionnel, charnel, et c'est ce baiser, ce seul baiser et non la relation sexuelle qui alluma l'étincelle. Vingt-quatre secondes et Gilbert était fou d'elle. Et «la chose» se répéta au gré de leurs contrats. À l'extérieur de la ville, dans un hôtel, dans un motel, bref, partout où un lit double s'offrait. Pendant ce temps, alors que Gilbert, épris jusqu'à la moelle, vagabondait d'un lit à l'autre avec Lucie, Mathilde cousait, Mathilde chantait.

Marc Derouet, conscient des événements, lui avait dit un certain soir: «Gilbert, il faut que l'on discute. Tu veux bien dîner avec moi demain?» Et c'est de bon gré, le moment venu, que Gilbert s'attabla avec lui dans un restaurant peu fréquenté par les collègues.

Apéritif à la main, Marc lui avait débité d'un seul trait:

– Gilbert, je crois que tu vas trop loin… Elle est en train de t'avoir…

Relevant la tête, confus, peu heureux d'être ainsi découvert, il répliqua:

– Dis donc, Marc, de quoi j'me mêle? Est-ce que je te questionne, moi?

– Gilbert! C'est pour ton bien que je m'impose. Loin de moi l'idée de me mêler de tes affaires, mais j'ai peur que tu perdes la tête. Au nom de l'amitié…

– Laisse! L'amitié n'a pas à défoncer la porte de ma vie privée! Tu veux savoir, Marc? Tu sauras! Lucie et moi, c'est fait, c'est accompli, et je l'aime!

Marc commanda son repas, Gilbert en fit autant et, de retour en tête-à-tête…

– Et Mathilde, Gilbert? Tu as pensé à Mathilde? Une femme incomparable, ta douce, comme tu l'appelles. Tu crois vraiment que Mathilde mérite un tel affront?

Gilbert avait baissé les yeux. Tenaillé entre la passion et la fidélité, il murmura:

— Non, Mathilde ne mérite pas ça et c'est ce qui m'inquiète. Ça fait des semaines que je vis de remords... J'ai honte, mais...

— Mais quoi?

— Je veux vivre, Marc! J'ai besoin de vivre, je refuse de m'engloutir...

— Tu n'aimes plus Mathilde?

— Je... je ne sais pas. Je veux dire, heu... je ne sais plus.

— Voyons, Gilbert, retrouve la raison! Lucie, ce n'est qu'une passion, pas un amour comme tu vis depuis vingt ans... Un amour indissoluble...

— Qu'en sais-tu, Marc? Rien n'est indissoluble quand la routine s'installe. Avec Lucie, je vis, Marc! Je vis, je vis... Avec Mathilde, Dieu me pardonne, je vieillis.

— Allons donc, c'est la peur de la quarantaine, la phobie de tous les hommes!

Mal placé pour parler, toi! Ton mariage n'a duré que quatre mois!

Marc rougit à l'odieux rappel de la part de son ami. Mal à l'aise, il répliqua:

— Je n'avais que vingt ans à l'époque, Gilbert, je n'étais pas mûr, pas prêt. Et avec Barbara, c'était l'incompatibilité totale. Une Anglaise à part ça! Barbara Ellis, digne fille de son père, qui voulait me mener par le bout du nez. Et quatre mois, ce n'est pas vingt ans, Gilbert. On n'éprouve aucune peine en si peu de temps. Mais, toi, ta petite femme en or, toutes ces années...

— À ce que je vois, ce n'est pas l'ami que tu prétends être qui va me donner l'absolution!

— Non, Gilbert! Parce que Lucie Chénart, ce sera ta perte! Elle n'est pas...

– N'ajoute rien, ça risquerait de créer un froid. Je l'aime, un point, c'est tout. Et que ça te plaise ou non, je vais quitter Mathilde pour elle.

– Bon! Ça ne peut pas être plus direct! Eh bien, si tu en as le courage…

– Tu l'as bien eu, toi, avec Maryse et Johanne, tes deux flammes après Barbara?

– Heu… ce n'était pas pareil. Rien de solide, j'étais encore dans la vingtaine, Gilbert. Je n'étais pas l'homme que je suis aujourd'hui, à trente-huit ans.

– Ah, oui? Alors, qu'en fais-tu de tes trente-huit ans? Tu attends qui, tu attends quoi, Marc?

Estomaqué, Marc Derouet ne sut que répondre à cette question embarrassante.

Encore attablés au bar de l'Hôtel des Gouverneurs, Lucie proposa d'aller souper à la salle à manger attenante. Puis, verre de vin à la main, elle lui dit:

– Ce soir, je te laisse le champ libre. Je vais me rendre chez une amie en taxi et je te laisse le temps requis pour rédiger ta lettre. Je reviendrai vers minuit, Gilbert, pas avant. Mais si tu n'as pas le courage de lui écrire, de lui dire que toi et moi… Si tu ne le fais pas, Gilbert, je pars. J'efface tout et je pars.

– Je vais le faire, Lucie, mais je t'en prie, pas de chantage. Pas à notre âge…

– Ce n'est pas du chantage, Gilbert, c'est un ultimatum. C'est ce soir ou jamais! Et je n'insisterai pas pour lire la lettre. Je verrai juste à ce qu'elle parte demain matin. N'oublie pas que dès lundi… Et puis, Geneviève t'aime déjà.

– Allons, Lucie, ta fille ne m'a rencontré qu'une seule fois.

– Oui, mais tu lui as plu. Geneviève t'a trouvé tout à fait charmant. C'est une bonne fille, tu sais, elle est studieuse, elle sort peu...

– Oui, oui, je sais. Va chez ton amie, Lucie. À ton retour, la lettre sera rédigée et cachetée. Je te le jure! Il faut en finir, non? Allez, pars en paix.

Rassurée par le ton, éprise de cet homme que déjà elle manipulait, Lucie l'embrassa sur les lèvres et lui murmura langoureusement:

– À mon retour, pour la première fois je me sentirai bien entre tes bras. Dis, tu as fait provision de préservatifs, mon chéri?

Il lui sourit. Tendrement. Amoureusement. Cette femme le séduisait d'un seul regard.

Seul dans la vaste chambre d'hôtel, le cœur à la fois heureux et en lambeaux, Gilbert sortit de sa mallette son stylo et le papier bleu sur lequel il allait écrire. Sa main tremblait. Malgré sa décision pesée, faire mal à Mathilde lui faisait terriblement... mal! Sa «douce», sa petite femme qu'il n'avait jamais trompée jusqu'à ce que Lucie, ses yeux bleus, son corps vaporeux... Il savait que la blessure serait profonde et que le dard risquait d'atteindre Mathilde en plein cœur. Il songeait à toutes ces années, à la petite maison qu'elle avait si bien enjolivée. Gilbert l'imaginait, cousant, chantant, attendant son retour pour rafraîchir ses vêtements. Vingt ans! Vingt ans que l'encre de sa plume allait anéantir d'un jet. Qu'importe le nombre de pages, dès les premiers mots, c'était l'outrage. Il pensait à sa mère, à son frère, à sa sœur, à la famille entière. Tous adoraient Mathilde. Il la revoyait souriante, une grosse boucle sur son épaule inclinée. Il voyait déjà les larmes de Mathilde couler sur le papier. Malgré le pacte, en dépit du serment. S'en souvenait-elle seulement? Gilbert traça les premières lignes puis froissa le papier pour le jeter. Recommençant, il déchira encore la page. Comme si son ange gardien lui retenait la main. Puis, revoyant les yeux bleus de Lucie, ses longues jambes, il rédigea sa lettre sans même la relire. Au risque d'avoir été brutal. Mais au moment de la mettre sous enveloppe, une larme était tombée. À son retour, Lucie, sans faire de bruit, aperçut Gilbert qui dormait. Sur la commode, minable apaisement, une enveloppe adressée, cachetée.

Chapitre 3

En ce jeudi 15 septembre 1994, le soleil filtrait de ses rayons le vaste sous-sol dans lequel Mathilde était affairée avec une cliente. «Enfin, je l'ai, ma robe, Madame Authier, et elle me va comme un gant! Regardez! Je vous dis que ça valait la peine d'attendre un ou deux jours de plus.» Mathilde était souriante. Rien ne pouvait lui plaire autant que la satisfaction d'une cliente. La veille, tout en cousant le bord de la robe de la dame, elle avait regardé le début du film *Les Misérables* à la télévision, mais elle avait refermé l'appareil, inapte à se pencher sur les déboires de Cosette, quand elle-même avait le cœur à la dérive. Gilbert n'avait pas téléphoné pour s'enquérir de sa quiétude comme il le faisait chaque fois qu'il s'éloignait de la ville. Elle préféra insérer dans son lecteur de cassettes, le volume 1 d'arias d'opéras et se gava du *Che gelinda manina* de *La Bohème*, chanté par le ténor Ludovic Spless, tout en poussant l'aiguille de son dé et en songeant aux prochains exercices de chant de la chorale. Le doute subsistait, le doute l'obsédait, et elle sentait qu'il s'ancrait doucereusement dans son cœur. «Peut-être a-t-il eu un empêchement?» se demandait-elle dans le but de minimiser son tourment. «Ce contrat n'est sans doute pas facile...», ajouta-t-elle, pour espérer dormir sans que l'angoisse l'étrangle et que les idées noires surgissent. Mais elle s'était levée rayonnante. Un tel soleil, une telle chaleur à deux pas de l'automne, c'était inespéré pour un moral torturé et un cœur malmené. Elle avait chantonné tout l'avant-midi, surprise d'entendre, de sa fenêtre ouverte, un oiseau qui faisait duo avec elle.

La dame, sa cliente, était sur son départ lorsqu'on sonna à la porte. Elle ouvrit et un messager lui fit signer l'accusé de réception d'une lettre de Québec. Une enveloppe bleue sur laquelle elle reconnut l'écriture de son mari. Elle tressaillit mais n'en laissa rien paraître devant sa cliente qui jacassait comme une pie. «Comme ça, vous acceptez de vous occuper de la robe de ma fille! Mon Dieu qu'elle va être contente, Madame Authier! Croyez-vous que le bleu lui conviendrait mieux que le vert? Avec ses cheveux roux, je pense que le vert…» Mathilde, impatiente d'ouvrir la lettre, l'interrompit pour lui dire: «On verra, Madame Marcil, tout dépend du modèle. On peut même agencer… mais, pour l'instant, il faut nous quitter, je dois me rendre à une répétition de la chorale d'ici une heure.» La dame sortit après l'avoir remerciée maintes fois, et c'est avec un soupir de soulagement que Mathilde referma la porte derrière elle. Anxieuse, elle prit la lettre et remarqua que l'écriture était fébrile. Comme si la main avait tremblé au moment d'inscrire l'adresse. «Par courrier privé?» se questionna-t-elle. «Pourquoi?» Elle prit un coupe-papier pour décacheter l'enveloppe, tout en se rendant compte que c'était à son tour d'avoir la main qui s'agitait. Elle était même hésitante à ouvrir et à poser ses yeux sur le contenu. Au même moment, un gros nuage gris cacha le soleil ardent qui l'avait tant épanouie. Mathilde prit place dans un fauteuil et déplia avec délicatesse les trois pages bleues sur lesquelles dansaient d'assez gros caractères. Elle avala une gorgée de son thé devenu froid et put lire, à la lueur du jour:

Ma chère Mathilde,

Je sens, je sais que cette missive ne te rendra pas heureuse. Je le regrette, mais il fallait que je t'écrive, n'ayant pas le courage de te faire face. Ce que je veux te dire n'est pas facile, crois-moi, j'en ai le cœur à l'envers. Ce que je veux te dire, Mathilde, c'est que je te quitte.

Mathilde sentit son pouls faiblir et porta la main à son cœur avant de poursuivre. Une première larme coulait déjà sur son visage. Elle reprit la lettre comme si elle avait entre les mains le germe de la peste, et poursuivit.

Je suis désolé, terriblement désolé, mais je te quitte parce que j'en aime une autre. Je ne te dirai pas, dans ce préambule de rupture, qui elle est, nous en reparlerons lorsque je reviendrai dimanche. Oui, j'en aime une autre, Mathilde, et j'ai décidé de poursuivre ma vie avec elle. Tu te souviens, Mathilde, du jour où nous nous sommes dit: «Si jamais un jour…»? Ce jour est arrivé, je n'y peux rien, c'est sans doute là mon destin. Surtout, Mathilde, ne te sens pas coupable, ne cherche pas la cause, je n'ai rien à te reprocher. Tu as toujours été pour moi l'épouse incomparable… Tiens! Voilà que je ne sais plus quoi dire. C'est comme si les mots s'étranglaient dans ma gorge nouée. Je t'ai toujours aimée, Mathilde, je t'aime encore, mais voilà que j'en aime une autre. Et je ne peux supporter plus longtemps de faire de toi une femme trompée. Tu ne le mérites pas, Mathilde, j'en fais seul mon mea-culpa. Je sais que ce ne sera pas facile lorsque nous serons l'un en face de l'autre mais, je t'en supplie, ne me rends pas les choses plus difficiles qu'elles le sont. Respecte ma décision, ne déroge pas à notre serment. C'est tout ce que je te demande et c'est exactement ce que j'aurais fait si c'était toi qui m'avais quitté pour un autre.

Je rentrerai dimanche mais je repartirai lundi. Avec mes vêtements et quelques effets personnels. Que ça, Mathilde, car je te laisse la maison et tout ce qui nous appartient. Tu ne manqueras jamais de rien, je te le promets. Je verrai même à payer les taxes, les réparations, le chauffage et l'entretien. Ce que je te demande, Mathilde, ce n'est pas un divorce mais une séparation. Et je veux que tu sois heureuse, sans moi, jusqu'à ce que ton cœur te dirige vers un autre. Elle n'est pas facile à écrire, cette lettre. Si tu savais ce que je ressens à la seule idée de te faire de la peine, mais que veux-tu? J'en aime une autre, je ne suis qu'un homme, je n'y peux rien.

Mathilde avait déposé la lettre sur la table. Elle pleurait à chaudes larmes. Il la quittait aussi brusquement qu'il déchirait un contrat lorsqu'une vente tombait aux oubliettes. Et le glaive au cœur, sa plus profonde blessure, c'est qu'en deux pages, il avait répété quatre fois «j'en aime une autre». Comme pour enfoncer davantage le couteau qu'elle sentait sur sa gorge. Mathilde tremblait de tous ses membres. Les nuages gris s'étaient dispersés, le soleil était revenu, mais son âme était plus obscure que la nuit. Il ne pouvait supporter plus longtemps d'en faire une femme trompée… C'était donc dire qu'il la trompait tout en se glissant dans son lit? Et depuis quand? Voilà donc pourquoi il était devenu distant, insomniaque. Elle croyait à une maladie, à un surmenage, et ce n'était qu'une infamie qui était cause de ses nuits blanches. Il passait ses nuits à jongler, à se demander comment s'en sortir, à penser à «l'autre», alors qu'elle lui infusait dans une eau de source des tisanes apaisantes. Comment n'avait-elle rien perçu avant? Comment avait-il pu lui jouer la comédie de l'homme qui semblait se donner trop à son travail alors qu'il ne se donnait qu'à «l'autre»? Comment avait-il pu la garder éveillée, inquiète de sa santé, cherchant avec lui la cause de ce malaise, quand le seul mal qui le minait était d'en aimer «une autre»… Mathilde pleurait, son cœur rageait. Elle qui, pourtant si douce, si compréhensive, n'avait jamais élevé le ton… par discrétion. Elle qui n'aurait jamais osé lui demander si elle était encore pour lui celle qu'il avait épousée. Elle qui, dans le doute, s'était tue parce que Gilbert n'avait jamais été un livre ouvert. Elle pleurait, elle tremblait, elle se demandait même s'il était nécessaire qu'elle se rende jusqu'au bout de la lettre. Mais ses yeux s'y posèrent malgré elle.

Je sais, je sens qu'en ce moment tu pleures, ma douce, mais épargne-moi ton chagrin lorsque je serai de retour. Épargne moi d'avoir plus mal que j'ai mal en t'écrivant cette lettre. Tu dois trouver lâche, n'est-ce pas, de t'aviser, d'un simple stylo, que je pars? Je suis lâche, Mathilde, honteusement lâche! J'ai tenté de te le dire en quittant la maison mardi matin, mais aux premiers mots, tu t'en souviens peut-être, je n'en ai pas eu le courage. Ton regard était si doux, si tendre… Comment aurais-je pu mutiler un tel visage? Je te demande pardon, Mathilde, d'être aussi brusque, aussi cruel après tant… Mais, je t'en supplie, ne me juge pas, ne me condamne pas, cette rupture est aussi pénible pour moi qu'elle peut l'être pour toi. Après mon départ, je me chargerai d'aviser ma famille. Et je partirai en ne laissant pas peser sur ta tête le moindre blâme. Par contre, je te laisse… ta mère. Non pas que je la craigne, mais elle et moi… Elle commençait à peine à m'apprécier. Je n'ai plus rien à ajouter, ma douce, le mal est fait, le mal est dit. Je dis «le mal» parce que je sais que tu as mal... Excuse-moi, je ne trouve plus les mots, Mathilde. J'ai la main qui tremble, le cœur qui palpite... Et celle pour qui je te quitte va rentrer sous peu. J'ai... Non! Assez! De peur d'envenimer...

Gilbert

Mathilde s'essuyait les joues avec un mouchoir de papier à sa portée. Elle avait peine à croire, c'était un cauchemar, elle croyait rêver. Mais les trois pages étaient là, étalées devant elle, souillées de larmes et froissées de désespoir. Sur la troisième page, il n'avait pas osé lui dire «après tant d'années». Il avait préféré les points de suspension, sans doute miné par ce décompte cruel. Mais il ne l'avait pas épargnée en lui disant que celle pour qui il la quittait «allait rentrer sous peu». C'était donc dire qu'elle était avec lui, que tout avait été planifié et qu'il lui avait menti. Oui, «menti» en lui disant qu'il devait partir sur-le-champ, ordre du directeur, alors que «l'autre» l'attendait sans doute dans sa voiture. Il lui avait menti pour la première fois... Non! Combien de fois! N'était-elle pas sa maîtresse depuis un certain temps? Non seulement il lui avait menti mais il l'avait trahie. Avec une autre! Avec une femme qu'elle ne connaissait pas. Avec une femme qui, sans scrupule, s'emparait du mari d'une autre femme. Sans se soucier qu'elle allait en pleurer. Sans merci de briser ainsi un ménage de tant d'années. Vingt ans! Vingt ans à s'aimer, à se le dire et... vlan! D'un seul coup, tout était fini. Et c'était plus odieux, plus cruel, que si Mathilde avait perdu Gilbert... de mort accidentelle. Parce qu'elle l'aurait aimé jusque dans l'au-delà. Parce qu'elle aurait pleuré son absence et non sa délinquance. Parce qu'elle...

Mathilde secoua la tête. Il ne fallait pas que de telles idées accentuent le mal dont elle souffrait. Elle se leva et, chancelante, se dirigea jusqu'à la cuisine. Elle but une gorgée d'eau, regarda par la fenêtre, et se rendit compte que le jour avait fait place à la nuit. Elle était restée, elle ne savait combien de temps, inerte dans son fauteuil, les pages bleues entre les mains. Le téléphone sonna et Mathilde ne trouva pas la force de répondre. Elle laissa l'appel s'engloutir dans sa boîte vocale puis, retrouvant quelque peu ses forces, composant son code, elle entendit sur la bande à messages: «Madame Authier, c'est madame Genest à l'appareil. Je voudrais savoir si vous auriez le temps de rétrécir un pantalon que mon fils a acheté. Rien de pressé, Madame Authier, je vous rappellerai demain. Bonne soirée.» Mathilde effaça le message et, pour apaiser sa douleur, écouta un passage de *La flûte enchantée* de Mozart. Les yeux hagards, fixant la plus belle photo de leur mariage, de nouvelles larmes s'échappèrent de ses paupières. Dévastée, sans défense, elle voyait vingt ans de sa vie s'envoler sans clémence. Seule dans son désespoir, blessée jusqu'au plus profond de son être, elle tentait en vain de reprendre son souffle. La lettre avait été comme une gifle cinglante. Si forte, si brutale, qu'elle en ressentait encore la douleur. Mais qui sait si, face à face… Elle l'aimait tant, il l'avait tant aimée. Et, dans sa lettre, Gilbert n'avait-il pas utilisé à deux reprises «ma douce»?

Nerveuse, à peine remise du choc, non du chagrin, Mathilde fit un effort plus que louable pour retrouver un certain calme lorsqu'elle entendit la voiture de Gilbert s'immobiliser dans l'entrée du garage. Quoique beau, le temps était plus frais en ce dimanche. Ça sentait déjà l'automne mais, pour Mathilde, ça puait déjà la solitude. Habillée, parée de ses plus belles perles, sans vouloir exagérer, elle s'était légèrement maquillée. Comme elle le faisait chaque dimanche. Pas plus, pas moins. Mathilde, quoique désemparée, n'allait pas donner l'image de celle qui veut quémander. Amoureuse de Gilbert malgré l'outrage, elle tenait à garder ce brin de fierté, seule arme valable à sa faible résistance. En sourdine, une cassette des œuvres de Frédéric Chopin, ses plus douces, ses plus belles. Elle ne pouvait, en un moment aussi crucial, l'accueillir dans le silence. La porte n'étant pas fermée à clef, Gilbert entra et aperçut Mathilde dans la salle à manger, debout, replaçant dans un vase de terre cuite quelques fleurs sauvages. Elle se retourna, ne dit mot, et poursuivit la mise en place des fleurs éparses, attendant qu'il lui adresse le premier la parole. Introverti en présence de sa femme, mal à l'aise de surcroît, il s'alluma une cigarette et lui demanda sans trop la regarder:

— Ça sent le bon café. Tu en as fait?

— Oui, tu n'as qu'à t'en verser. Il vient à peine de couler.

Gilbert se servit, revint à la salle à manger et prit place sur sa chaise habituelle alors que Mathilde, une tasse à la main, le regardait sans rien dire.

— Je ne sais par où commencer… Tu m'aiderais en rompant la glace…

— Que veux-tu que je te dise, Gilbert, j'ai reçu ta lettre.

Gauche, les yeux baissés, il lui murmura du bout des lèvres:

— J'espère ne pas avoir été trop maladroit… J'aurais préféré te le dire de vive voix…

— Pourquoi ne l'as-tu pas fait, Gilbert? Après tant d'années…

— J'en étais incapable. Je te l'ai écrit, Mathilde, je suis lâche, je n'ai pas…

Sans le laisser terminer sa phrase, elle lui demanda d'un ton calme:

– Qui est-elle? Qui est celle qui prend ma place, Gilbert?

Il était décontenancé. Il prévoyait la trouver en larmes, mais sa femme l'attendait de sang-froid, sans cris, sans drame. Ce qu'il ignorait, c'est que Mathilde faisait des efforts surhumains pour ne pas éclater. Face à ce qui lui semblait être une acceptation de sa part, il murmura:

– Lucie Chénart.

Mathilde était restée de marbre. Elle n'avait pas bronché ou presque. Elle ne connaissait cette femme que de nom. Elle savait qu'elle était une proche collaboratrice de Gilbert, et qu'ensemble, ils avaient brassé de grosses affaires. Mais ne l'ayant jamais vue, elle n'aurait pu imaginer… Elle savait que cette femme avait une fille de quatorze ou quinze ans, c'était tout ce que Gilbert lui avait dit d'elle. Et elle se rappelait que Gilbert avait toujours évité de répondre à ses questions lorsqu'elle s'informait d'elle de façon banale. Mais, somme toute, Lucie Chénart était pour elle une étrangère. Ce qui lui fit rétorquer sans jeter les hauts cris:

– Ta collègue? Celle avec qui tu fais équipe?

– Oui, murmura-t-il en détournant la tête.

– Ça dure depuis longtemps, Gilbert? Elle est ta maîtresse depuis…

– Mathilde, je t'en prie, ne tourne pas le fer dans la plaie avec des mots… Je t'ai avoué t'avoir trompée. Je ne peux plus le faire et ensuite partager ton oreiller. Ma conscience est déjà assez chargée… Je t'ai tout dit dans ma lettre, je ne voudrais pas avoir à recommencer.

– Elle est mère, si je ne m'abuse? Elle a une fille de…

– Quinze ans. Geneviève, de répondre Gilbert.

Puis levant les yeux pour ne pas voir les siens, il ajouta:

— Tu sais tout ça, Mathilde, à quoi bon s'arrêter sur ces détails.

— Était-ce ce qui te manquait, Gilbert? Est-ce parce que je n'ai pas pu…

— Mathilde! Pour l'amour du ciel! Tu sais très bien que je n'ai jamais voulu d'enfants! Ce n'est qu'un hasard et, je t'en prie, ne cherche pas la bête noire.

— Tu l'aimes, Gilbert? Tu l'aimes vraiment?

Rougissant quelque peu de cette question qui l'indisposait, il répondit sans vouloir la blesser:

— Heu… oui, je l'aime. On ne part pas quand on n'aime pas…

— Et on part quand on n'aime plus…

— Mathilde, s'il te plaît! Pourquoi nous faire souffrir ainsi…

— Nous faire souffrir? T'entends-tu, Gilbert? Nous? Alors que je suis la seule à en souffrir? Tu pars avec une autre, tu me l'annonces froidement dans une lettre…

Mathilde avait des sanglots dans la voix. L'émotion la trahissait, sa douleur se lisait sur ses traits. Se rendant compte qu'elle était désemparée, Gilbert, plus maladroit qu'habile, lui murmura en guise de consolation:

— Tu ne manqueras de rien, je te le jure. Je verrai…

À ces mots, malgré elle, Mathilde sursauta et s'emporta:

— Que je ne manque de rien! C'est ça, une séparation, pour toi? Vingt ans, Gilbert! Et du jour au lendemain, fini! Finie l'histoire comme si elle n'était que d'hier! Te rends-tu compte de ta cruauté? Crois-tu vraiment qu'un toit suffise à apaiser un cœur? Ai-je mérité une telle gifle, Gilbert? Ta douce! Ta bonne Mathilde! Dois-je faire en plus tes valises, Gilbert?

— Mathilde, je t'en prie…

– Non, laisse-moi finir, laisse-moi au moins me vider le cœur! Après, tu partiras, après… Et quand je pense à ce tête-à-tête de juin dernier alors que dans notre rituel nous avons célébré… Tu as levé ton verre à notre santé, à notre amour et, déjà, tu couchais avec elle!

– Non, Mathilde, c'est arrivé après… mentit-il honteuse-ment.

– Et que dire de notre anniversaire de mariage que nous avons célébré en famille alors que tous nous applaudissaient, ma mère incluse! Tu me serrais dans tes bras au moment où l'on nous souhaitait encore vingt ans de bonheur… Ah! Gilbert… Comment as-tu pu te prêter à telle comédie? Et ne viens pas me dire qu'elle n'était pas dans ta vie au moment où nous échangions des baisers devant ta mère, ton frère…

– Mathilde…

– Elle n'est quand même pas tombée du ciel hier, ta Lucie! Sans cesse avec elle depuis le début de l'année… Je suis peut-être naïve, Gilbert, discrète, mais je ne suis pas folle pour autant! Ce que tu as fait est pire que…

Surprise de son emportement, elle le regarda et s'aperçut qu'il pleurait. Ému, repentant, sidéré par la tournure des événements, Gilbert essuyait quelques larmes de sa manche de veston et répliqua dans un quasi-murmure:

– Tu avais pourtant juré, Mathilde… Tu avais fait tout comme moi le serment…

Pantoise, la larme à l'œil, redevenant «la douce» qu'elle était, elle répondit:

– Après vingt ans, on oublie, tu sais. Tu me l'as rappelé dans ta lettre, mais ce pacte, ce serment, je l'avais enterré, moi. Dans nos années de bonheur, sans doute… Mais ne crains rien, je vais le respecter, ce pacte qui refait surface.

– Ça aurait pu être toi, tu sais…

– Non, Gilbert. Parce que je t'aime, moi, et que je ne t'aurais jamais quitté pour un autre. Et ça, tu le savais… C'était à la vie, à la mort, moi. Pourquoi, Gilbert? Pourquoi en sommes-nous là? Qu'ai-je donc fait…

– Mathilde, je t'en prie, ne cherche pas à être la cause de ce dénouement. Ce n'est pas toi, ce n'est pas moi, ce n'est pas…

– C'est quoi, alors?

– J'étouffe, Mathilde! J'étouffe! Je ne respire plus dans la routine! Je me sens vieillir ici… Je me sens peu à peu mourir… Et ce n'est pas à cause de toi, je te le jure! Ce n'est que la vie qui me pousse… Ne me demande pas de t'expliquer ce que je ressens, Mathilde, je ne saurais le faire. J'ai… j'ai besoin d'un second souffle.

Elle crut défaillir. Ne trouvant plus les mots, elle fondit en larmes. Puis, cœur délivré de son angoisse, yeux encore embués, elle lui demanda:

– Et c'est avec elle que tu vas le trouver, ce second souffle?

– Mathilde, je t'en supplie, tâche de comprendre, n'envenime pas ce dur moment…

– Mais j'ai mal, moi! Crois-tu que je sois faite de marbre, Gilbert?

Ne sachant quoi répondre, accablé par le remords et les reproches amers, Gilbert regarda par la fenêtre, pressa ses mains l'une dans l'autre, et soupira comme le condamné qui ne peut plus clamer son innocence. Se rendant compte de son trouble, encore éprise de celui qui la crucifiait sans merci, Mathilde, vaincue, altruiste, roulant ses perles entre ses doigts, lui demanda:

– Tu… tu pars demain, selon ta lettre?

– Non, je repars tout à l'heure, mais je reviendrai demain prendre mes affaires, lui répondit Gilbert en regardant par terre.

Ils causèrent encore longuement, calmement. Mathilde, dans sa peine, se résignait peu à peu face à l'inévitable. D'un ton plus doux, plus affable, il lui réitéra son intention de tout lui laisser. La maison, les meubles, tout. Et Mathilde, sans sourciller, ne fit objection à la moindre de ses décisions. Désemparée, abandonnée, livrée à elle-même, elle ne comptait pas vivre de surcroît… d'insécurité. Elle n'allait pas tout sacrifier sur un brin de fierté. Elle le laissa parler, elle l'écouta, car dès lors, elle avait décidé de se taire, de ne rien obstruer. Elle souhaitait que la blessure qu'il lui infligeait lui cause un vif remords. Au gré du temps… Et qui sait si, par un tel accablement, Gilbert n'allait pas «étouffer» quelque peu dans son «second souffle»? Sans méchanceté, secouée par l'émotion, elle souhaitait même que d'autres nuits blanches… Non, c'était trop bête. Pas quand on aime encore, pas quand on aime comme elle l'aimait encore de tout son être. Mais elle voulait qu'il sente que, de cet odieux pacte, elle était la victime. Parce qu'elle était victime de cette cruelle rupture. Elle voulait qu'il le sache, non seulement qu'il le sente. Et c'est sans doute pourquoi, au moment du départ, elle lui murmura doucereusement: «Sois heureux, Gilbert.» Lui, penaud, sans même l'embrasser sur le front, referma la porte tout doucement. Non sans avoir entendu Mathilde lui dire dans un dernier effort: «Je ne serai pas là demain quand tu viendras pour tes affaires. Tu n'auras qu'à laisser tomber la clef dans la fente aux lettres quand tu repartiras.» Seule, Gilbert parti, elle courut jusqu'à sa chambre et se jeta sur son lit. En proie à de violents sanglots, elle enfouit son visage dans son oreiller blanc. Et vingt ans de larmes, tel un torrent, déferlèrent jusqu'au drap.

Le lendemain, ayant peu dormi, sommeil agité par la douleur, elle se leva péniblement. Le téléphone sonnait et sa boîte vocale avalait les appels. Puis, vêtue d'une jupe, d'un chandail et d'un gilet, elle composa son code pour recueillir quelques messages. Des dames qui désiraient prendre rendez-vous, dont celle d'hier qui revenait à la charge avec le pantalon de son fils. Que des clientes! Elle qui avait espéré, dans un dernier sursis, un appel de Gilbert. Ne sachant trop que faire, elle téléphona à une amie de la chorale, s'excusant de ne pouvoir être au rendez-vous, prétextant une violente migraine. Puis, sautant dans sa petite Honda Civic rouge, elle se rendit dans un parc public, attirant les écureuils avec des arachides, et voyant de jeunes mères avec leurs enfants, elle quitta tristement l'endroit, peinée de ne jamais avoir eu le bonheur d'en serrer un sur son cœur. Elle se rendit en ville, entra dans un cinéma au hasard, mais ressortit aux premières séquences du film: c'était l'histoire d'une rupture. Comme si, ce jour-là, le ciel s'était mis de la partie pour aviver sa peine. De retour à la maison alors que la noirceur était déjà de mise, elle fut surprise d'apercevoir de la lumière dans la chambre à coucher. Elle entra, posa le pied sur une clef et se rendit compte que Gilbert était passé. Face au vaste placard de la chambre, elle vit qu'il avait pris tous ses vêtements. Puis, dans son bureau, ses livres, ses effets personnels et son ordinateur. Bref, tout ce qu'il lui fallait pour sa «nouvelle vie», laissant tout de «l'ancienne» derrière lui. L'album de photos de leur mariage était intact, la plus jolie photo encadrée bien en place. Il était parti vers l'avenir faisant fi du passé. Avec tout ce qu'il lui fallait pour faire de l'argent, sans emporter un seul souvenir… d'antan. Sur le coin de la table, une courte note griffonnée à la hâte: «Je n'ai pris que ce qui m'appartenait. Je prendrai de tes nouvelles de temps en temps. Gilbert.» Pas le moindre mot tendre. Pas même un post-scriptum avec un «désolé» ou «je regrette». Rien! Après vingt ans! Que le «second souffle» qui l'attendait dans les bras d'une autre qu'il aimait.

Déçue, amèrement déçue, Mathilde ne trouva pas la force de verser une larme. Le chagrin de cette rupture était quasi intact dans son oreiller humide et chiffonné. Comment Gilbert avait-il pu ne pas être remué par ce lit défait aux draps froissés, qu'elle ne s'était pas donné la peine de refaire? Elle, si ordonnée, si minutieuse. Elle avala un bol de soupe, poussa une cassette de Brahms dans le lecteur et resta songeuse, rêveuse, dès les premiers accords d'une jolie *Berceuse*. Dans sa boîte vocale, de multiples appels qu'elle ne releva pas. Au seuil de la nuit, elle se devait de faire les premiers pas de son deuil. Gilbert était parti. Bel et bien parti! Avec une autre qu'il aimait plus qu'elle. Et elle sentit, malgré le serment, un dard lui transpercer le cœur. Un long frisson, une soudaine solitude et… l'abandon. Sa mère! Un visage crispé s'offrait déjà à elle. Elle savait que Florence Courcy serait sans merci… pour lui! Et sa famille à lui? Madame Authier, Pierre-Paul, Rachel, Sophie? Mathilde était anéantie. Comment faire face, sans flancher, à leur stupeur, à cause de… lui!

Chapitre 4

Ce n'est que deux jours plus tard, le mercredi 21 septembre, que Mathilde reçut un coup de fil de sa belle-mère. Au moment même où elle terminait son petit déjeuner. Fait curieux, c'était l'automne depuis quelques heures et le soleil brillait dans toute sa splendeur avec 22 degrés Celsius de chaleur. Au son de la voix de sa belle-mère, Mathilde resta bouche bée. Elle était sur le point de pleurer.

Ma pauvre enfant! Ma pauvre petite! Gilbert m'a tout dit hier matin, mais je n'ai pas trouvé la force ni le courage de t'appeler. Je suis encore sous le choc, je ne comprends pas... Je ne peux pas croire qu'une telle chose soit arrivée.

Mathilde, la voix tremblotante, lui répondit:

– Il va falloir vous y faire, Madame Authier, j'ai, j'ai...

Et Mathilde éclata en sanglots, accablée et malheureuse de ressentir la douleur une fois de plus.

– Allons, allons, calme-toi, Mathilde, nous serons là. Nous allons tout faire pour t'aider. Si tu savais comme Pierre-Paul est en furie! Il a apostrophé Gilbert comme ça ne se peut pas! Il l'a traité de salaud, de goujat; il lui a même dit qu'il ne voulait plus le revoir. Un tel drame dans une si belle famille...

Madame Authier sanglotait à son tour, et c'est Mathilde qui retrouva son calme.

— Pierre-Paul n'aurait pas dû intervenir… C'est quand même entre Gilbert et moi… Nous ne sommes plus des enfants. Gilbert a fait un choix et je me dois de le respecter. Je ne voudrais pas que notre rupture cause une brouille…

— Moi non plus, Mathilde, mais tu connais Pierre-Paul… Avocat jusqu'au bout des doigts, celui-là. Et comme il t'aime beaucoup, il s'est emporté… Ah! j'aime mieux ne plus y penser. Et Gilbert a beaucoup baissé dans l'estime de Rachel. Elle non plus ne veut plus le revoir. Elle le trouve infâme, indigne de toi, indigne de la famille. C'est sûrement elle, cette femme, qui lui a fait perdre la tête.

— Je ne crois pas, Madame Authier, Gilbert n'est pas du genre à se laisser influencer. Je pense que la routine, le temps, la vie tranquille… Ça ne s'est pas produit tel un orage, vous savez, il était distant, il s'éloignait de plus en plus…

— Pourquoi ne pas m'en avoir parlé, Mathilde? Et le dialogue entre vous?

— Il a toujours été inexistant. Pour Gilbert, c'était une forme de respect de l'un envers l'autre. Une marque de confiance… Et pourquoi me serais-je confiée à vous, Madame Authier? L'ai-je fait une seule fois en vingt ans? Gilbert est votre fils, et puis, avais-je la moindre raison de vous confier quoi que ce soit? Tout allait si bien entre nous. Nous étions, aux yeux de tous, le couple indissoluble…

— Oui, mais si tu sentais venir quelque chose? Si, avec ses distances…

— Je croyais qu'il traversait un mauvais moment… Je le suivais des yeux, pas plus. Votre fils n'est pas le genre d'homme à accepter d'être talonné par sa femme…

– Oui, je sais et je ne comprends pas. Mon mari et moi étions très ouverts l'un envers l'autre, et Pierre-Paul et Rachel n'ont pas de secrets l'un pour l'autre.

– Ce qui n'était pas le cas de Gilbert. Pour lui, la discrétion, c'était sacré.

– Mais pourquoi, Mathilde? T'a-t-il donné une bonne raison d'agir de la sorte? S'est-il ouvert, cette fois?

– Oui, si on veut, dans une lettre et dans une brève explication. Il l'aime, Madame Authier, il a besoin d'un second souffle, il étouffait... Puis, à quoi bon, ce serait creuser dans la plaie, et comme c'est récent...

– Je suis sûre que ce n'est qu'une passade, Mathilde. Gilbert te reviendra.

– Je regrette, Madame Authier, mais une vie à deux, ce n'est pas un jeu. Non, vous vous trompez. Gilbert est amoureux, nous étions devenus un vieux couple, il ne pouvait plus supporter la routine. Et vous savez, sans enfants...

– Tu n'as rien à te reprocher, ma fille! C'est lui qui n'en voulait pas! Il a toujours eu horreur des enfants. Et comme...

– Oui, comme je ne pouvais pas lui en donner, ça l'arrangeait. Je sais, je sais tout ça, Madame Authier, même si j'ai pleuré pendant des années de ne pouvoir être mère. Gilbert n'en a pas souffert mais, moi, j'en souffre encore. J'en souffrirai toute ma vie. Parce que si le Ciel m'avait gratifiée...

Et Mathilde fondit en larmes, ayant peine à balbutier:

– Je ne serais pas seule à me morfondre. J'aurais tout comme Rachel...

– Ne te fais pas plus de mal que tu en éprouves, Mathilde. Ne reviens pas sur le passé, ne te blâme pas, surtout pas! Jamais Gilbert ne trouvera une femme comme toi.

– Le temps est un grand maître, dit-on? Peu à peu, je vais m'en remettre, mais là, je vous prie de m'excuser, la blessure est si profonde…

– As-tu besoin d'aide? Veux-tu venir habiter chez moi pour quelque temps?

– Non, non, ça ne m'aiderait pas. Merci, Madame Authier, mais je préfère être seule, m'habituer à l'absence, remonter peu à peu la pente. J'ai besoin d'apprivoiser la solitude, de vivre ce deuil, de vaincre ma peur du silence. Je vais me remettre à la couture. Je vais fréquenter la chorale, je vais m'en remettre, je vais…

– Ta mère est au courant, Mathilde?

– Non, pas encore. J'attends… Je ne veux pas la voir surgir avec son aile protectrice, vous comprenez? Rien ne presse, et comme elle est à Saint-Donat avec ses amies de l'âge d'or… Voilà qui m'arrange. Un sursis, le temps de reprendre mon souffle.

– Gilbert m'a juré qu'il ne t'avait pas laissée dans la gêne. Est-ce vrai, Mathilde?

– Oui. Il n'a pris que ses affaires. De plus, je gagne bien ma vie, Madame Authier.

– Pour ça, je ne suis pas en peine pour toi. Avec ta vaste clientèle… Mais, il faut que je t'avoue une chose, Mathilde, et j'espère que tu seras en mesure de comprendre.

– Allez, ne soyez pas embarrassée…

– Tu sais, Pierre-Paul et Rachel l'ont banni de leur vie, mais moi, sa mère, je ne peux lui fermer ma porte et mon cœur. Gilbert est mon fils…

– Madame Authier! Je n'en espère pas moins de vous, croyez-moi! Gilbert aura besoin de vous, je le sens, je le sais. Vous n'avez pas à m'expliquer cet élan maternel.

– Ce qui ne veut pas dire que je sois d'accord avec son geste, loin de là, mais une mère, Mathilde, une mère se doit d'être là pour ses enfants, dans les bons comme les mauvais moments.

– Heureuse de vous l'entendre dire. Et je regrette que Pierre-Paul et Rachel l'aient invectivé de la sorte. Je sais qu'ils m'aiment bien, mais ce n'est pas une raison pour renier Gilbert et créer un bris dans la famille. Vous devriez leur parler, Madame Authier. Gilbert traverse lui aussi un dur moment. Ce qu'il vit n'est pas facile et ce n'est pas en le rejetant…

– Je sais, mais Pierre-Paul est immuable. Pour lui, c'est une trahison, un affront. Si quelqu'un peut lui faire entendre raison, Mathilde, c'est toi, pas moi.

– J'essayerai… quoique cette rupture ne concerne que Gilbert et moi. Je lui ai promis le mutisme, la discrétion la plus totale. Mieux vaut que ça s'arrête là.

– J'ai aussi avisé Sophie, Mathilde.

– Était-ce nécessaire? Voilà qui a dû lui faire mal, elle aime tant Gilbert.

– Oui, c'est vrai, mais elle a trouvé son geste déplorable. D'un autre côté, tu sais, celle-là! Philosophe, le bec pointu, elle a ajouté: «Maman, dans la vie, ce qui doit arriver…» Tu sais, Sophie, son grand frère…

– Oui, je sais. Ça va, pas d'offense, de répliquer Mathilde qui s'attendait à ce que sa belle-sœur, professeur d'histoire, se range quelque peu du côté de Gilbert. Elle aimait bien Mathilde, mais son grand frère aurait commis un crime qu'elle l'aurait serré dans ses bras. Gilbert était son univers.

Lasse d'une si longue conversation, heureuse d'en avoir terminé avec les éclats de sa belle-famille, Mathilde raccrocha après avoir transmis des baisers à sa belle-mère et, d'un effort surhumain, reprit son dé pour appliquer quelques rubans sur une robe… de mariée.

Le soir même, alors qu'elle avait repris sa couture et qu'elle écoutait l'*Ave Maria* de Schubert, qu'elle devait interpréter avec la chorale lors d'une messe payée à la douce mémoire d'un député à l'église Sainte-Cécile, elle sursauta à la sonnerie du téléphone. Sûrement pas sa mère, elle ne devait rentrer que samedi de son petit voyage. Mais elle eut peur. S'il fallait que sa mère l'appelle de l'auberge où elle résidait. Elle s'empara du récepteur:

— Oui, allô.

— Mathilde, c'est Marc. J'espère que tu es seule… Je ne dérange pas?

Ce brave Marc Derouet, le collègue de Gilbert. Celui qu'elle considérait presque de la famille. Ce charmant garçon qui était comme un frère pour Gilbert et qu'ils avaient si souvent invité à la maison.

— Marc! Quelle bonne surprise! Je suis si heureuse de t'entendre. Non, tu ne déranges pas…

— Écoute, Mathilde, il ne faudrait pas que Gilbert apprenne que je reste en contact avec toi. Il ne me le pardonnerait pas. Non pas qu'il m'ait interdit de prendre de tes nouvelles, mais tu le connais, s'immiscer dans ses affaires…

— Tu peux compter sur ma discrétion, Marc. Comment vas-tu?

— Mathilde! C'est plutôt à moi de te poser cette question. Si tu savais comme je suis désolé de ce qui t'arrive. J'ai tellement de considération pour toi.

— Je sais et je t'en remercie, mais ne t'en fais pas, ça va. Le pire est passé… Il me faut être forte et je le suis, Marc. De toute façon, que pourrais-je y changer?

— Je ne sais pas ce qu'il lui a pris, Mathilde. Je ne comprends pas qu'il ait pu te quitter pour une femme comme Lucie Chénart. Le jour et la nuit…

— Peut-être avait-il besoin de scruter «la nuit», Marc? Je ne la connais pas, cette femme, je ne l'ai jamais vue.

— Ah! Mais moi, je la connais! Et te dire ce que j'en pense!

— Je n'y tiens pas, Marc. Je ne veux pas que tu me parles d'elle. Si j'apprenais que Gilbert n'était pas heureux avec elle, j'en serais malheureuse. Je ne veux que son bonheur, moi, et comme ils s'aiment...

— Un bien grand mot, Mathilde! Lucie Chénart n'a jamais aimé qu'elle-même! C'est une opportuniste, une égoïste! Quand on choisit le premier venu sur une plage pour faire un enfant parce qu'on ne veut pas d'homme dans sa vie...

Malgré elle, poussée par la curiosité, Mathilde demanda d'une voix faible:

— Tu... tu veux dire qu'elle n'a jamais été mariée?

— Penses-tu? Lucie Chénart s'embarrasser d'un mari? Et Gilbert n'est pas le premier sur lequel elle met le grappin. Sans être mauvaise langue, je pourrais même ajouter que sa fille en a connu, des pères instantanés! Ce que je ne comprends pas, c'est que Gilbert se soit laissé prendre. Elle ne t'arrive pas à la cheville, Mathilde! Elle est dominatrice, elle est...

— Assez, Marc! Ne va pas plus loin dans tes commentaires. Je préfère de beaucoup ne rien savoir de celle qui... Passons, veux-tu? Toi, ça va bien? Toujours célibataire?

— Mathilde! Comme si c'était le moment de te livrer ma vie intime! Dis, tu penses être capable de te tirer d'affaire? Tu sais, si tu as besoin de quoi que ce soit...

— Merci, Marc, c'est gentil à toi, mais je vais surmonter, je surmonte déjà. Cet après-midi, j'ai même acheté une jolie perruche pour me tenir compagnie. J'avais songé à un pinson, mais deux à chanter dans la maison...

Mathilde éclata d'un rire franc. Son premier rire après tant de larmes. Mais Marc avait ce don de la divertir, de la détendre, de lui faire oublier les malheurs…

— Bon, heureux de constater que tu es sur la bonne voie. Je craignais tant…

— Sois rassuré, Marc, ça s'apaise. Doucement, lentement, mais ça s'apaise.

— Et… Ça ne me regarde pas, Mathilde, mais ta mère…

— Elle ne sait rien encore. Dieu merci, elle est en vacances, elle ne rentre que samedi. Et je m'en charge. La discussion ne sera pas longue, je retrouve peu à peu mon courage. Madame Authier m'a téléphoné, cependant, et elle était très chagrinée. Mais, que veux-tu, Gilbert est son fils… Avec son frère, ça s'est très mal passé et ça me froisse un peu. Cette rupture ne regarde que Gilbert et moi.

— Je sais, Mathilde, mais ceux qui t'entourent t'aiment. Tu ne peux les blâmer d'être navrés.

— Non, mais pas au point de renier Gilbert. C'est notre décision, Marc, pas la leur.

— Votre décision? Allons, Mathilde, pas à moi! Sa décision!

— Qu'importe, Marc. Et puis, quand bon te semblera, tu seras toujours le bienvenu, tu sais.

— Je n'en doute pas, mais avec Gilbert dans les parages… Je prendrai de tes nouvelles, Mathilde, je téléphonerai certains soirs, on pourrait même aller au restaurant…

— Oui, bien sûr, mais laissons le temps passer, laisse-moi me remettre debout, Marc. Je reprends courage, mais la plaie est encore vive…

— Oui, j'imagine… Alors, ce sera pour plus tard, prends bien soin de toi, Mathilde, et je te le répète, si tu as besoin de quoi que ce soit…

– Je ne l'oublierai pas, Marc. Merci d'avoir pris de mes nouvelles et, si tu le peux, prends soin de Gilbert. Tu es son seul ami, tu sais.

Ils avaient raccroché et Mathilde, rassurée, quelque peu détendue, avait repris le tissu qu'elle était en train de tailler. Dans sa cage, la perruche s'agitait, et Schubert s'était éteint sur la dernière note de son *Ave Maria*.

Les premières nuits sans «lui» étaient longues et pénibles pour Mathilde. Quelque peu craintive dans ce bungalow détaché, elle sursautait au moindre bruit. Pourtant, elle avait souvent passé de longues semaines seule alors que Gilbert se trouvait en province ou au bureau-chef à Toronto. Mais c'était différent. Elle savait alors qu'il allait rentrer d'un jour à l'autre et elle sentait constamment sa présence, même si les arbustes craquaient sous la poussée du vent. Elle le sentait là, ou à deux pas. Mais seule, sachant qu'il ne reviendrait pas, la confiance avait fait place à une peur soudaine. Elle avait certes des voisins, le téléphone à sa portée, mais elle était effrayée par ce silence, par l'horloge qui sonnait les heures, par… l'absence. Elle ne dormait plus que d'un œil comme le font les femmes qui viennent d'accoucher. Peut-être aurait-il été préférable de vendre et de louer un modeste appartement? Mais non! Sa mère l'aurait sûrement implorée de revenir habiter avec elle. Plutôt vivre la peur qu'elle vaincrait que de retomber sous le joug de Florence.

Sans s'annoncer, sans même avoir songé qu'elle aurait pu être absente, Pierre-Paul et Rachel surgirent dans son décor le lendemain, alors que, pantoufles aux pieds, décoiffée, buvant son café du matin, Mathilde nettoyait le fond de la cage de sa perruche peu apprivoisée qui se cramponnait au grillage. Elle ouvrit et ses visiteurs s'introduisirent, lui, l'air sévère, elle, prise de compassion.

— J'espère qu'on ne te dérange pas, Mathilde, mais moi, tu sais, le téléphone…

— Entrez, voyons! Venez prendre un café, faites comme chez vous! Mais, excusez ma tenue, je n'attendais personne, ajouta-t-elle en poussant ses cheveux derrière la nuque d'une main maladroite.

Puis, s'emparant de deux tasses et de la cafetière, elle allait servir lorsque Rachel lui lança:

— Non, laisse, je m'en occupe. Je vais même réchauffer le tien.

Mathilde, emmitouflée dans sa robe de chambre, regagna son fauteuil, laissant la perruche dans sa cage sans papier sablé, sans eau et sans graines dans sa mangeoire.

— Tu sais, Mathilde, si ça va jusqu'au divorce, n'oublie pas que je suis avocat! lui lança Pierre-Paul sans plus de préambule.

Surprise, estomaquée, elle lui répondit d'un ton à peine perceptible:

— Pierre-Paul, je t'en prie, nous n'en sommes pas là, et Gilbert n'est pas parti comme un goujat…

— Ah, non? En te baisant la main, je suppose? Ce que mon frère a fait est impardonnable, Mathilde! Aîné ou pas, je ne me suis pas gêné pour le lui dire!

— Il ne fallait pas, Pierre-Paul… Ne le juge pas, ne le méprise pas…

— Tu ne vas quand même pas le défendre? lui lança Rachel de la cuisine. Mathilde! Il t'a laissée tomber comme on le fait d'une savate! Réveille, ma petite! On n'est plus dans les années cinquante, on est tout près de l'an 2000! Sois de ton temps, Mathilde, arrête d'être bonasse, d'être indulgente. Ça fait vingt ans qu'il n'en fait qu'à sa tête! Les femmes soumises, c'est du passé, Mathilde!

– Je ne suis pas soumise, Rachel, j'essaie juste d'être compréhensive. J'essaie de trouver le morceau du casse-tête... Gilbert et moi avons toujours été un couple heureux et ce n'est pas parce qu'il était introverti qu'il n'en faisait qu'à sa tête. Nous respections nos choix, nos libertés, nous ne nous sommes jamais envahis l'un l'autre. Et là, j'essaie juste de comprendre sans lui jeter la pierre.

Rachel s'était tue et Pierre-Paul, mal à l'aise, reprit d'un ton plus calme:

– Vous étiez aux yeux de tous un couple exemplaire...

– Oui, sans doute, peut-être trop. Peut-être en a-t-il eu assez? Tu sais, la routine...

– Tu me répètes sans doute ce qu'il t'a dit, Mathilde, tu tentes même de t'en convaincre. Mais moi, avec mes valeurs, le culte de la famille, l'engagement, les années...

– J'en conviens, Pierre-Paul, mais votre situation est différente. Vous avez des enfants, Rachel et toi. Avec des enfants, la monotonie n'existe pas et, ne serait-ce qu'à cause d'eux... Au fait, comment vont les enfants, Rachel?

– Très bien, merci. Ils grandissent, ils s'épanouissent... Janou est partie tôt chez une amie ce matin et Benjamin est à son cours de natation. Nous l'avons déposé en passant. Janou, du haut de ses quinze ans, veut parfois s'affirmer, s'entêter, mais avec Pierre-Paul...

– Assez, Rachel, nous ne sommes pas ici pour discuter de nos enfants. Et je te ferai remarquer, Mathilde, en tant qu'avocat, que les enfants ne sont guère de nos jours une entrave aux ruptures. J'ai des centaines de cas d'enfants à la valise! Mais les valeurs dont je parle, ce ne sont pas que les enfants, Mathilde. C'est l'engagement, l'amour l'un pour l'autre, la fidélité, la sagesse acquise au fil des années, le bien-être, le partage. On ne fout pas sa vie en l'air pour les beaux yeux d'une autre! C'est de la démence, ça! C'est inacceptable! Mon frère se comporte comme un adolescent! Un ado rebelle, Mathilde, qui croit trouver ailleurs ce qui semble lui manquer sous son toit. Aveuglément! Hypocritement! Sans même songer au mal qu'il te cause! Ah, lui!

Mathilde avait le cœur au bord des lèvres. Le discours de son beau-frère ne faisait que creuser la plaie. Elle qui, depuis deux jours, tentait de retrouver ses forces.

— Il l'aime, Pierre-Paul, il l'aime! Quelle arme puis-je donc utiliser contre cela?

— Foutaise! Il ne l'aime pas, ce n'est qu'une boutade passagère. Je connais trop mon frère pour savoir qu'il n'a pas flanché sur un désir de la chair. Pas lui, pas Gilbert, lui qui n'a jamais regardé une autre femme de sa vie. Sa femme, son travail, sa maison, sa voiture, son ordinateur, c'était ça, sa vie. Il n'aimait même pas les voyages! Plus casanier que lui, ça n'existe pas! Non, le revers, c'est sûrement elle. L'ambition peut-être? Mais je ne chercherai pas une cause pour le disculper. S'il a besoin d'un psychologue, Mathilde, j'en connais une douzaine! Mais il n'avait aucune raison de partir en sauvage en te laissant derrière avec un coup au cœur! Et ça, je ne le lui pardonnerai jamais! Jamais un Authier, de mon arrière-grand-père jusqu'à moi, n'a agi de la sorte! Il est un déshonneur pour la famille!

Mathilde, intimidée par le ton de «juriste» de son beau-frère, ne savait plus que dire. Son discours avait beau lui être favorable, elle ne pouvait accepter qu'on dénigre Gilbert de la sorte.

— Tout de même, Pierre-Paul, il ne faudrait pas exagérer… Gilbert a toujours été attentionné… Et puis, c'est notre rupture…

– Oui, je sais, je me mêle de ce qui ne me regarde pas et je m'en excuse, Mathilde. Je suis heureux de constater que, dans ton chagrin, tu n'as pas d'amertume. Tu es courageuse, Mathilde, et tu feras toujours partie de la famille. Mais Gilbert et moi, c'est fini! N'en déplaise à ma mère et à Sophie!

– Sophie? Pourquoi elle?

– Parce qu'elle a répliqué, à l'annonce de la nouvelle: «Et puis après? J'ai bien été seule, moi aussi!» de répondre Rachel. Elle a même ajouté: «La solitude, ça s'apprivoise!» Ah! la vilaine! Tu sais que je ne la porte pas dans mon cœur, Mathilde! Parce qu'elle enseigne dans un cégep à Québec, elle se permet d'avoir le nez en l'air! Elle qui fréquente un homme marié à défaut de n'avoir jamais trouvé... Avec son air bête...

– Rachel, ça suffit! coupa sèchement son mari. La réputation de la famille est suffisamment éclaboussée par le scandale sans qu'on la salisse davantage! Sophie, c'est Sophie, et personne ne la changera! Et je pense que Mathilde n'est pas surprise de sa réaction.

– Non, sois à l'aise, Pierre-Paul, de lui dire Mathilde. Mais ce qui m'atteint, ce qui me dérange un peu plus, c'est que tu parles d'un «scandale» dans la famille, alors qu'il ne s'agit que d'une séparation. Tout de même! Gilbert n'a pas commis un crime!

Sentant que sa belle-sœur défendrait envers et contre tous son mari qui l'avait abandonnée, Pierre-Paul se rendit compte qu'il était inutile de poursuivre.

– Bon, nous devons y aller. Benjamin a sûrement terminé son cours de natation.

Rachel se leva et embrassa sa belle-sœur en lui disant:

– Si tu as besoin de moi, je ne suis pas loin. Si tu sens le désir de te confier...

Mathilde sourit, ne répondit pas, embrassa son beau-frère et referma la porte derrière eux avec un soupir de soulagement. De nouveau seule, elle sentit que, sans vouloir les blesser, sans rompre aucun lien avec la famille de Gilbert, il lui faudrait garder une certaine distance. Elle n'avait de conseils ou d'aide à recevoir de personne. C'est seule, entièrement seule, qu'elle allait surmonter son épreuve. Gilbert ne méritait pas un tel carnage de la part des siens. Gilbert n'avait pas fait la une des quotidiens. Il était seulement parti pour tenter d'être plus heureux avec l'autre qu'avec elle. Et Mathilde comptait supporter seule ce poids lourd et tenace... sur son épaule plus basse que l'autre.

Du soleil, de gros nuages, bref, un temps confus en ce samedi 24 septembre 1994. Un temps aussi perturbé que l'état d'âme de Mathilde. Malgré tout, elle sentait que son angoisse se dissipait, que le stress des derniers jours s'étiolait, et qu'il lui fallait fermement, résolument, faire face aux lendemains, se rendre à l'évidence que Gilbert était bel et bien parti, et qu'il ne reviendrait pas, pantois, au bout de quelques jours... d'essai. En fait, Gilbert n'avait donné aucun signe de vie depuis son départ. Même pas une lettre, moins brutale que la première, qui lui aurait expliqué, réflexion faite, les profondes raisons qui l'avaient poussé à poser ce geste. Mathilde savait que Gilbert n'avait pas la plume plus habile que le verbe, mais un deuxième mot, la plus petite missive, l'aurait certes aidée à mieux comprendre pourquoi elle avait été livrée à elle-même comme on le fait d'un chien à qui on retire sa laisse. Mais non! Abandonnée tout simplement! Rejetée sans la moindre considération! Sauf quelques heures d'une conversation lors de la séparation... puis la poudre d'escampette! Blessée au cœur tout comme dans son orgueil, Mathilde était peinée et choquée à la fois. Choquée dans son amour-propre sans pour autant le condamner. Et ce, même si vingt ans de sa vie lui avaient été consacrés. Vingt ans! Vingt ans à s'aimer et d'un seul coup d'aiguille, ballon crevé! Et ce qu'elle retenait, c'était ce «j'étouffe» qu'il lui avait lancé à la dérobée. Elle qui, de ses mains douces, l'avait plus souvent cajolé... qu'étranglé!

Mais il lui fallait se remettre debout et garder la tête haute. Elle allait combattre la blessure, ne pas déprimer et panser la plaie de son courage. Elle avait causé avec madame Authier, elle avait affronté Pierre-Paul et sa colère contre son frère, elle connaissait le jugement de Sophie grâce à Rachel, il ne lui restait plus qu'à vivre le cauchemar de faire face à sa mère. Et elle se demandait, alors qu'elle siégeait au tribunal de son propre drame, si Gilbert, de son côté, n'était pas secoué par quelques turbulences. Car, somme toute, c'était lui, l'accusé, et non elle. C'était à lui qu'on jetait la pierre qu'il se devait d'éviter pour plaire à sa maîtresse. Souffrait-il encore d'insomnie?

Elle venait de remplir la mangeoire de sa perruche. Cette petite perruche verte, sa compagne d'infortune qu'elle avait appelée Coquette. Cette petite bête qui, peu à peu, apprivoisait son environnement tout en suivant sa nourricière des yeux. Cette perruche qui picotait le bout du doigt de Mathilde lorsqu'elle la taquinait. C'étaient là les seuls moments où Mathilde riait.

Mathilde était allée faire ses emplettes. Que le strict minimum parce que, de ce temps, l'appétit ne la tenaillait guère. Elle mangeait si peu, elle qui mangeait déjà très légèrement. Rien ne passait ou presque. Elle avait encore cette boule au cœur qui lui compressait l'estomac. Elle avalait des vitamines contenant du fer en guise de substitut aux épinards qu'elle ne digérait plus. Puis, quelque peu ragaillardie par cette sortie, elle se dirigea vers le centre commercial, histoire de meubler quelques heures. Des boutons, du ruban, quelques tissus, une cassette des œuvres de Verdi et un joli fichu de soie qu'elle acheta à rabais. Rien de vraiment nécessaire, tout pour se distraire. De retour chez elle, heureuse d'avoir pris un peu d'air, d'avoir été rafraîchie par quelques gouttes de pluie et d'avoir réchauffé son cœur sous une percée de soleil, elle se prépara une tisane, avala un bol de soupe, une tranche de pain aux céréales et une salade de fruits frais, un léger repas pour apaiser sa faim.

Après un bain chaud, enrobée dans sa robe de chambre et pantoufles aux pieds, Mathilde écouta une aria de *La Traviata* tirée de sa nouvelle cassette puis, sentant venir la torpeur, elle ouvrit le téléviseur. N'ayant nulle envie du patinage artistique qu'on présentait, elle s'empara de la cassette vidéo enregistrée quelques jours plus tôt et regarda avec bonheur le concours Miss America dans le but d'y voir les toilettes, d'en faire des croquis et d'en copier quelques-unes pour des clientes sophistiquées. C'était beau, grandiose, le genre de spectacle à changer les idées même si elle n'était guère favorable à ces «femmes-objets» qui défilaient en rang d'oignons pour séduire le public. Mais ce soir-là, c'est Miss Alabama, une sourde profonde, qui devint Miss America. Et Mathilde en fut très émue, car elle venait de comprendre qu'un handicap n'empêchait pas d'atteindre un but. Remuée par le courage de cette jeune reine de beauté, elle eut quelque peu honte d'avoir éprouvé, maintes fois, de sérieux complexes à cause de son épaule gauche.

La nuit vint et Mathilde regagna sa chambre après avoir recouvert d'un grand carré de soie la cage de sa Coquette.

Puis, écoutant quelques extraits des œuvres de Verdi en sourdine, elle s'efforça de chasser toute idée sombre de ses pensées. Ce qui n'était guère facile quand un visage surgissait sans cesse du néant. Elle avait beau fermer les yeux, elle sentait encore le souffle de Gilbert sur ses paupières. Puis elle pensa à sa mère, à son désenchantement, et elle anticipait le lendemain avec découragement. Sa mère était sûrement rentrée très tard, mais elle savait qu'à l'aube... D'une heure à l'autre, la nuit parvint à lui anesthésier le cœur et Mathilde sombra dans un sommeil, tantôt agité, tantôt réparateur. Et ce, sans somnifère. C'était avec un corps sain, la tête intacte, que, même délaissée, elle tenait à combattre et à vaincre, à la grâce de Dieu, ce passage de sa vie... lamentable.

Le temps était plus frais en ce dimanche et Mathilde, levée tôt, s'était rendue à la messe pour ensuite, rituel établi, se procurer le journal et un billet de loterie. De retour à la maison, munie d'une carapace depuis la veille, elle attendait que sa mère l'appelle. Mathilde se doutait bien que Florence, épuisée, avait certes dormi plus tard qu'anticipé. Heureuse d'avoir bénéficié d'un sursis, elle savait cependant que d'ici quelques heures, sinon quelques minutes, sa vieille maman téléphonerait. Non pas qu'elle fût très âgée; Florence Courcy n'avait que soixante-douze ans. Mais dans son cœur et dans sa tête, elle était d'un autre siècle, avec une rigidité qu'elle avait, hélas, transmise à sa fille que l'on considérait souvent comme «celle d'une autre époque». Florence Courcy était contre tout ce qui se voulait actuel, fantaisiste et moderne. Et comme elle était contre le progrès, contre les «voyous» qui arboraient des cheveux verts, contre le nombre effarant d'enfants du divorce, contre les astronautes qui défiaient l'espace, contre l'ordinateur et les guichets automatiques, nul doute qu'elle serait contre un homme qui ose quitter sa femme pour une autre après vingt ans de vie commune. Surtout sa fille! Et Mathilde appréhendait sa stupeur, ses jérémiades, et le venin qu'allait cracher sa sainte mère de sa bouche. Quinze minutes tout au plus puis, par malheur, la sonnerie du téléphone.

— Mathilde? C'est maman! Je suis de retour! Quel beau séjour à Saint-Donat!

— J'en suis très heureuse, maman. Donc, ça t'a plu, ce petit voyage improvisé?

— Oui, mais tu sais, la nourriture… C'était trop copieux, trop gras, trop salé. On oublie que les gens de notre âge mangent peu. De plus, ça jacasse trop, les gens du troisième âge. Pas une minute de repos… Les chambres étaient étroites, l'oreiller dur… J'avais oublié d'apporter le mien. Et puis, les murs étaient de carton; je pouvais tout entendre dans la chambre voisine. Tu sais, voyager à bon compte…

Et Mathilde écouta la complainte de sa mère. Elle qui l'avait surprise en lui disant: «Quel beau séjour à Saint-Donat!» Trop beau pour être vrai. Elle savait qu'après les premières exclamations allaient suivre les remarques. Comme jadis, comme toujours! Sa mère avait sans cesse été insatisfaite. De sa propre vie comme de «son» Raymond qui avait trouvé la paix six pieds sous terre. Et insatisfaite du mariage de sa fille qu'elle n'avait jamais approuvé. Alors, comment ne pas appréhender le pire?

— Et toi, Mathilde, ça va? Tu ne t'es pas trop ennuyée de ta mère?

— Bien sûr, maman, mais avec la couture et le chant. Tu sais, une semaine…

— Oui, c'est vrai que ça passe vite… Pas mal vite pour ce que ça coûte! On dit que c'est à bon compte, mais en bout de ligne, pour ce qu'on nous sert, c'est pas mal cher! Donc, tout va bien pour toi? Aucune nouvelle? Gilbert se porte bien?

– Heu… oui. Tu sais, j'ai maintenant une perruche, elle parle presque.

– Une perruche? Savais-tu que ça transmet des maladies, ces oiseaux-là? Tout comme les pigeons, Mathilde! Et puis, ça perd des plumes, ça fait des crottes…

– Maman! Est-ce que tu t'entends? Toujours négative à ce que je vois!

– Bien, ce n'est pas moi qui le dis, ma fille. J'ai lu tout ça dans un magazine. Bon, oublions la perruche et raconte-moi ce que tu as de neuf. Gilbert…

Mathilde, oubliant toute retenue, voulant passer outre aux coups d'aiguilles et en arriver à celui du marteau, lui lança d'un seul trait:

– Gilbert n'est plus là, maman. Il est parti. Nous sommes séparés.

Au bout du fil, pas un mot, puis:

– Tu plaisantes, n'est-ce pas? C'est de mauvais goût…

– Je ne plaisante pas, maman. C'est fini entre Gilbert et moi; il est parti. Je regrette de te l'annoncer aussi froidement, mais voilà, c'est fait. Et maintenant que tu le sais, je n'ai pas envie de tout te dire au téléphone. Je saute dans ma voiture et je me rends chez toi. Là, face à face…

Mais malgré l'audace, malgré l'assaut qui n'était pas dans sa nature, Mathilde se mit à pleurer. Et avant que sa mère intervienne, elle reprit, la voix entrecoupée de sanglots:

– Il m'a quittée pour une autre, maman. Il est parti vivre avec elle. Et j'ai assez pleuré, je ne veux pas revivre tout ce drame. Je retrouve à peine mes forces…

Sa mère, décontenancée, quasi paralysée par la nouvelle, lui répliqua froidement:

– L'animal! Amène-toi au plus vite, ma petite fille. Nous allons tout régler ça chez moi.

— Il n'y a rien à régler, maman. Je ne suis plus une enfant…

— Arrive, Mathilde! Arrive au plus sacrant! Je t'attends! scanda sa mère au bout du fil.

— Oui, je viens, j'arrive, mais ne me rends pas les choses plus difficiles…

Florence Courcy avait raccroché. Stupéfaite et furieuse à la fois, elle se promenait de long en large dans son petit vivoir. Gilbert avait osé faire pleurer sa petite fille? Gilbert l'avait abandonnée? Se tenant le cœur, elle se laissa choir dans un fauteuil, la bouche crispée par la colère, les sourcils froncés de rage.

Dès que Mathilde entra, sa mère se précipita vers elle et la serra dans ses bras.

— Ma pauvre enfant! Mon petit «bout d'chou»… lui dit-elle en lui massant le dos.

— Maman, je t'en prie, j'ai trente-huit ans, je ne suis plus une gamine qu'on console en la cajolant. Je comprends ton désarroi mais, de grâce, change de comportement.

— Tu ne vas tout de même pas t'en prendre à moi? Tu sais, une mère…

— Oui, je sais, maman, et je t'aime, crois-moi, mais il est temps que tu me considères comme une femme. Je suis mariée depuis vingt ans…

— Tu l'étais, Mathilde! Tu ne l'es plus…

— Erreur, maman, je le suis encore! Nous ne sommes que séparés, Gilbert et moi! lui répondit Mathilde sur un ton quelque peu impatient.

— Temporairement, ma fille? Sûrement pas! Pas quand on part avec une autre!

— Écoute, maman, je suis épuisée, à bout de forces. Je traverse une dure épreuve, et c'est encore récent. Si tu veux, je te dis tout, mais tu ne m'interromps pas. Tu me laisses aller jusqu'au bout, ensuite, je répondrai à tes questions si nécessaire.

Et malgré elle, la vieille dame écouta le récit de la rupture en entier sans intervenir. Avec une retenue mal dissimulée, car elle se rongeait les ongles de ne pouvoir s'emporter à certains passages et de lui dire que son mari était un monstre. Mathilde débita d'un trait la triste histoire de sa rupture à partir de la lettre, jusqu'au moment où Gilbert avait quitté avec ses valises. Elle n'omit pas de dire qu'il «étouffait» et qu'il avait besoin d'un «second souffle», ce qui fit sursauter Florence dans son fauteuil. Elle lui parla du soutien de la famille Authier, de son beau-frère et de sa femme, mais sans lui dire que Sophie avait pris le drame à la légère. Elle lui parla de Marc Derouet, de son encouragement, de l'achat de la perruche pour meubler sa solitude, mais elle se retint de lui dire qu'elle était passée à deux pas de la dépression. Elle minimisa sa profonde douleur, jouant parfois de fierté, pour que sa mère ne se tienne pas le cœur. Elle l'épargna de sa vive peine, prétextant que c'était là un coup bas du destin. Elle tenta de lui faire comprendre que, de nos jours, les couples n'avaient plus la même consistance, qu'elle n'était pas la seule, qu'elle allait surmonter l'épreuve, mais à la fin de son récit, soulagée, elle laissa la porte ouverte à sa mère qui s'écria:

— En tout cas, ma petite fille, c'est pas ton père qui m'aurait fait un coup pareil!

Ce à quoi Mathilde répliqua:

— Qu'en sais-tu, maman? Il est parti si vite, vous ne vous êtes pas rendus…

— Jamais Raymond aurait fait ça, ma fille! Il avait du cœur, lui! Il prenait ses responsabilités! Jamais il ne m'aurait laissée avec toi pour une autre!

– Avec moi, maman, tu viens de le dire. Mais je n'ai pas d'enfants, moi. La situation n'est pas la même…

– Tu n'as pas d'enfants parce qu'il n'en a jamais voulu, ce mécréant!

– Voyons, maman, de frêle santé, hérédité aidant, je ne pouvais pas…

– Qui sait, Mathilde! J'ai bien fini par t'avoir, moi, alors que tout semblait désespéré. Et ce, à la grâce de Dieu, ma petite! Aujourd'hui, avec la science, avec tout ce dont bénéficient les femmes, je ne suis pas sûre que ça n'aurait pas abouti. Mais tu n'as jamais consulté, tu n'es jamais allée plus loin parce que «monsieur» ne voulait pas de braillards dans les parages! Et tu t'es inclinée, ma chère… D'ailleurs, tu t'es toujours inclinée devant ton Gilbert qui te menait par le bout du nez!

– C'est faux, maman! Gilbert me laissait une entière liberté!

– Oui, sans doute, après vingt ans, pour bambocher avec «la sienne»! Il te trompait hypocritement et toi, tu repassais ses chemises! Si tu avais eu les yeux plus ouverts aussi! Mais non! confiante, sans le moindre doute, aveuglément depuis toujours… Tu sais, moi, la famille Authier, je ne l'ai jamais digérée! De faux parvenus, Mathilde! Et l'avocat ne m'impressionne pas plus que l'enseignante! Et elle! La mère! Fraîche, habillée par les couturiers! Elle n'a même jamais eu recours à toi pour un bord de robe! La bonne à tout faire de son crétin de fils!

– Assez, maman! Si tu le prends sur ce ton, je ne reste pas une minute de plus ici! Les Authier m'ont toujours considérée. Ma belle-mère en est encore affligée…

– Ce qui ne l'empêchera pas de dorloter «son Gilbert» et sa maîtresse, tu verras! Imagine, Mathilde! Une femme d'affaires, cette fois! C'est sans doute plus à sa hauteur qu'une couturière! Tu es trop bonne, toi! Pas bonne, bonasse, et c'est pour ça qu'on abuse de toi, qu'on t'embobine avec de belles paroles! Damnée famille! Je vois clair, moi!

Mathilde, les larmes aux yeux, regardait sa mère sans rien dire. Sa mère qui la vilipendait, qui l'abaissait en la traitant de «bonasse» et en discréditant son métier de couturière. Sa mère qui, de plus, semblait vouloir lui dire qu'elle n'avait pas de colonne vertébrale. Sa propre mère qui, hélas, ne pouvait comprendre qu'on pouvait aimer... les yeux fermés. Elle qui avait eu les yeux grands ouverts sur son père jusqu'à ce qu'il les ferme à tout jamais. Elle qui prônait les qualités de Raymond, de regrettée mémoire, et qui l'avait dominé, secoué, poussé jusqu'à ce que la mort le délivre. Elle qui l'avait pleuré pour ensuite passer sa bride au cou de son «bout d'chou». Elle le savait, la sœur de son père lui avait tout révélé avant de partir à son tour. Au moment où Mathilde était en âge de comprendre. Mais elle n'en avait jamais parlé à sa mère. Elle ne lui avait jamais fait le moindre reproche de peur de la faire pleurer. Même en ce moment, où la vérité aurait pu éclater. Mathilde, songeuse, ne parlait plus, et sa mère reprit le fil:

— Au moins, tu n'as pas été bête, tu as gardé les meubles et la maison!

— Je n'ai rien gardé, maman, c'est Gilbert qui m'a tout laissé. Je n'ai rien demandé, moi...

— Encore chanceuse qu'il n'ait pas profité de ta naïveté! Te rends-tu compte que tu aurais pu te retrouver le cul sur la paille, ma fille?

— Maman! Quel langage! Un peu de retenue...

— Excuse-moi, je me suis emportée, je ne parle pas de cette façon, d'habitude, mais je suis enragée, Mathilde! Te quitter pour une autre! Quitter «sa douce» comme il t'appelait devant tout le monde... Un beau... Ah! je me retiens, Mathilde!

– Maman, je n'en peux plus, il faut que je rentre. Notre entretien risque de tourner au vinaigre et je n'y tiens pas.

– Attends un peu, j'ai encore quelque chose à ajouter. Je n'ai pas terminé, moi!

– Quoi d'autre, maman? Encore quelque chose sans mesurer tes paroles?

– Non, ma fille! Quelque chose qui pourrait te redonner ta fierté!

– Je ne comprends pas…

– As-tu demandé le divorce, Mathilde?

– Maman! Bien sûr que non! Ce n'est qu'une séparation…

– Alors, fais-le! Retrouve ta liberté et, du même coup, ta dignité! N'attends pas que ça vienne de lui! Demande le divorce et débarrasse-toi vite de cet homme qui t'a trompée, abandonnée. Redeviens ma petite fille…

– Non, maman, jamais! Jamais je ne demanderai le divorce! Si un jour Gilbert le veut, il le demandera, lui! Je n'ai aucune raison de divorcer, moi! Ma vie continue, je travaille, je vais reprendre le chant avec la chorale… Et ne compte pas sur moi pour redevenir ta petite fille, maman! Je suis une femme, une femme accomplie! Une femme avec sa vie! Tu t'entêtes à faire la sourde oreille, maman! Et comme je l'ai dit aux autres, je vais te le dire à toi aussi, maman. Gilbert et moi, notre rupture, c'est notre affaire, et celle de personne d'autre! Je t'ai mise au courant, point à la ligne! Et advienne que pourra, je n'ai plus rien à dire!

Devant l'emportement soudain de sa «chère enfant», Florence Courcy reprit d'un ton mielleux:

– Je te l'accorde, Mathilde, mais mon cœur de mère…

– Je sais, je sais, mais je suis au bout du rouleau! N'ajoute plus rien, maman!

Florence, qui ne reconnaissait plus sa fille, mit sur le compte du tourment le ton décisif sur lequel elle avait combattu. Mathilde souffrait sans doute, son «bout d'chou» était épuisé et Florence n'entrevoyait que le jour où, vaincue, elle viendrait se jeter dans ses bras.

— Tu aimerais que j'aille habiter avec toi pour quelque temps?

— Non, maman, je préfère être seule. J'ai besoin de silence pour vivre ce deuil.

— Mais une femme seule, c'est peu sécurisant... Tu sais, de nos jours...

Ça fait plus d'une semaine, maman, que je vis seule et que je surmonte cet obstacle. Seule avec ma peine, seule avec ma blessure, seule avec ma plaie vive... Et c'est sans doute ce qui m'a permis de traverser les premières heures sans heurts et de ne pas déprimer... Je me tiens à peine sur mes jambes, maman, mais j'avance. C'est en étant seule, sans appui, qu'on sort des pires épreuves. Parce que personne n'est là pour raviver la peine, tu comprends? Et d'un tout premier pas, lentement, l'oubli...

— N'empêche qu'une femme seule dans une maison...

— Tu vois, maman? Tu n'as même pas écouté ce que je viens de dire. Tu n'as même pas cherché à comprendre une parcelle de ce que j'ai avancé. Comme toujours, d'ailleurs... Parce que tu m'écoutes sans entendre, maman, et que tes yeux sont rivés sur moi comme si j'étais encore ta «petite chose». Un peu plus et tu me demanderais de venir habiter chez toi.

— J'allais le faire, Mathilde!

Épuisée, dépourvue de mots qui se seraient avérés inutiles, Mathilde préféra prendre congé de sa mère et regagner son toit où «l'oubli» se ferait peu à peu sentir. Elle allait franchir la porte quand, dans un ultime effort, sa mère lui lança:

– Prends soin de toi, mon «bout d'chou». De toute façon, je veillerai sur toi, je ne serai pas loin, je ne te quitterai pas d'un pouce. Je te téléphonerai ce soir…

Au volant de sa petite Honda, Mathilde avait le cœur au bord des lèvres. Non pas de chagrin, mais de la fatigue éprouvée par cette confrontation avec sa mère. Elle avait beau se dire qu'elle était âgée, que rien n'allait la changer, elle blâmait tout de même Gilbert de l'avoir remise… entre ses mains. Mais résolue, bien que «bonasse», Mathilde tenait mordicus à prendre sa vie en main. Avec ce dernier entretien, le pire était passé, le volcan de son anxiété venait de s'éteindre. Et dès la semaine prochaine, elle se promettait d'aviser ses collègues de la chorale de son statut de femme séparée. Elle se jurait aussi d'en informer ses clientes. Pour que personne ne s'interroge ou ne chuchote. Et ce, malgré le mutisme que Gilbert avait imploré. Pour que tous sachent sans qu'elle ait dorénavant à redouter le moindre regard. Et de là, franchir le pas que sa conscience lui indiquait. Ce pas qui lui permettrait d'avancer et de grandir en dépit de son désarroi. Mathilde Courcy-Authier avait assez pleuré. C'est de son cœur, organe invisible et intérieur, que couleraient ses larmes de douleur. Toute la douleur de sa blessure dont la plaie brûlait encore. Elle traverserait son quotidien avec le dé au doigt et ses cordes vocales pour la chorale. Avec un semblant de sourire qui la ferait mentir. Car, malgré le coup bas, malgré les semonces de sa mère et le plaidoyer de Pierre-Paul, Mathilde aimait encore Gilbert. À la vie, à la mort! À moins qu'un arc-en-ciel, de ses couleurs, de son éclat, dissipe un jour la trame de toute souvenance. À moins qu'un jour, ce visage dont son être était encore empreint s'étiole pour se noyer dans… un trou de mémoire.

Chapitre 5

Le dimanche de leur rupture, peu après avoir crevé d'un coup sec le cœur de Mathilde comme on le fait d'un abcès, Gilbert était allé rejoindre Lucie à l'Hôtel du Parc de l'avenue du même nom, où le couple avait réservé une chambre pour la nuit. Les amants avaient planifié de rentrer au condo de l'Île-des-Sœurs après que Gilbert eut récupéré ses effets personnels. Geneviève, la fille de Lucie, coucherait chez une amie jusqu'à ce que sa mère revienne avec son «nouveau père». Lucie, qui l'attendait dans le lobby de l'hôtel, avait tué le temps avec un magazine après avoir «brunché» légèrement à une table isolée. Gilbert entra, contrit, abattu, quelque peu démoralisé, et Lucie, levant les yeux sur lui, lui demanda:

– C'est fait? On peut maintenant respirer d'aise?

– Oui, c'est fait, mais de là à respirer d'aise... Toi, sans doute, mais ce que je viens de vivre n'a pas été de tout repos. J'en tremble encore, Lucie, j'ai le cœur en lambeaux. On ne quitte pas sa femme après vingt ans comme on le fait d'un emploi. Surtout pas Mathilde qui m'a remué jusqu'aux tripes...

Sentant que sa sensibilité allait l'emporter sur son peu de courage, Lucie enchaîna:

– Allons, viens prendre un verre au bar, ça te remettra, ça va t'aider.

Il la suivit sans rien dire, mais sa pensée n'était guère avec elle. Il n'avait en tête que le doux visage de Mathilde, sa douleur, son regard réprobateur. Il aurait voulu chasser cette image, mais c'était comme si les larmes de Mathilde se diluaient dans le gin tonic qu'on venait de lui servir.

– Ne fais pas cette tête-là, les gens vont croire que nous sommes en brouille.

– Tu ne t'attendais quand même pas à me voir revenir en riant aux éclats, j'espère…

– Non, mais pas avec une tête d'enterrement, Gilbert! Se séparer…

– C'est perdre un être cher, Lucie! Et ça, on dirait que tu ne le comprends pas! s'emporta-t-il d'un ton impatient. Pour ensuite ajouter plus faiblement:

– Donne-moi au moins le temps d'en vivre le deuil…

Lucie, se retenant pour ne pas hausser les épaules, buvait son gin en regardant ailleurs.

– Je n'ai pas voulu te blesser, Lucie, mais donne-moi au moins le temps de m'y faire. Tout est arrivé si brusquement…

– Je veux bien, Gilbert, mais cette décision de la quitter n'est pas d'hier, tu as eu des mois pour la mûrir, pour t'y préparer.

– Peut-être, mais pas elle, Lucie. Pour Mathilde, ce fut le glaive, le coup au cœur. C'est sa peine que je dois surmonter, pas la mienne. Je veux dire…

– Que veux-tu dire? La tienne aussi, je suppose? Ça t'a été si pénible?

– Oui, Lucie, on ne déchire pas vingt ans d'une vie comme on le fait d'une vieille chemise. Oui, la rupture a été pénible. Sans cris, sans heurts, car Mathilde n'est pas du genre à faire des scènes, mais j'ai senti sa peine, j'ai vu ses larmes, et ça m'a fait mal, Lucie. Plus mal que j'aurais pu l'imaginer. Ça va passer, je le sais, le temps va se charger de tout, mais ne me demande pas d'être souriant à une heure près du drame qui vient de se produire. Et j'aurai besoin de ton aide, Lucie, j'aurai besoin…

Minaudière, se rapprochant de lui, lui flattant l'avant-bras, elle l'interrompit:

– Je serai là, Gilbert. Je le suis déjà. Tu m'aimes, au moins?

– Heu… oui, bien sûr. Quelle drôle de question en un moment pareil.

– C'est que je ne veux pas avoir à douter de ton amour, Gilbert. Il me faut te l'entendre me l'affirmer, me le dire souvent. Parce qu'avec l'amour, on peut tout vaincre, Gilbert, les drames comme les tourments. Et à deux, avec le temps…

Le barman revint avec deux autres verres que Lucie avait commandés d'un signe de la main. Gilbert buvait vite, plus vite que de coutume, en vue de noyer son chagrin, avec l'espoir que l'alcool puisse engourdir d'une once de trop son cœur et sa conscience. La regardant, il lui sourit. Lucie laissa échapper un soupir de soulagement. Heureuse, «son homme» bien à elle, elle n'avait pas l'intention de vivre longtemps «le deuil» dont il parlait. Elle avait des projets, des plans, des idées. Beaucoup plus que Gilbert ne croyait. Et ce n'était pas le désespoir de Mathilde qui allait entraver ce bonheur fraîchement cueilli. Et comme pour l'aider dans sa cause, elle n'avait jamais été aussi belle que ce jour-là. Maquillée, coiffée, parfumée de son *Tendre Poison* de Dior, elle avait revêtu un tailleur vert ajusté. Sans chemisier sous la veste, on aurait pu voir la naissance d'un sein si la nature l'eut comblée. Mais l'énorme collier resserré sur son cou élancé était si scintillant, qu'on était porté à regarder le bijou sans chercher à poser les yeux sur... ce qu'elle n'avait pas.

Ils soupèrent à l'hôtel, arrosèrent les plats d'un bon vin. Plus tard, derrière la porte close de la chambre qui les attendait, elle se laissa choir sur le lit en faisant sauter ses souliers de ses pieds. Elle prit une douche, Gilbert en fit autant, et exténué par sa dure journée, posa la tête sur l'oreiller et sentit que le plafond tournait. Elle s'approcha de lui, posa ses lèvres sur sa poitrine velue, mais Gilbert était déjà dans un demi-sommeil.

– Toujours pas chaud lapin, à ce que je vois...

– Lucie! J'ai trop bu, je suis ivre et puis, après une telle journée...

– Pourtant, avec un peu d'effort... Une chambre d'hôtel, que nous deux... J'ai bu, moi aussi, Gilbert.

Et dans sa mi-conscience, il lui murmura sans le moindre égard:

– Oui, mais tu n'as pas rompu, toi.

Outrée, voyant qu'il dormait déjà, Lucie se retourna et s'endormit tout doucement. Non sans être déçue, elle qui avait cru qu'après l'adieu, c'eût été la «nuit de noces». Elle qui avait tout tramé en louant la suite la plus chère, qu'il n'avait guère vue. Elle qui avait cru lui faire oublier la délaissée dans un coït anticipé. Mais c'était avec de l'alcool dans les veines et Mathilde dans le cœur que Gilbert s'était endormi. Non pas qu'il n'aimait pas Lucie, non pas qu'il n'aurait pas eu envie de plonger nu dans sa nouvelle vie mais, malgré sa liberté soudaine, son droit de consumer, le doux visage de Mathilde hantait encore ses pensées. Et, dans un quasi-remords, Gilbert avait encore l'impression... de la tromper.

Le lendemain, sans être tout à fait frais et dispos, Gilbert s'était empressé de se raser, de s'habiller, et de descendre en vitesse pour déjeuner avec Lucie.

– Il te faudra beaucoup de temps pour prendre tes affaires?

– Non, je compte vider mon placard et mes tiroirs en vitesse. Remarque que tu peux prendre un taxi, te rendre à l'appartement. Je pourrais t'y rejoindre...

– Non, je préfère attendre dans la voiture... À moins que tu m'invites à entrer...

– Voyons, Lucie! Tu n'y penses pas? C'est l'intimité de Mathilde! C'est sacré!

– Allons, puisqu'elle t'a dit qu'elle serait absente... J'aurais aimé voir où tu vivais, jeter un coup d'œil sur le décor...

La réponse fut cinglante:

– Non!

Faisant un peu la moue, Lucie n'ajouta rien et Gilbert enchaîna plus calmement:

Non, Lucie, je ne ferai pas à Mathilde l'injure de laisser entrer ma maîtresse sous son toit. Même à son insu. Je lui ai fait assez de mal, j'ai même été traître envers elle. J'en ai déjà assez sur la conscience.

– Bon, soit! J'attendrai dans la voiture, Gilbert! Et si ça t'indispose d'avoir ta «maîtresse», comme tu dis, à la vue des voisins, je t'attendrai au coin de la rue!

Se rendant compte qu'il l'avait piquée à vif, Gilbert fit amende honorable.

– Ce n'est pas ce que j'ai voulu dire, Lucie. Excuse-moi, mes paroles ont dépassé mes pensées. Que c'est bête! Ne devions-nous pas partir du bon pied?

À son tour, Lucie s'excusa, fit mine de comprendre le «respect» qu'il devait à Mathilde et, regrettant sa saute d'humeur, apeurée à l'idée d'amorcer son union du mauvais pied, elle l'embrassa, lui caressa la nuque et murmura:

– Allons-y, mon chéri, ne perdons plus de temps. Il n'y a pas que toi qui traverses un dur moment, Gilbert. Je le vis avec toi, ça me met dans tous mes états...

Il lui serra la main en guise de compréhension et, armé du peu de courage qu'il lui restait, il se rendit rue Georges-Baril... pour la dernière fois.

Lucie était restée dans la voiture et Gilbert était entré pré-cipitamment pour éviter d'être vu des voisins. Il prit tous ses vêtements, ses effets personnels, ses dossiers, et s'apprêtait à regagner la porte lorsque ses yeux se posèrent sur la plus belle photo de leur mariage. Le cœur serré, il fit un vibrant effort pour ne pas verser quelques larmes. Il détourna la tête, regarda partout, et chaque objet lui rappelait ses vingt ans aux côtés de Mathilde. Pire encore, on aurait dit que l'odeur de «sa douce» était dans l'air ambiant. Tout dans cette maison sentait Mathilde depuis le premier jour. Mathilde... et lui! Pressé, remué jusqu'à la moelle, il sortit en vitesse et lança le tout sans même le disposer convenablement dans le coffre de sa voiture. Sauf son ordinateur qu'il rangea soigneusement sur la banquette arrière. Et c'est en trombe qu'il démarra avec, à ses côtés, sa maîtresse triomphante. Il était parti promptement, mais non sans avoir jeté un dernier regard sur la maison de ses plus belles années. Et sans avoir omis, comme il l'avait promis, de laisser tomber la clef dans la fente basculante de la boîte aux lettres.

Le condo de Lucie Chénart à l'Île-des-Sœurs était vaste et luxueux, mais, face à tout ce béton, ces terrasses, ces balcons où tant de gens vivaient, Gilbert se sentit dépaysé. Il avait l'impression d'être encore à l'hôtel ou dans un quartier huppé, certes, mais très achalandé d'une banlieue américaine. La vue de tous ces couples, très peu d'enfants, lui donnaient un regain de jeunesse, mais sa petite maison de la rue Georges-Baril, celle dans laquelle il «étouffait», venait, dans son esprit, se mesurer à ces imposants immeubles. Sa pelouse, les fleurs de Mathilde, le petit patio avec sa chaise longue, celle de sa femme… Non! Il se devait par tous les moyens de chasser ces images de sa mémoire. Aussi récentes étaient-elles, il devait s'efforcer d'oublier, de regarder devant lui, pour l'amour de Lucie.

– Voici notre chambre. Vaste, n'est-ce pas? Et elle donne juste sur la terrasse!

Lucie était agitée, voire surexcitée, comme si c'était la première fois qu'un homme s'infiltrait dans son décor.

– Là, c'est celle de Geneviève, ici, une chambre d'invités, la salle à manger…

Elle lui avait fait faire le tour du propriétaire en quelques minutes ou presque. Tout sur un même plancher. Pas même un coin isolé pour qui voulait se retirer et lire. La décoration était de bon goût, mais fort contemporaine. Des miroirs, des tables art déco, du marbre, des planchers vernis, pas le moindre tapis où poser les pieds quand il retirerait ses chaussures. Sur les murs, des tableaux modernes, des esquisses abstraites, des œuvres sans intérêt qui ne voulaient rien dire, mais qui se mariaient, par leurs couleurs, aux meubles des pièces. C'était beau, c'était riche, mais très impersonnel. C'était jeune, c'était vif, mais sans âme. Lui qui avait encore, frais à la mémoire, les tableaux de Mathilde: *La Liseuse* de Fragonard, le portrait de Beethoven, des reproductions de Manet, Degas, Renoir. Des figurines de porcelaine dignes des contes de la comtesse de Ségur et des sculptures de bronze dont *Le Baiser* de Rodin. D'un univers à un autre. L'aube et le crépuscule. Et Gilbert avait du mal à franchir le pas entre une certaine nostalgie et sa nouvelle vie. Déjà!

Geneviève fit son entrée, pimpante, joyeuse, ayant oublié que «l'autre» était déjà en place. Une distraction passagère qui la figea de stupeur lorsque, arrivée au salon, elle vit Gilbert dans un fauteuil, sa mère dans un autre.

– Surprise! Nous sommes là, ma grande! de s'écrier Lucie.

Geneviève lui sourit, avança de quelques pas, puis, timide, regarda Gilbert.

– Geneviève, tu te souviens de Gilbert, n'est-ce pas? Tu l'as déjà rencontré.

Il s'était levé, lui avait souri, et Geneviève lui tendit la main en lui disant:

– Heureuse de vous revoir, Monsieur.

– Non, non, pas de «Monsieur». J'aimerais que tu m'appelles Gilbert. Et moi, je serai très heureux de te connaître davantage, Geneviève. J'espère que nous deviendrons des amis.

Elle avait souri, rassurée par le ton chaleureux et le regard tendre de cet homme. En deux secondes, Geneviève venait de se rendre compte qu'il était différent... des autres. Gilbert la regarda avec beaucoup d'affection. Geneviève était jolie, grande, les yeux bleus pétillants et les cheveux blonds jusqu'aux épaules. Vêtue sobrement, elle se démarquait de beaucoup des filles de son âge qui, pour la plupart, l'aurait accueilli avec un «Salut!» tout en mastiquant leur *chewing gum*. Geneviève semblait très distinguée. Elle n'avait que quinze ans, mais, de par son vocabulaire et sa prestance, on aurait pu lui en donner trois de plus. Belle et blonde comme les plus belles Américaines, c'était sans doute là l'héritage de son père, bien que Lucie, grande et mince comme elle, lui avait certes légué une part d'elle-même. Bien élevée, très éduquée, elle était toutefois, dans sa tenue vestimentaire, plus sobre que sa mère. Un tantinet de rouge à lèvres, des boutons d'or à ses lobes d'oreilles, une jupe, une blouse, souliers à talons plats couleur marine, elle avait tout de la jeune fille qui, grâce à l'aisance de sa mère, fréquentait un collège privé. Gilbert la regarda et, quoiqu'elle fût plus grande, plus jeune, il ne put s'empêcher de penser face à l'approche: «On dirait Mathilde, lorsque je l'ai rencontrée.»

— Bon, maintenant que vous avez fait connaissance, que diriez-vous d'un bon souper au restaurant Hélène de Champlain? Voilà qui nous permettrait…

— Non, maman, je te remercie, mais allez-y sans moi. J'ai des études, j'en ai pour la soirée et je trouverai quelque chose de léger dans le frigo.

— Allons, ma grande, ce serait l'occasion de faire plus ample connaissance…

J'ai vraiment trop d'études… Ça ne vous ennuie pas, Gilbert? Allez-y, profitez de cette belle soirée. Je n'ai pas d'appétit, je préfère rester.

— Bon, dans ce cas-là, allons-y, Gilbert! La table d'hôte est superbe, tu verras!

Gilbert ne sut que dire. Il n'avait d'autre choix que de suivre, mais avant de franchir la porte, il se tourna vers Geneviève.

— Tu peux me tutoyer, tu sais… Je me sentirais vraiment plus à l'aise.

Geneviève lui sourit, acquiesça de la tête et, lorsqu'ils quittèrent le nid, songea: «J'ai l'impression que je vais l'aimer, celui-là.»

Mais Gilbert avait suivi Lucie sans en être trop heureux. Il aurait préféré rester à l'appartement, ranger ses vêtements, manger n'importe quoi, mais se détendre. Ils venaient à peine de quitter l'hôtel, et déjà une autre sortie. Il aurait préféré causer quelque peu avec Geneviève, la laisser par la suite à ses études, apprivoiser les lieux, prendre une douche, regarder la télé, se faire à l'ambiance et… oublier. Oui, oublier un tantinet, si c'était possible, tout ce qu'il venait de traverser. Sa vie venait à peine de basculer que Lucie le trimballait dans un endroit bondé. Il aurait voulu reprendre son souffle, tenter de dormir sans alcool ni somnifères. Gilbert était au bout du rouleau, et Lucie lui soutirait déjà le peu d'énergie qu'il lui restait. Sans le moindre égard pour son état d'âme. Sans indulgence pour celui qui venait de tout quitter pour elle. Impulsive, elle avait «décidé» qu'un gin tonic et un vin rouge seraient les bons remèdes à son angoisse. Sans même se rendre compte qu'il était fatigué, épuisé. Sans même le consulter. Lui qui se morfondait déjà à l'idée d'affronter sa famille dans les prochaines heures. Et c'est bourru, bougon, qu'il avala de son repas qu'une mince portion.

Le lendemain, alors que Geneviève était partie pour le collège, Gilbert se décida à affronter sa mère par le biais du téléphone. Consternée par la situation, madame Authier pleura, s'en prit quelque peu à son fils, plaida en faveur de Mathilde, et c'est après un long et navrant entretien que Gilbert parvint à la convaincre de ne pas le rejeter, de l'appuyer au moment où il avait le plus besoin d'elle et de ne pas le juger. Peu à peu, son cœur de mère aidant, Béatrice Authier se pencha sur le sort de son fils et lui promit d'être toujours là pour lui, même si elle désapprouvait son geste. Exténué, Gilbert avait raccroché, et Lucie, dissimulée dans la salle à manger pour ne pas le gêner, lui demanda, revenue sur ses pas:

– Et puis? Ça n'a pas été trop pénible?

– Tu écoutais, Lucie! Tu sais que ça n'a pas été facile! Ma mère adorait Mathilde!

– Ne t'emporte pas, mon chéri, je cherche à être solidaire…

– Excuse-moi, j'ai eu tort, mais de telles conversations me chavirent. Non pas que je me sente coupable, mais je m'attends à recevoir des pierres. Que veux-tu… Nous formions une famille unie. Pour les miens, ce sera tout un choc. Si encore Mathilde n'était pas dans le cœur de chacun, mais ce n'est guère le cas. Il y a, bien sûr, Sophie, mais celle-là… Remarque qu'elle m'aime beaucoup, mais…

– Sophie, c'est la plus jeune? L'enseignante?

– Oui, celle qui vit un peu à part des autres. Assez frustrée, d'ailleurs, elle n'a jamais connu le bonheur. Elle fréquente un homme marié, elle se fout de ce qu'on pense d'elle. Mathilde, pour elle, ce n'est qu'une belle-sœur, mais comme elle est ma femme, elle l'a toujours préférée à Rachel, la femme de Pierre-Paul. En autant qu'elle ne me tienne pas rigueur… Ce qui me surprendrait…

– De toute façon, Gilbert, c'est ta vie, pas la leur. Et comme tu es l'aîné de la famille, je me demande si tu as vraiment à t'expliquer.

– Oui, Lucie! Je viens de te dire que nous formions une famille unie!

– Unie! Unie! Avec une petite sœur qui semble se foutre de tout le monde?

– Sophie est célibataire, Lucie. Voilà la différence. Elle a trente-cinq ans, elle est majeure et vaccinée. Et comme elle vit à Québec… Mais mon frère et moi, nous avons toujours été comme les deux doigts de la main.

– Alors, appelle-le, avise-le, coupe l'un des deux doigts s'il le faut, mais tu dois en finir, Gilbert! Nous avons une vie à vivre, nous! Je m'excuse de te parler sur ce ton, mais il ne faudrait pas que ta rupture soit aussi longue, aussi souffrante qu'un chemin de croix! J'existe, moi!

Surpris de l'intonation, il songea néanmoins que Lucie n'avait pas tort. S'il avait choisi de quitter sa femme pour elle, ce n'était certes pas pour la soumettre à une longue convalescence. Depuis le temps… Et Lucie n'avait pas à payer l'addition; c'était de plein gré qu'il s'était lié à elle et qu'il avait accepté l'idée d'une vie nouvelle.

— Tout sera réglé ce soir, je te le promets. À partir de demain, Lucie, toi et moi, que nous deux.

Elle soupira d'aise, l'embrassa sur le front et lui chuchota à l'oreille:

— Tu sais, on a beaucoup d'argent à faire, toi et moi. J'ai déniché plusieurs maisons et immeubles et, après ces transactions, d'ici un mois, j'ai une surprise pour toi.

— Une surprise? Laquelle?

— La Californie, mon chéri! Un voyage de rêve! Tu verras, c'est superbe!

Le soir venu, alors que Geneviève étudiait chez une compagne de collège, Gilbert en profita pour téléphoner à Pierre-Paul, l'avocat, pour ne pas dire «le juge» de la famille, déjà informé par sa mère de la rupture. Et l'entretien fut effroyable. Au point que Lucie se demandait si son amant s'engueulait avec Satan. Des cris, une vive colère, des hurlements de la part de Gilbert. Puis une altercation avec Rachel qui le traita de tous les noms de la terre. Gilbert fulminait, il était allé jusqu'à sacrer dans un moment d'impatience alors que son frère avait repris le récepteur. Et la conversation se termina sur le reniement de Pierre-Paul, sur sa condamnation, et sur la sueur qui perlait sur le front de Gilbert. Ayant raccroché, à bout de souffle, il tournait en rond, il tentait de se remettre de sa vive réaction. Lucie, qui avait tout entendu, du moins de la part de Gilbert, s'écria en parlant de Pierre-Paul:

– De quoi se mêle-t-il, lui? Pour qui se prennent-ils, ces deux-là?

– Laisse tomber, Lucie, c'est réglé, c'est fini! Qu'ils aillent au diable!

Geneviève était rentrée et Gilbert, apaisé, s'était informé de sa journée. L'adolescente, ravie qu'on s'intéresse à elle, lui parla de son cours d'anglais, du nouveau professeur, de la soirée chez son amie, puis regagna sa chambre, lasse de tous ses efforts en classe. Vers onze heures, après le bulletin de nouvelles, Lucie suggéra à Gilbert le repos bénéfique de la nuit. Mais, en manque avec tous ces troubles, plus chatte que confidente, elle s'agrippa à ses bras, à sa taille, à ses hanches, quémandant presque ce qu'elle n'avait pas encore eu depuis qu'il était avec elle. Plus ardente que Mathilde, plus habile, elle parvint à l'exciter au point qu'il finit par la renverser. Satisfaite, heureuse d'avoir à elle seule «son» homme dans «son» lit, elle étouffait ses cris de peur de réveiller Geneviève. Gilbert, n'étant guère en état de la surprendre, ne remplit que son devoir. En état ou pas, somme toute, Gilbert lui fit l'amour comme il le faisait avec Mathilde de temps en temps. Sans prouesses, avec délicatesse, le plus naturellement du monde. Et lorsqu'elle lui dit: «Ce fut merveilleux, mon amour», il sentit qu'elle mentait. Il savait qu'il n'était pas et qu'il ne serait jamais le «chaud lapin» qu'elle souhaitait. Il était même certain qu'il n'était pas à la hauteur de tous ses ex-amants. Lucie n'était certes pas dupe. Depuis la première fois, elle s'était toujours relevée déçue de ses piètres performances. Mais pour que le lien se resserre, pour que l'union se renforce, elle avait dit: «Ce fut merveilleux…» Elle l'aimait, il l'aimait, ils s'aimaient, mais sur un fil charnel tordu. Car, peu porté sur les ébats, discret sans être prude, maladroit sans chercher à apprendre, malhabile sans chercher à comprendre, Gilbert, depuis vingt ans, n'avait fait l'amour qu'avec… Mathilde.

Un mois s'était écoulé depuis que Gilbert avait quitté Mathilde et, dans son «second souffle» avec Lucie, il était tantôt heureux, tantôt songeur. Il n'était guère facile pour lui de s'habituer à l'effervescence de sa nouvelle compagne alors que Mathilde, si calme… Il avait beau faire des efforts, il ne pouvait s'empêcher de comparer l'une avec l'autre. Sans que cela paraisse, évidemment. Même dans l'art culinaire: alors qu'il tentait d'apprécier les mets congelés qu'achetait Lucie, il lui arrivait de regretter le pâté chinois de Mathilde, ses carrés aux dattes, sa soupe au riz citronnée. Il aurait voulu ne pas comparer, mais c'était plus fort que lui. Un soir, alors que Lucie était partie avec des acheteurs éventuels, il en avait profité pour téléphoner à sa mère. Il lui avait certes déjà parlé brièvement à quelques reprises du bureau, mais là, il désirait un entretien plus soutenu. Car madame Authier s'était juré de ne jamais appeler son fils à l'Île-des-Sœurs à moins d'une urgence.

— Bonsoir, maman. Comment vas-tu? C'est moi.

— Gilbert! Quelle belle surprise! Je pense si souvent à toi!

— Tu es seule? Je ne te dérange pas?

— Mais non, voyons, seule devant un concert de Pavarotti à la télévision, mais c'est au moins la troisième fois qu'on nous le présente. Comment vas-tu, Gilbert? Beaucoup de travail?

— Oh, ce n'est pas ce qui manque, crois-moi! On prétend que la vente des maisons est à la baisse, mais pour Lucie et moi, c'est encore une mine d'or.

– Toujours heureux avec elle, Gilbert? Ça va comme tu le souhaitais?

– Oui, maman, ne t'inquiète pas. Il m'a fallu m'adapter, mais là, tout va. Et sa fille est charmante. J'en suis le premier surpris, mais je me suis déjà attaché à elle! C'est vraiment une fille comme on n'en croise pas souvent de nos jours. Tiens! En passant, ça te dirait de les rencontrer, maman?

– Heu… sans doute, mais pas pour le moment, Gilbert. Plus tard, si tu veux bien…

– Comme tu voudras, maman, mais je sens que Lucie se meurt d'envie de te connaître.

– Oui, je comprends… Moi aussi, mais laisse le temps suivre son cours. Tu sais, avec Pierre-Paul et Rachel… Pas maintenant, pas au moment où tout se calme.

– Je vois les feuilles tomber, l'automne depuis quelques semaines… Je me demandais comment Mathilde faisait pour s'occuper de la pelouse…

– Tu veux avoir de ses nouvelles, n'est-ce pas, Gilbert? Tu prends ce détour, mais tu voudrais savoir comment Mathilde se porte?

– Bien, si on veut… Je ne peux quand même pas la considérer comme une étrangère.

– Heureuse de te l'entendre dire, Gilbert, mais rassure-toi, Mathilde se porte bien. Elle remonte la pente, elle s'occupe de tout, elle est dans la couture par-dessus la tête et elle compte renouer avec la chorale qu'elle a quelque peu délaissée. Elle m'a remis les comptes qui te reviennent, et je viens de les poster à ton bureau.

– Donc, elle t'a rendu visite, si je comprends bien?

– Non, c'est moi qui suis allée chez elle. Je la sentais terrée dans son coin, mais elle était ravie de me revoir. Elle craignait de déranger et je l'ai rassurée en lui disant que ma porte lui serait toujours ouverte et qu'elle serait toujours «ma fille».

– Elle… elle t'a parlé de moi, maman?

– À peine, Gilbert, et c'est moi qui l'ai presque forcée à le faire en lui disant que nous causions de temps en temps. Elle s'est informée de ta santé, de tes insomnies, rien de plus. Tu connais sa discrétion, Gilbert… Elle n'est pas du genre à questionner sur ton intimité, encore moins avec l'autre.

– Lucie, maman, pas «l'autre». Tu évites de prononcer son nom comme si quelqu'un t'épiait. Il va pourtant falloir t'y faire, elle fait partie de ma vie, c'est ma compagne de tous les jours, je suis séparé, maman.

– Oui, je sais, j'ai tort, mais c'est sans doute l'influence de ton frère.

– Désolé, mais il peut aller se faire foutre, le petit frère qui se prend pour mon père! Comme si j'avais des comptes à lui rendre! Lui et sa femme!

– Ne parle pas comme ça, Gilbert! Pierre-Paul ne jurait que par toi!

– Je m'en fous, maman! Après ce qu'il m'a dit, fini, lui et moi! J'espère, au moins, qu'ils s'occupent de Mathilde, qu'ils l'invitent encore…

– Oui, mais c'est curieux, on dirait que Mathilde garde une distance. Elle m'a parlé de Rachel qu'une seule fois depuis… Gentille, certes, mais elle ne semble pas désirer une relation aussi soutenue qu'avant. Faut dire qu'elle a sa mère, ses clientes, sa chorale.

– C'est son droit, maman. Et qui te dit que Mathilde n'a pas l'intention de s'éloigner un peu pour refaire sa vie? Elle remonte la pente, tu disais…

– Oui, elle est plus calme, plus résignée, elle semble même accepter le fait, mais de là à chercher quelqu'un d'autre, ça me surprendrait. Tu la connais assez, Gilbert, pour savoir qu'elle ne cherchera pas, au premier tournant, quelqu'un pour te remplacer.

À ces mots, Gilbert s'était senti rasséréné. Il l'avait quittée, il l'avait trahie, mais il avait peine à s'imaginer Mathilde dans les bras d'un autre. Il «étouffait» avec elle, il «respirait» mieux avec Lucie, selon lui, mais sans savoir pourquoi, il souhaitait de tout son cœur que «sa douce» ne recommence pas sa vie avec un autre.

– Bon, je te quitte, maman, et je t'embrasse. Lucie est sur le point de rentrer, Geneviève a peut-être besoin de l'appareil...

– Merci de ton appel, Gilbert, et prends bien soin de toi. Mais j'ai hâte de te revoir, de te serrer dans mes bras.

– Il n'en tient qu'à toi, maman. Lucie serait ravie...

– Je parlais de toi, Gilbert. Tu peux passer à la maison si le cœur t'en dit.

– Heu... oui, tu as raison. À un de ces jours, maman, et bonne fin de soirée.

Il avait raccroché et il éprouvait une drôle de sensation. Cet entretien avec sa mère l'avait ramené à de bons sentiments et à une certaine nostalgie. Déjà! Comme un enfant qui effectue un voyage de quelques semaines et qui se sent heureux d'entendre, au bout du fil, la voix de sa mère. À défaut de celle de Mathilde.

Lucie était rentrée et elle semblait d'humeur maussade. Gilbert, grillant une cigarette, regardait une émission sportive à la télévision pendant que Geneviève, à la cuisine, se servait une eau minérale. Sans même un «Bonsoir, chéri» ou le moindre sourire, Lucie, repoussant de la main quelques ronds de fumée, s'écria en regardant celui qu'elle aimait:

– Ah! Gilbert! Tu empestes l'appartement! Toi et ta cigarette! Tu ne pourrais pas la fumer sur le patio de temps en temps?

Surpris, les sourcils froncés, il lui répondit calmement:

– Tu oublies que nous ne sommes pas en juillet, Lucie.
Qu'en sera-t-il en janvier?

– Je ne sais pas, mais n'empêche que l'odeur est insupportable!

Gardant son calme, sentant que Geneviève suivait la
scène, il répliqua:

– Nous nous étions pourtant entendus, Lucie. Tu savais
que je fumais. Tu n'y voyais aucun inconvénient, tu disais que
ça ne te dérangeait pas.

– Peu-être, mais… mais pense à Geneviève! Elle habite
ici, elle aussi!

À ces mots, l'adolescente sortit de la cuisine et répliqua à
sa mère:

– Ça ne me dérange nullement, maman. La cigarette ne
m'incommode pas. D'ailleurs, Gilbert n'est pas le premier à
fumer dans cette maison. Les autres aussi étaient des fumeurs
et tu en as même toléré un avec ses Gauloises.

– Ne te mêle pas de ça, Geneviève! Je me demande de
quel droit tu t'immisces dans nos affaires! Ton boudoir, tes
livres et plus un mot!

Choquée, sans toutefois rétorquer, Geneviève regarda
Gilbert, sortit du salon et se retira dans sa chambre avec son
verre d'eau minérale. Gilbert, estomaqué, écrasa sa cigarette,
se leva et se dirigea vers la salle de bain avant de regagner la
chambre. Seule, désemparée, Lucie se retrouva devant le téléviseur allumé, la bouteille d'eau minérale encore sur le comptoir et les deux êtres de sa vie volatilisés. Repentante, s'en
voulant pour ce coup d'éclat, elle se dirigea vers sa chambre
et là, face à Gilbert:

– Excuse-moi, mon chéri, je ne sais pas ce qui m'a pris de crier de la sorte. Sans doute le fait d'avoir raté ma vente. Cet abruti voulait la maison pour le tiers du prix! Te rends-tu compte? Une maison de 300 000 $ avec une piscine intérieure!

– Je m'en moque, Lucie! De ta vente ratée comme de ton abruti! Mais ne me parle plus jamais de la sorte! Surtout devant ta fille!

Voyant qu'il était vexé, contrarié, Lucie s'approcha de lui.

– Je me suis excusée, Gilbert. Je m'excuse encore, j'ai eu tort.

Voulant lui encercler le cou de ses mains effilées, il se dégagea et riposta:

– Avant toute chose, Lucie, tu devrais aller offrir des excuses à ta fille. Tu l'as traitée comme une enfant. Tu n'avais aucune raison de t'en prendre à elle parce qu'elle tentait d'arbitrer. Et c'est toi qui l'as impliquée, Lucie!

– Une mère n'a pas à s'excuser à sa petite fille, Gilbert!

– Dans ce cas-là, c'est moi qui le ferai pour toi!

Et Gilbert se rendit auprès de Geneviève pour la consoler et tenter de s'excuser au nom de sa mère, mais Geneviève lui sourit en lui disant: «Ce n'est pas la première fois, tu sais.» Ce petit esclandre avait jeté un froid entre Gilbert et Lucie. De retour à la chambre, il sentit qu'elle désapprouvait son geste. Elle ne le regarda pas et se mit vite au lit dans l'espoir que, à son tour, il s'excuse en la cajolant, en l'embrassant, en lui faisant l'amour. Mais, face à son attitude, Gilbert était retourné au salon s'écraser devant son émission sportive à la télévision.

Le lendemain matin, Lucie s'était réveillée plus tard et pouvait entendre Gilbert tousser dans le salon devant le bulletin de nouvelles, dont le volume était d'ailleurs fort élevé. Elle se rendit compte, par l'oreiller froissé, qu'il était venu partager son lit, mais sans que ça la réveille. Elle se leva, se servit un peu du café que Gilbert avait préparé et se rendit compte que Geneviève était déjà partie pour le collège. Gilbert ne disait mot, encore écorché par l'altercation de la veille. Le regardant, elle lui dit à mi-voix:

— Tu ne vas tout de même pas faire une montagne d'un grain de sable.

Il ne répondit pas, plongé dans les mots croisés du journal du matin.

— Tu m'en veux encore à ce que je vois…

— Non, Lucie, je passe l'éponge, mais ne t'avise plus de me parler sur ce ton. J'ai quarante ans, Lucie, je suis un adulte averti, et je ne veux subir aucune humiliation de la sorte devant ta fille.

— Bon, ça ne se reproduira plus… J'étais irritée, j'ai raté le contrat…

— Les affaires ne devraient jamais entrer en ligne de compte avec la vie intime. On ne peut pas toujours cumuler les succès, Lucie, il faut savoir accepter les échecs. Et comme ton client négociait au tiers du prix, tu aurais pu te rendre compte qu'il n'était pas intéressé. Il m'est arrivé, moi aussi, de perdre mon temps, ça fait partie du jeu, Lucie. Mais je n'ai jamais eu de sautes d'humeur pour une vente ratée. Il y a toujours un autre client…

— Je sais, tu as raison, il va falloir que j'apprenne à mieux gérer mes émotions, mais ce n'est pas que cela qui m'a fait bondir. Geneviève…

— Que vient-elle faire dans cet éclat? Qu'a-t-elle fait, Geneviève?

— Bien, c'est que… Elle est toujours là, Gilbert! Le nez fourré dans ses études! Elle est toujours là entre nous deux, et ça m'agace à la fin. Si elle avait des amis, si elle avait un *chum* comme les filles de son âge!

– Là, je ne te suis pas, Lucie! Ce que tu viens de dire est inqualifiable!

– Pourquoi? Que veux-tu dire?

– Geneviève n'a que quinze ans, Lucie! Et c'est une fille modèle! Tu devrais même remercier le ciel à genoux d'avoir une fille comme elle! Sans n'avoir jamais connu son père, que de multiples amants sous son toit...

– Pas «multiples», Gilbert. Que trois... avant toi.

– Ce qui veut dire qu'elle a quand même eu trois pères de parcours, sans me compter, auxquels elle s'était peut-être attachée. Et du jour au lendemain, elle les perdait sans que tu la consultes sur ces hommes qui finissaient, Dieu sait pourquoi, par prendre la porte.

– Ou que je mettais à la porte, nuance! Je n'étais tout de même pas pour poursuivre une relation tendue pour lui faire plaisir, Gilbert!

– Non, mais tu aurais pu être plus subtile, t'en faire une alliée, user un peu de psychologie. Geneviève est une fille sensible. Elle est loin d'avoir ton caractère et ton tempérament, tu sais. Et je la trouve plus que généreuse d'être si polie, si respectueuse envers toi. Pour l'attention que tu lui portes...

– C'est ça! Viens dire que je suis une mauvaise mère, à présent! Toi qui viens à peine d'entrer sous notre toit! Tu oublies que je l'ai élevée seule, cette enfant! Elle n'a été privée de rien! Les meilleurs collèges qui soient...

– Elle a été privée d'amour, de tendresse et d'affection, Lucie. Tu crois que les meilleurs collèges, ça peut compenser pour le manque d'amour d'une mère?

– Dis donc, Gilbert Authier, tu me fais la morale, si je ne m'abuse? Comme si tu connaissais les enfants, toi! Tu n'en as jamais eus, tu n'en a jamais voulus!

– C'est vrai, c'était un choix, mais je peux t'assurer que si la chose était arrivée, j'aurais sans doute eu la fibre plus forte que toi!

– Bon, voilà que ça recommence! Te détournes-tu de moi, Gilbert?

– Non, Lucie, au contraire. Je me rapproche en tentant de solidifier les liens. Les nôtres comme celui qui t'unit à ta fille. Et compte-toi chanceuse qu'elle n'ait pas mal tourné, Lucie! Tu souhaites qu'elle se fasse un *chum* dans le seul but de l'avoir moins dans les jambes. Te rends-tu compte de ce que tu dis, Lucie? Aimerais-tu mieux que ta fille soit dans les bras d'un gars et qu'elle ne rentre pas la nuit? Aimerais-tu qu'elle soit comme tant de jeunes qu'on voit à la télévision ou dans la rue, un anneau à la narine, un autre au nombril, les cheveux jaunes et presque rasés, les jeans déchirés et dans la drogue jusqu'aux oreilles? Voilà ce que je veux te faire comprendre, Lucie. Voilà où est ta chance. Tu as une fille dépareillée, une fille studieuse qui rêve de devenir archéologue, d'aller œuvrer en Malaisie ou dans les pays sous-développés. Une fille qui sait où elle s'en va, quitte à changer de voie si les ouvertures se font rares. À défaut de ce parcours, elle a aussi un œil sur les sciences pures. Médecin ou infirmière, elle ne sait pas, mais elle va réussir, ta fille.

– Comment peux-tu être au courant de tout cela? Elle ne m'en a rien dit…

– Parce que c'est à moi qu'elle se confie, Lucie. Parce que tu la traites comme une enfant et que, moi, je la considère comme une femme en herbe. Toi, en autant qu'elle soit dans un collège privé, qu'elle étudie n'importe quoi…

– C'est faux! Je m'intéresse à son avenir, je suis assez près d'elle…

– Bon, n'allons pas plus loin, Lucie, mais souviens-toi de ce que je viens de te dire. Tu as une fille remarquable qui aurait pu mal tourner, te causer des migraines et de l'angoisse. Remercie le ciel d'avoir été comblée par elle.

— Bon, si ça peut te faire plaisir, monsieur le psychologue, je ferai ma prière!

— Ne le prends pas sur ce ton, Lucie. Je ne te fais pas de reproches, je tente juste de t'ouvrir les yeux sur la situation. Et pas besoin d'être psychologue pour se rendre compte que Geneviève a besoin d'un peu plus d'attention.

— Ça va! C'est fini, là? On peut passer à un autre sujet, Gilbert?

— Oui, la cigarette. Tu savais que j'en fumais trois ou quatre par soir, mais si ça te dérange et que ça empeste, j'irai les fumer dans un bar non loin d'ici.

— N'exagère pas! Je t'ai dit que ma saute d'humeur avait été causée par cet idiot... Non, ça ne me dérange pas! Il y a des cendriers partout dans la maison! Et comme Geneviève n'est pas incommodée, elle te l'a dit elle-même, ne reviens pas sur ce banal incident pour en faire un débat!

Gilbert avait repris son journal et Lucie en profita pour prendre une douche et faire sa toilette. De retour, prête à affronter la journée, elle lui demanda:

— Tu m'accompagnes pour l'immeuble de la rue Sherbrooke? Un gros contrat, Gilbert, une bonne affaire. Si on conclut aujourd'hui, on pourra s'offrir le plus beau voyage qui soit. J'ai pensé à la Californie, mais j'hésite, il y a aussi le Mexique, le Portugal...

— Et que devient ta fille quand tu pars en voyage, Lucie?

— Voyons donc, Gilbert! Le collège! Ils ont aussi des pensionnaires et avec un montant supplémentaire, ils acceptent chaque fois de garder Geneviève. Avec ce que je paye, je voudrais bien les voir me refuser cette faveur! De plus, ce ne sera pas la première fois que Geneviève passera quinze jours au pensionnat. Je n'en suis pas à mes premiers déplacements, tu sais!

– J'imagine, mais lui as-tu seulement demandé si ça lui plaisait de croupir là durant tes absences? Elle est quand même en âge d'être consultée.

– Bon, ça s'arrête là, n'en parlons plus pour l'instant, Gilbert! On a un rendez-vous d'affaires, une «passe» à faire, viens, on nous attend!

Gilbert enfila son veston, suivit Lucie qui avait tout planifié pour que «la passe» puisse être intéressante, et la laissa conduire la voiture sans savoir ce qu'elle avait tramé pour faire ce coup d'argent. En cours de route, ressassant les dernières heures, Lucie fut quelque peu perturbée. Elle aurait pu jurer que Gilbert désirait plus le bonheur de sa fille… que le sien. Et ce constat la contrariait. Mais, le regardant alors qu'il était penché pour trouver une station de radio propice, elle le trouva si beau de son profil troublant, qu'elle oublia tout ce qui lui trottait dans la tête. Beau, séduisant comme on peut l'être à quarante ans quand on prend soin de soi. Au point que certaines femmes des autres voitures lui jetaient un œil en coin. «Si seulement il était aussi sensuel qu'il est beau», songea-t-elle. Mais Gilbert, ne se rendant pas compte de ses attributs, n'était que ce qu'il était. Un homme sage, sans prétention, non imbu de lui-même et peu porté sur les indécences charnelles. Normales, équilibrées, les relations intimes étaient certes de circonstance, mais pas comme Lucie aurait souhaité «les vivre». Gilbert faisait l'amour comme on faisait l'amour… autrefois. De temps en temps, sans le moindre travers, sans le moindre fantasme. L'amour à l'état brut, quoi! Sans passion, sans gestes osés, sans prononcer un mot. Un amour introverti. Un acte qui faisait partie de la vie. Tout comme avec Mathilde… depuis vingt ans.

La transaction de l'immeuble fut vite conclue. Lucie avait bien préparé son discours, elle avait bien joué ses cartes, et cette vente rapide leur permit d'encaisser, des Immeubles Arc-en-Ciel, la généreuse commission qui leur revenait. Si généreuse que Marc Derouet sauta sur l'occasion pour dire à son ami Gilbert: «Dis donc, l'argent rentre vite à ce que je vois! Madame, ton amie, a plus d'un tour dans son sac!» Gilbert, vexé de la remarque, lui répondit: «Ne sois pas ironique, Marc... L'envie ne mène nulle part et j'ai travaillé autant qu'elle dans cette affaire.» Sentant qu'il avait blessé son plus fidèle ami, Marc rétorqua: «Je plaisantais, Gilbert, je blaguais. Si tu savais comme ton bien-être me tient à cœur.» Et c'était vrai! Marc Derouet, célibataire à trente-huit ans, ne se forçait guère pour faire de l'argent. Seul, un petit appartement loué, payé mensuellement, son téléphone, son électricité et sa voiture, il jouissait, selon lui, d'une quiétude qui ne lui demandait pas tant d'efforts et qui lui permettait de sortir, d'aller prendre un verre avec des amis. Bref, de mener une agréable petite vie au jour le jour, sans se soucier de l'avenir et de ses économies. Depuis son plus que bref mariage et ses deux liaisons de courte durée, Marc avait opté pour un célibat à perpétuité. «Au diable l'argent pour mes vieux jours!» avait-il dit à Gilbert. «Quand je mourrai, on m'enterrera à bon marché.»

Lucie jubilait. Un bon coup d'argent, réussi de façon rapide. Avec, en plus, la part de Gilbert, le voyage planifié dans sa tête s'imposait.

– Une dernière petite maison à vendre, l'affaire d'un soir, et nous partons, Gilbert. J'ai opté pour Los Angeles et tu verras, c'est vraiment spécial. J'ai déjà réservé à l'hôtel Beverly Hills, le plus chic, là où vont les plus grandes stars. Pas loin de Rodeo Drive et de ses luxueuses boutiques. Nous

partirons le 7 novembre et nous y séjournerons deux semaines. J'ai déjà fait les réservations avec Air Canada. En
première classe, mon cher!

Gilbert n'avait pas bronché d'un pouce, et encore moins
sauté de joie. Lisant son dépit sur son visage, le sentant
contrarié, indifférent, elle lui lança:

— Ne me dis pas que ça ne te fait pas plaisir, Gilbert! Notre
voyage! Enfin!

Se levant, s'allumant une cigarette, il lui demanda calmement:

— M'as-tu consulté, Lucie? Qui te dit que j'ai envie d'un
tel voyage?

— Voyons, Gilbert, c'était prévu, non?

— Dans ta tête, Lucie, pas dans la mienne. Ce n'est pas
parce qu'on vient de faire un bon coup d'argent qu'il faut
jeter ce profit par la fenêtre.

— Je ne comprends pas, Gilbert... Avec cette manne tombée du ciel...

— Justement! Et tu ne comprends pas, Lucie, parce que tu
décides, que tu mets ton plan à exécution sans même me
demander mon avis. Cet argent, cette «manne» comme tu
l'appelles, je l'ai investie, moi. Je ne pensais pas m'en servir
pour un voyage auquel je ne songeais même pas.

— Nous en avions parlé, pourtant...

— Tu en parlais, Lucie, pas moi! Toi, que toi, toujours toi!
Je pense au temps qui vient, moi, j'ai des obligations finan-
cières à respecter, j'ai encore ma maison...

— Placement ou pas, ce n'est pas un voyage qui va te rui-
ner, Gilbert. Avec les économies que tu as, avec l'argent que
tu as fait ces derniers temps...

— J'ai des responsabilités, moi, j'ai, j'ai... Un petit séjour
dans une auberge des Laurentides, je ne dis pas, mais la

Californie, l'argent US, les taux de change... Et j'ai davantage besoin de repos que de stress.

– Le stress? Voyons! Pas en Californie! C'est la détente, l'oubli total, un autre monde, quoi! J'y suis allée deux fois, Gilbert...

– Raison de plus pour préférer un panorama d'automne dans une auberge.

– Si ce n'est que l'argent, Gilbert, ne t'en fais pas, je le payerai, ce voyage. Ma part a été supérieure à la tienne. Viens, je vais tout payer, mais ne me refuse pas cette joie de m'évader, de vivre majestueusement après avoir tant travaillé. Ce sera notre voyage... d'union, si tu comprends ce que je veux dire. Laisse-moi te l'offrir, Gilbert. Pour te remercier d'avoir tout quitté pour moi.

– Heu... je n'ai pas l'habitude de voyager aux frais des autres. J'aurais l'impression d'être entretenu, Lucie. Ce n'est pas que je n'ai pas les moyens...

– Ne va pas plus loin et laisse-moi te l'offrir, ce voyage. Je t'en prie, Gilbert, je t'aime tant, ma vie n'est plus la même depuis que je suis avec toi.

– Tu sembles vraiment tenir à ta Rodeo Drive, toi, n'est-ce pas? lui lança-t-il en souriant. Dans ce cas-là, je ne te décevrai pas, j'irai avec toi.

Folle de joie, Lucie se jeta dans ses bras et posa ses lèvres sur les siennes. Il l'embrassa sans trop insister de la langue, mais juste assez. Pour être quelque peu dans les cordes de Lucie. Lui qui avait toujours embrassé Mathilde du bout des lèvres.

L'avion décolla de l'aéroport de Dorval à neuf heures pile en ce lundi qui devait les conduire à Los Angeles. Une escale d'une heure à Toronto et le Boeing s'envola de nouveau en droite ligne vers la Californie. Lucie savourait déjà tout le plaisir qu'elle éprouverait dans ce qu'elle appelait intérieurement sa «lune de miel». Mais Gilbert n'était pas à l'aise dans cet avion rempli à pleine capacité. Il avait toujours éprouvé une peur bleue de ces engins qui défiaient l'espace et les nuages. C'était tout juste s'il supportait les vols rapides de Montréal à Toronto pour une réunion chez Rainbow Real Estate, bureau-chef de l'entreprise. Très nerveux, ne pouvant même pas s'allumer une cigarette alors qu'il en aurait eu grand besoin pour se détendre, il grommela:

— On nous sert de l'alcool, du café, et on nous interdit de fumer! Comme si l'un allait sans l'autre! C'est un véritable supplice pour les fumeurs!

— Voyons, Gilbert, ce n'est pas un sacrifice de quelques heures qui va te faire mourir. Pense aux enfants!

— C'est le bout du monde, ta Californie! On n'en voit plus la fin!

Lucie préféra ne rien ajouter et ajusta ses écouteurs pour se distraire avec le film qu'on présentait, tandis que Gilbert, anxieux, les mains moites, écoutait de la musique classique. C'était la première fois qu'il prenait l'avion pour une si longue distance. Il ne se sentait pas en sécurité, il se demandait ce qu'il faisait entre ciel et terre et la sueur lui coula sur le front lorsque, crispé, il ressentit de violentes turbulences au-dessus du Grand Canyon. Ils survolèrent Las Vegas et, quarante-cinq minutes plus tard, l'avion se posa en douce sur la piste de l'aéroport de Los Angeles.

— Enfin! Nous y sommes! clama Lucie avec joie. Ne viens pas me dire que le vol n'a pas été agréable, Gilbert!

Il ne répondit pas, s'essuyant le front et déliant ses doigts qu'il avait tordus autour des accoudoirs du siège lors de l'atterrissage.

Une heure plus tard, avec tous les bagages de Lucie, très peu pour lui, ils franchissaient le hall d'entrée de l'hôtel Beverly Hills.

– Somptueux, n'est-ce pas? Regarde tous ces palmiers qui nous entourent! C'est ici que logent les vedettes de cinéma!

– Bah! De la fausse publicité, tout ça! Pour attirer les poissons qui mordent à l'hameçon.

Sentant qu'il était négatif à tout ce qui la rendait heureuse, Lucie préféra se taire et se retenir de s'exclamer quand on les fit entrer dans la superbe suite qu'elle avait réservée. Ils rangèrent leurs affaires. Le temps était superbe, mais Gilbert trouva le moyen de lui dire:

– Ça sent la pollution dans cette ville. Vois comme les nuages sont bas.

Une fois de plus, elle ne releva pas la remarque et lui murmura:

– Si nous allions à la piscine, Gilbert? On dit qu'elle est splendide ici…

– Vas-y, toi, moi je préfère m'étendre, me remettre de ce stress, fumer quelques cigarettes.

– Y aller seule? Tu n'y penses pas! On pourrait me prendre pour…

– Sois plus discrète, enlève ton maquillage et tes bijoux, et je suis sûr qu'on te prendra pour une mère de famille. C'est l'image que tu dégages qui fait… L'habit fait le moine, tu sais!

Impatientée, Lucie ne put se retenir plus longtemps:

– Assez, ça va comme ça, j'irai seule, reste, couche-toi, décompresse! Mais permets-moi de te confier… que ce voyage de rêve commence très mal, Gilbert!

Il ne répondit pas, s'étendit sur le lit et fixa le plafond, alors que Lucie, maillot enfilé, bien tournée, maquillée, franchissait la porte sans se retourner. Resté seul, Gilbert ressentit un malaise l'envahir. Non pas du fait qu'il entravait la joie de Lucie, mais parce qu'il se sentait loin de chez lui. Il aurait préféré une petite auberge pour quelques jours et un paisible retour au condo, sur le grand balcon, à causer avec Geneviève. Dans ce luxe, dans ce décor ultra-mondain, il se revoyait même l'an dernier en train de ramasser les feuilles mortes dans son jardin. Il se revoyait remplir des sacs verts, ratisser le terrain, pendant que Mathilde, souriante, attachait les cèdres pour l'hiver.

Le soir même, ils dînèrent à la grande salle à manger de l'hôtel. Un service impeccable avec courbettes et un menu des plus sophistiqués. Lucie jubilait de plus belle. Examinant les autres convives, scrutant des yeux chaque table, elle lui murmura sans pointer du doigt:

– Regarde, Gilbert, fais mine de rien, mais détourne la tête à droite. Au fond, à la table avec deux messieurs, c'est Gina Lollobrigida. Ensuite, derrière moi, face à toi, à deux tables près, c'est Joe Lando, le beau mâle de l'émission *Dr. Quinn, Medecine Woman*. Celui qui joue le rôle de l'amant de Jane Seymour. Je n'en reviens pas! À quelques pas de nous...

– Lucie! On dirait une adolescente qui vient d'apercevoir une idole! Retiens-toi, voyons! Ils vont nous prendre pour des *fans* venus du fond des bois. De plus, je ne le connais pas, celui-là. Je n'ai jamais regardé *Dr. Quinn...* je ne me souviens pas du reste. Moi, les petites séries de carton-pâte... J'espère que tu n'es pas venue ici que pour ça...

Elle baissa les yeux, avala une bouchée et se contenta d'admirer, sans le laisser paraître, les vedettes qu'elle dénichait ici et là. Pour ne pas le contrarier, elle ne l'informa pas que, juste derrière lui, venait de prendre place... Michael

Bolton! Ils quittèrent la salle à manger et Lucie fit tout son possible pour se faire quelque peu remarquer, mais dans ce flot de blondes à poitrine opulente, elle passa inaperçue. Ils firent le tour du hall, s'arrêtèrent devant quelques boutiques de l'hôtel où Lucie fit provision de cartes postales. Puis, épuisé par le vol, le léger décalage horaire et ce dépaysement total, Gilbert décida de regagner la suite, de prendre un dernier gin tonic du bar de leur petit salon et de se coucher le plus tôt possible. À peine vingt et une heures! Dans l'univers de la capitale du cinéma! Et Gilbert dormait déjà, alors qu'elle regardait les mille et un jeux de lumière de la ville féerique... de la vaste fenêtre panoramique.

Les quinze jours de rêve prévus à Los Angeles s'avérèrent un désastre pour Lucie. Gilbert, ayant enfin adopté la piscine de l'hôtel, ne la quittait pratiquement plus. De courtes baignades, la chaise longue, un roman de Stephen King à sa portée, il était comme cloué à sa chaise longue, faisait de longues siestes à l'abri du soleil, et remontait se changer le soir pour le repas pris à l'hôtel. Il ne quittait guère son territoire et Lucie devait le supplier pour qu'il l'accompagne sur Rodeo Drive où les boutiques l'attiraient. Il avait fini par céder. Une fois! Une seule fois où, la voyant dépenser cinq cents dollars pour un chemisier, il lui avait dit: «Tu aurais trouvé la même chose pour le tiers du prix chez Eaton à Montréal.» Que des reproches, que des flèches à l'endroit de celle qui défrayait le coût total de ce voyage. Sauf quand elle acheta une jolie broche formée de boutons de roses pour Geneviève. Pour sa part, il acheta, en guise de souvenir, un vieux film en noir et blanc de Merle Oberon, la «femme de rêve» de Marc, et un foulard de soie pour sa mère. Un soir, il avait accepté d'aller manger dans un restaurant très huppé, dispendieux à souhait, qu'on leur avait recommandé. Un restaurant-terrasse que Gilbert n'apprécia guère, se plaignant de la lenteur du service. Et ce, même si Lucie semblait ravie d'avoir, à deux tables de la leur, Demi Moore et Bruce Willis. Gilbert les avait regardés, elle plus que lui, pour dire à Lucie: «Elle est bien ordinaire. Ce qui te prouve ce qu'un savant maquillage peut faire.» Lucie était décontenancée. Elle aurait souhaité se rendre à Malibu, longer la côte du Pacifique, mais pas question pour Gilbert de louer une voiture et de se hasarder sur des routes sinueuses. Le voyant sans cesse regarder sa montre, impatiente, elle lui avait dit: «Pourquoi ne pas prendre un calendrier? Ce serait sans doute moins long de compter les jours que les heures et les secondes!» Introverti lorsque ça lui servait, Gilbert n'avait pas répondu et avait repris sa lecture. «Je tourne en rond, Gilbert! Je n'en peux plus de cet hôtel! On pourrait peut-être aller de l'avant…» Il l'avait interrompue en lui disant: «Ce ne serait pas bête. Pour ce qu'on fait ici…» Lucie avait failli pleurer. Elle avait voulu dire «aller de l'avant» en allant ailleurs, à San Francisco, peut-être, et Gilbert, soulagé, avait cru qu'elle voulait précipiter leur retour. Elle qui aurait voulu voir un film un soir de première! Mais non, Gilbert se comportait à Los Angeles, dans le plus chic hôtel de Beverly Hills, exactement comme il l'aurait fait dans une petite auberge des Laurentides. Sa chaise, son livre, son gin tonic et… sa sieste! Un voyage qui avait coûté «les yeux de la tête» et que Gilbert n'appréciait pas plus qu'un séjour à Mont-Laurier. Et encore moins, parce qu'à Mont-Laurier, avec l'odeur des sapins, celle des feuilles mortes, un chaud gilet, un steak grillé, un gin tonic, il eût été plus heureux qu'en Californie ou en Nouvelle-Guinée.

Si seulement il avait compensé son peu d'intérêt pour les déplacements en étant le merveilleux amant qu'elle espérait qu'il soit. Peine perdue, Gilbert Authier faisait l'amour à la sauvette. Aussi vite que l'on peut cuire une omelette. Sans passion, sans rage et surtout, sans excès. Sur demande la plupart du temps, sur insistance parfois, comme s'ils étaient déjà devenus un vieux couple... bien ordinaire. «Un si bel homme, un si beau corps...» songeait-elle. Mais, hélas, avec rien dans les veines. Pas même le sang bouillant après une journée au soleil, au seuil de la quarantaine. Lucie en était perplexe. L'aimait-il vraiment? N'était-elle que l'instrument de sa fuite rapide? Devant les palmiers, alors qu'elle était aguichante, il lui parlait encore des maisons qu'ils auraient tous les deux à vendre. Il lui parlait de Geneviève, de sa hâte d'apprendre si elle maîtrisait mieux l'anglais. Comme un couple établi qui parle de leur enfant. Lucie en avait les larmes aux yeux. Loin de l'Île-des-Sœurs, sous d'autres cieux, il lui parlait d'affaires et de sa fille. Elle craignait même qu'il en vienne à parler de... Mathilde! Sans se rendre compte, ne serait-ce qu'un instant, qu'ils étaient... des amants.

À bord de l'avion qui les ramenait au pays, Lucie, intérieurement, fulminait. Mécontente, déçue de ce triste voyage et de son taciturne compagnon de vie, elle se promettait de reprendre «les guides», de ne plus flancher devant celui qui changeait d'idée comme on change de chemise. Il lui fallait retrouver sa domination avant de la perdre entièrement. C'était elle qui lui faisait faire de l'argent. C'était elle qui l'avait sorti de son marasme, de sa maison, de sa vie plus que routinière avec sa femme. Sans elle, Gilbert Authier n'était rien! Elle reprendrait les commandes et il suivrait à la lettre. Elle n'allait pas être une «Mathilde», elle! Pas après avoir maté tous ses amants précédents... Mais elle s'arrêta dans ses folles pensées parce qu'elle se souvint que ses amants tenus en laisse, elle les avait perdus. L'un après l'autre, sous les yeux et le sourire en coin de Geneviève. À bord de la voiture laissée à Dorval, qui les ramenait maintenant à la maison, elle dit à Gilbert sans plus attendre:

— J'espère que tu te rends compte que j'ai fait un voyage infernal avec toi!

Surpris, décontenancé par le ton, il regarda ailleurs et lui répondit:

— Je ne comprends pas, Lucie, ce fut reposant, ça nous a éloignés du quotidien…

— Reposant? Tu crois qu'on va à Los Angeles, à Hollywood, pour se reposer, toi? Ça paraît que tu n'es jamais allé plus loin que Toronto! Et par affaires!

— Baisse le ton, je t'en prie… Je ne t'ai rien demandé, moi, pas même ce voyage.

— Tu aurais pu faire des compromis, Gilbert! Mais non, pas un seul! Nous vivons à deux, tu sais! Toi qui disais vouloir sortir de ta coquille! Toi qui désirais rajeunir, toi qui te sentais mourir dans ta monotonie! N'est-ce pas ce que tu as dit à ta femme, Gilbert? Ne lui as-tu pas dit que tu étouffais avec elle, que tu avais besoin d'un second souffle? Et là, alors qu'une autre vie s'offre à toi…

— Arrête, Lucie, j'ai un violent mal de tête… L'avion, les turbulences…

Voyant qu'il avait froncé les sourcils, Lucie préféra ne rien ajouter. Parce que, malgré le voyage raté, malgré ses piètres performances au lit, elle ne pouvait plus vivre sans lui. Et elle ne tenait pas à le perdre comme les autres. Elle l'aimait! Avec possessivité, mais elle l'aimait!

Gilbert, les yeux ailleurs que sur le viaduc devant lui, se souvenait lui avoir dit qu'il «étouffait». Il n'avait pas oublié le jour où il l'avait crié à bout de forces à Mathilde. Oui, il étouffait, c'était vrai, mais là, il lui semblait qu'il étouffait partout. Et dans un effort pour reprendre son souffle, il sentait qu'il étoufferait davantage à Madrid, à Venise ou à Paris que sur la rue… Georges-Baril. Ne sachant trop ce qu'il cherchait, ce qu'il voulait de la vie, il murmura à Lucie, inconscient du couteau qu'il lui enfonçait dans la plaie:

– J'espère que Geneviève fait des progrès en anglais… J'ai travaillé si fort avec elle.

Chapitre 6

Au moment où les cloches des églises tintaient encore pour annoncer la naissance du Sauveur en ce matin du 25 décembre, Gilbert s'empara du téléphone et s'empressa de composer le numéro de sa mère.

– Bonjour, maman. Joyeux Noël!

– Gilbert! C'est toi! Je craignais de ne pas avoir de tes nouvelles… Joyeux Noël à toi, mon fils, de la santé et du bonheur!

– Crois-tu que j'aurais pu t'oublier, maman? J'ai attendu le jour même sachant que le réveillon n'était guère le moment pour me manifester, me doutant bien où tu pouvais être…

– En effet, nous sommes allés chez Pierre-Paul, cette année. Nous avons réveillonné toute la nuit. Je viens à peine de me lever. Tu sais, les réveillons, à mon âge…

– Tout le monde va bien? demanda timidement Gilbert.

– Oui, tout le monde, et les enfants de Pierre-Paul grandissent. Janou devient une belle jeune fille, mais elle a du caractère, elle commence sa crise d'adolescence. Et toi, Gilbert? Tu as réveillonné quelque part?

– Non, nous sommes restés à la maison, Lucie, Geneviève et moi. Pour Lucie, c'est au jour de l'an que ça se passe, et nous irons chez ses parents à Baie-Comeau. Ses frères, qui habitent assez loin, seront aussi de la fête. Ça m'inquiète un peu, car c'est la première fois que je vais rencontrer la famille de Lucie.

– Ne crains rien, ils vont t'aimer. Plus charmant que toi…

– On voit bien que c'est une mère qui parle! Lucie n'a pas toujours cette impression. Au fait, Pierre-Paul a-t-il songé à inviter Mathilde?

– Je n'osais t'en parler avant que tu le fasses, mais Mathilde était là, sa mère aussi.

– Sa mère? J'ai sans doute été la cible de la soirée. Avec elle et Pierre-Paul…

– Tu te trompes, Gilbert, pas un mot, pas la moindre allusion. Mathilde n'aurait jamais accepté qu'on parle en mal de toi. Tu la connais…

– Oui, discrète, indulgente… Tout… tout se passe bien pour elle?

– De mieux en mieux, Gilbert. Elle est à corps perdu dans sa chorale. Nous sommes tous allés l'entendre chanter à la messe de minuit. Quel beau chœur de chant! Et c'est Mathilde qui entamait en solo les couplets de *Venez Divin Messie*. Quelle belle voix! Les gens se retournaient pour la voir au jubé. Au réveillon, elle portait une jolie robe de velours bleu…

– Avec un gros chou à l'épaule gauche? renchérit Gilbert en riant.

– Non, pas cette fois. L'épaule était ornée d'une boucle de satin blanc piquée de perles argentées. Ce n'est pas le talent qui lui manque en tout cas! De plus, ses cheveux ont allongé, et ça la rajeunit de dix ans.

Gilbert avait mal, très mal, en entendant parler de Mathilde. Une soudaine mélancolie s'était emparée de lui.

– Tu es toujours là, Gilbert?

– Oui, maman, j'écoute, j'avais un peu la tête ailleurs…

– Pourquoi ne pas lui avoir posté une carte de souhaits, Gilbert? Que ça! Ce n'est pas un reproche, mais ça lui aurait sûrement fait plaisir.

– J'y ai pensé, maman, mais voilà qui l'aurait obligée à me répondre. Et là, avec Lucie dans ma vie…

– Ça va toujours bien avec elle? Tu es toujours aussi heureux, Gilbert?

– Heu… oui, bien sûr. Et sa fille est si gentille. Le 2 décembre, c'était la fête de Geneviève, et pour ses seize ans, nous l'avons invitée à souper dans un petit restaurant français. Je lui ai offert un rang de perles et elle semblait ravie. Il faudrait bien que tu te décides à les rencontrer, maman, je commence à être embarrassé…

– Après les fêtes, Gilbert, je te le promets. J'attendais que les choses se tassent des deux côtés, tu comprends? Mais là, je crois que le moment est venu. À ton retour de Baie-Comeau, fais moi signe et je serai ravie de les connaître.

– Lucie en sera très heureuse, maman. Depuis le temps que je lui parle de toi…

– Il me faut te laisser, Gilbert, Pierre-Paul et Rachel doivent passer me prendre. Nous soupons dans un restaurant italien ce soir et, demain, nous irons voir *Casse-Noisette* avec les enfants à la Place des Arts.

– *Casse-Noisette*? C'était l'un des spectacles préférés de Mathilde.

– Oui, je sais, c'est d'ailleurs elle qui l'a recommandé à Janou et Benjamin.

– Bon, je te quitte, maman, et je t'embrasse. Et si tu penses aussi souvent à moi que je pense à toi, je me sentirai encore un peu de la famille.

– Quelle idée! Je pense à toi chaque jour, Gilbert. Et pour moi, tu feras toujours partie de la famille. N'en déplaise à Pierre-Paul, tu…

– Laisse, maman, ça va, ne gâchons pas la joie de cette journée. Je te rappellerai dès mon retour de Baie-Comeau. D'ici là, sois heureuse, je t'embrasse.

– À bientôt, Gilbert, et prends bien soin de toi.

Gilbert avait raccroché. Il avait tenu cette conversation avec sa mère pendant que Lucie et Geneviève étaient allées chez le pâtissier. Il ne tenait pas à ce qu'elles soient témoins de sa… mélancolie. Ce premier Noël sans Mathilde le chavirait. Et, même avec elle, Gilbert était toujours triste à Noël. Le temps des fêtes le rendait nostalgique; il pensait chaque fois à son enfance, à son père, au sapin géant qu'Hugues Authier décorait grimpé sur une échelle. Il se revoyait enfant; il n'avait jamais oublié ses premiers soldats de plomb, son gros camion de pompier. Et c'était à cause de cette nostalgie, de cette tristesse soudaine, que Gilbert n'avait jamais pu se rendre à l'église pour entendre Mathilde chanter. Les cantiques de Noël le faisaient pleurer comme un enfant, même à la radio, quand il entendait de sa chambre *Jésus Bambino* suivi de *Petit Papa Noël*.

Seul, les yeux dans le vide, il regardait ces murs où tout était abstrait, des toiles aux sculptures. Lucie avait, bien sûr, décoré un petit sapin artificiel blanc de boules bleues, mais c'était loin du sapin vert et naturel, de l'ange posé à sa tête et de la jolie crèche dont les personnages avaient été habillés par Mathilde. Dans ce condo de l'Île-des-Sœurs, outre la présence de Geneviève, aucune chaleur. Et Gilbert humait encore l'odeur des murs, des rideaux, des divans et des moelleux tapis de sa petite maison, rue Georges-Baril.

Mathilde avait certes été déçue de ne recevoir aucun vœu de la part de Gilbert. Une simple carte signée de son nom à laquelle elle aurait répondu de la même façon, discrète. Ne serait-ce que pour se prouver qu'ils existaient encore tous deux. Ne serait-ce que par politesse. Elle en fut peinée, mais pas choquée. Depuis son départ, elle n'avait pas reçu le moindre mot de Gilbert, c'était madame Authier qui leur servait d'intermédiaire. Pour les comptes à payer! Sa belle-mère lui donnait des nouvelles de Gilbert, mais si courtes, si brèves, qu'elle le croyait l'homme le plus heureux de la terre avec «l'autre». Sans s'imaginer que, parfois, loin d'elle, Gilbert souffrait. Elle qui, depuis sa douloureuse rupture, recollait à peine les fragments de son cœur. Elle qui avait espéré pour ensuite abdiquer devant… l'indifférence. Elle qui, peu à peu, se forgeait une vie sur les ruines de son passé. Sans se douter que, Gilbert, à son insu, parfois, chancelait… Et Mathilde chantait.

Elle avait renoué avec la chorale au grand plaisir de Serge, qui la dirigeait. Sylvie, Paule et André l'avaient accueillie avec joie pour lui présenter le nouvel organiste du groupe, un dénommé Martin Vanel. Un jeune Français, originaire de Lyon, vingt-neuf ans à peine, beau garçon, et qui vouait un culte aux œuvres de Franz Schubert. Il lui avait souri, l'avait agréée avec respect, et était resté abasourdi devant la voix divine de Mathilde. Au point que Paule, la plus près d'elle dans ce groupe, lui avait dit: «Tu lui es tombée dans l'œil, Mathilde. À première vue! Jamais il n'a été si ponctuel lors des répétitions.» Mathilde avait souri. Ce Martin Vanel était si jeune, tellement jeune d'allure, qu'il ne faisait pas ses vingt-neuf ans. Mais elle lui avait souri… gentiment.

Marc Derouet, le collègue de Gilbert, l'avait rappelée à quelques reprises, mais malgré l'amitié qu'elle lui vouait, elle le supplia de mettre un écart à leur relation privilégiée. Elle ne pouvait supporter que Marc la renseigne sur Gilbert et qu'il lui parle «d'elle», lui qui les côtoyait chaque jour. Elle ne voulait pas savoir. Elle voulait vivre et laisser vivre. Et leur dernier entretien prit fin lorsqu'il lui apprit qu'ils étaient en Californie. Marc, outré, choqué de la réprimande, s'était juré de ne plus importuner la femme de son meilleur ami. Au grand soulagement de Mathilde qui se sentait remuée chaque fois que Marc lui parlait de «lui». Lui, qu'elle n'avait pas encore... enseveli.

Mathilde délaissait de plus en plus la couture pour se consacrer davantage à la chorale. C'était là sa plus belle évasion, le baume sur sa plaie, de légers points de suture pour fermer sa blessure. Et coudre comme elle le faisait lui infligeait des courbatures, des maux de dos et des douleurs de plus en plus fréquentes dans son épaule oblique. Et une solitude de plus en plus cruelle, ancrée dans les séquelles. Il fallait qu'elle sorte, qu'elle voie du monde, qu'elle renoue avec sa petite chorale, qu'elle chante de sa voix claire, limpide, pour sa propre survie et pour la joie des autres.

Un mois s'était écoulé depuis qu'elle avait repris ses feuilles de musique et qu'elle était retournée auprès de ses collègues délaissés. Au grand contentement de son amie Paule qui l'avait serrée dans ses bras en lui disant: «Si tu savais comme tu nous as manqué, Mathilde!» Chanter au sein de la chorale était un bénévolat dont elle était consciente, mais avec ses économies, elle pouvait certes se permettre quelques mois de répit... de sa machine à coudre. Invitée au mariage de la fille de sa plus fidèle cliente, dont elle avait confectionné la robe, elle avait chanté à l'église, entourée de la chorale et l'orgue, l'*Ave Maria* de Schubert, puis, sur demande spéciale, la très belle chanson interprétée par Ginette Reno, *L'essentiel*. Avec une voix plus douce, plus claire, mais avec autant d'émotion. Martin Vanel, dont on avait retenu les services pour agrémenter la réception de son orgue, l'accompagna tout en douceur lorsqu'elle chanta *Ton nom* de Salvatore Adamo, l'idole de ses plus belles années. Une larme avait coulé sur sa joue… On crut à l'émotion, mais c'était le souvenir de Gilbert qui provoquait cet effet. N'avait-il pas été celui qui lui avait offert le microsillon des plus belles chansons de son troubadour préféré? Et c'est en pensant à lui qu'elle avait chanté *Ton nom* pour les jeunes mariés. À lui qui la faisait encore frémir dans le méandre du parcours. Martin Vanel fit danser les invités avec des valses, des polkas, des tangos, mais il n'aimait guère se livrer en pâture à la musique populaire. Il l'avait fait pour elle. Il l'avait fait pour Mathilde, lui qui vouait un culte aux grands auteurs classiques. Que pour Mathilde qu'il trouva si ravissante ce jour-là, dans sa robe de soie verte avec un joli corsage de roses orangées à l'épaule gauche.

Puis, fidèle au chœur de chant, elle avait aussi chanté lors d'un service funèbre. Une dame âgée du quartier qui avait rendu l'âme au bout de ses souffrances. Elle chanta le *Kyrie Eleison* du début, non plus en latin mais dans sa version de *Seigneur prends pitié*, avec les collègues et, en solo, l'*Ave Maria* de Gounod qu'elle rendit d'une voix parfaite. Là défunte, dans ses dernières volontés, avait demandé qu'on chante ce qu'on avait chanté le jour de son mariage. Et le veuf, cheveux blancs, joues ridées, pleura sa bien-aimée lorsque Mathilde entonna d'une voix venue du ciel, *Parlez-moi d'amour*, que sa douce moitié avait tant fredonné. Le chant d'adieu de la fin remua l'assistance et, lorsque le cortège se mit en marche, l'homme âgé, tremblant, soutenu par ses enfants, murmura à Mathilde qu'on lui avait désignée: «Merci, Madame, c'est cinquante ans de vie à deux auxquels vous avez rendu hommage. Merci, Madame, au nom de ma chère femme.» Mathilde en fut émue jusqu'aux larmes. Cinquante ans de «mots d'amour» qu'il enterrait avec l'aide de ses enfants et de ses petits-enfants. Cinquante ans à s'aimer, à se perdre, à pleurer celle qui était partie. Cinquante ans, c'était hier pour lui, alors que cette chanson immortelle avait bercé l'émoi de leur premier baiser. Et Mathilde aurait pu jurer que cet homme voyait encore sa dulcinée dans sa robe de dentelle, un voile blanc recouvrant la fraîcheur de ses vingt ans et le bras solide qu'il lui offrait pour contrer vents et marées. Afin de vivre, jour après jour, les doux couplets de… *Parlez-moi d'amour*.

Mathilde était sensible. Les mariages lui remuaient le cœur, les funérailles la déchiraient jusqu'à ce qu'elle en pleure. «Tu sais, il faut le prendre comme un travail», lui avait dit Martin en guise de réconfort. Mais pour Mathilde, chanter, c'était verser son sang, s'offrir et en souffrir. Parce que son bénévolat allait au-delà d'un bonheur ou d'un trépas. «Une âme d'artiste… fragile», avait murmuré Paule. «Une passion qui me dépasse…», avait ajouté Serge, le directeur de cette humble chorale.

Mercredi 8 février 1995, plein cœur de l'hiver, vents cinglants qui glaçaient jusqu'aux entrailles. Mathilde terminait son café du matin en écoutant des œuvres de Vivaldi, lorsqu'elle vit l'auto de Rachel s'immobiliser devant sa porte. Que pouvait donc lui vouloir sa belle-sœur à cette heure si matinale et par ce temps à ne pas mettre un chat dehors? Elle s'empressa d'aller ouvrir, la fit entrer sans se hâter de refermer la porte, ce qui fit réagir Coquette dans sa cage, les plumes soufflées par le courant d'air, qui ballottait.

— Mon Dieu, Rachel! Comment as-tu pu sortir par un froid pareil? Passe vite à la cuisine, j'ai un bon café chaud.

La belle-sœur, encore sous les secousses de la rafale, lui répondit:

— Je veux bien, Mathilde, ce ne sera pas de refus, mais laisse-moi au moins enlever mes bottes et mon manteau.

— Pour une surprise, c'en est toute une! Attends, je baisse le volume de mon appareil.

— Comme tu voudras, mais laisse la musique en sourdine, ça réchauffe le cœur.

Rachel prit place à la petite table pour deux de la cuisine, celle où Mathilde et Gilbert, jadis, prenaient le petit déjeuner pour épargner la salle à manger.

— Tu désires un croissant? Une brioche, peut-être?

— Non, c'est fait. Juste un café, Mathilde, sans sucre avec un peu de lait, lui répondit Rachel tout en replaçant quelques mèches de cheveux ébouriffées.

— Les enfants sont à l'école? Pierre-Paul, à son bureau?

— Oui, et comme j'étais seule, j'ai pensé venir causer un peu avec toi. Tu sais, Mathilde, j'ai parfois peur que tu te décourages, que tu broies du noir…

— Non, le pire est passé, Rachel. Il ne m'a pas été facile de m'habituer à vivre seule, mais avec le travail, j'ai repris courage peu à peu. La vie continue, n'est-ce pas?

— Évidemment, mais toujours penchée sur ta machine à coudre…

— Oui, je sais. J'ai des courbatures, des maux de dos de plus en plus fréquents, mais que veux-tu? Il faut bien que je gagne ma vie. Je ne voudrais pas être à la charge de Gilbert. Il voit déjà à tous les comptes de la maison et… j'ai ma fierté.

— Ce qui n'est pas bon pour toi, c'est d'être enfermée entre tes murs à longueur de journée. Tu ne sors pas, tu ne vois personne sauf ta mère et nous quand le cœur t'en dit. Et de moins en moins souvent en ce qui nous concerne. Madame Authier m'en a fait la remarque hier.

— Je ne veux pas déranger, Rachel. Vous avez votre vie, vos enfants, et madame Authier trouve toujours le moyen de me parler de Gilbert. Ça me fait mal à chaque fois, je deviens bouleversée, tu comprends? J'ai donc décidé de prendre un peu de recul, de me dévouer à la chorale…

— Je comprends, Mathilde, mais ce n'est quand même pas une vie pour une jeune femme de trente-huit ans. Tu couds, tu chantes, tu n'as aucun loisir, aucune amie. Ce qu'il te faudrait, c'est de sortir de ta bulle, d'avancer un peu.

— Que veux-tu dire?

— Bien, voilà! Tu feras ce que tu voudras de mes conseils et de mes suggestions, mais je crois que tu devrais délaisser la couture qui te confine entre tes murs et te trouver un emploi à l'extérieur. Un emploi qui te permettrait d'évoluer dans un nouveau milieu sans laisser pour autant ta chorale qui te tient à cœur.

— J'y ai pensé, Rachel. Maintes fois. Mais que veux-tu que je fasse d'autre que coudre? C'est ce que je fais depuis vingt ans…

— Avec le résultat que tu es mal en point, Mathilde. Des maux de dos, ton épaule, des douleurs soudaines. Il te faudrait bouger, être active sur tes jambes. Comme ça va là, d'ici quelques années, tu vas souffrir d'arthrite jusque dans les doigts. Prématurément! Et ne dis pas que j'exagère…

— Non, je sais ce qui s'en vient, je le sens… Mais ai-je d'autre choix, Rachel?

– Bon, écoute-moi et ensuite, je te laisse le temps d'y réfléchir. Pierre-Paul et moi en avons causé et deux emplois qui pourraient peut-être changer ta vie s'offrent à toi.

– Je t'écoute, Rachel. De quoi s'agit-il?

– Le premier, c'est l'un de nos voisins qui est fleuriste et qui tient boutique sur la rue Fleury. Il cherche une employée pour l'aider dans les arrangements floraux. Il est prêt à tout t'apprendre, Mathilde! Rien de payant à tomber par terre, mais ça équivaudrait à ce que te rapporte ta couture. Et comme tu es habile de tes mains…

– Peut-être, mais faire des arrangements floraux, des bouquets, des couronnes, c'est aussi épuisant que de coudre, Rachel. Encore un travail manuel, de l'artisanat. Je ne voudrais pas seulement changer le mal de place, tu comprends?

– Alors, écoute ma seconde offre. Pierre-Paul a un ami médecin qui est directeur d'une clinique médicale dans le nord de la ville. Tu sais, le genre de clinique où l'on va pour un rhume, une petite urgence. Le genre de clinique de quartier, sans rendez-vous… La sienne est située à Ville Saint-Laurent, je crois, ce qui n'est pas si loin quand on possède une voiture. Il se cherche une préposée à l'accueil. Tu sais, celle qui reçoit, qui prend la carte, qui vérifie sur son ordinateur et qui nous demande ensuite d'attendre non sans s'être informée du malaise? Voilà le poste qui est ouvert, Mathilde. Du moins, pour un an, car la dame qui faisait ce travail part en congé de maternité. Qu'en dis-tu?

– Bien, c'est plus invitant que l'offre du fleuriste, mais je n'ai aucune formation, Rachel. Je n'ai jamais travaillé avec un ordinateur…

– Mon Dieu! Si tu savais comme c'est facile! Ce n'est qu'un écran voué à la vérification. Peu de choses à inscrire sauf de brefs renseignements, des changements d'adresse, des numéros de téléphone… Tu apprendrais cela en deux temps, trois mouvements, Mathilde, et celle qui s'en va se ferait un plaisir de te former en quelques jours.

Mathilde semblait ravie. Le genre de travail qui lui permettrait de poser le dé à coudre dans son tiroir. Inquiète, peu sûre d'elle, elle demanda:

— Tu crois vraiment que j'en serais capable, que je serais à la hauteur?

— Voyons, Mathilde! Ça ne prend pas un cours classique pour être préposée à l'accueil! Et puis, tu as déjà tapé à la machine. Avec juste un peu de confiance en toi, je suis certaine que tu serais heureuse dans une ambiance comme celle-là. Toi, avec le cœur sur la main... Les gens malades qui s'amènent... Ça demande néanmoins une certaine patience. Les enfants qui pleurent et qui ont peur des médecins... Mais je te connais, va! C'est en plein l'emploi pour toi!

— Le départ de la préposée enceinte est pour bientôt?

— Elle part dans deux semaines, Mathilde, ce qui veut dire que dès la semaine prochaine, elle pourrait t'apprendre tous les rudiments de son travail. Tu sais, ce ne sont pas les préposées qui manquent, mais avec l'influence de Pierre-Paul...

— Si vite que ça? J'ai des robes à terminer, des clientes qui doivent venir...

— Tu n'as qu'à terminer celles pour lesquelles tu t'es engagée, Mathilde. Et, dès demain, refuse toutes les autres. Ferme boutique comme on dit! Il y va de ta santé et de ton bien-être, Mathilde. Et je ne te sens pas réticente à l'idée...

— Non, je t'avoue que ça me tente! Depuis le temps que je veux sortir de mon sous-sol, faire autre chose de mes mains. Et puis, si ça ne va pas, si je ne fais pas l'affaire, les clientes reviendront, je n'aurai qu'à les rappeler.

— Je doute fort que tu ne fasses pas l'affaire, Mathilde, mais si ça peut te rassurer, fais un essai. Donne-toi un mois et tu verras si tu tires bien tes ficelles du jeu. Et qui te dit qu'elle reviendra, la préposée, après son accouchement? Tu sais, quand on a un enfant, un premier de surcroît, il arrive qu'on ne veuille plus le quitter.

— Qu'importe, Rachel, même si elle revenait, j'aurai vécu une belle expérience.

— Tu vois? Tu es déjà positive à l'idée d'améliorer ton sort, de sortir de ta tour d'ivoire! C'est ce qui va te remettre au monde, Mathilde!

Cette dernière éclata de rire et lança à sa belle-sœur sur un ton taquin:

— Dis donc! Je ne suis quand même pas une moribonde, à ce que je sache!

— Pas loin, Mathilde, pas loin! C'est la première fois que je t'entends rire depuis longtemps! Tu vois bien que tu as besoin de changer d'air, de te ressourcer…

— Oui, tu n'as pas tort, et ton idée m'emballe passablement. C'est donc Pierre-Paul qui s'arrangerait avec le médecin?

— C'est déjà fait! Je pressentais que tu accepterais cette offre plus que celle du fleuriste. Tu n'auras qu'à te présenter vendredi soir, après la fermeture de la clinique. Il t'attendra.

— Déjà? Pas de temps à perdre à ce que je vois! Et comment se nomme ce fameux médecin?

— Le docteur Primard. Daniel Primard.

Mathilde avait passé la journée à songer à ce nouveau sentier qui se dessinait devant elle. Elle était déjà heureuse à l'idée de sortir de cette maison qui la rendait triste, de délaisser sa machine à coudre, sauf pour ses vêtements personnels, même si le fait de laisser sa perruche seule à longueur de journée l'embêtait. Coquette allait sûrement mourir d'ennui dans sa cage, elle qui jacassait comme une pie dès que le moteur de la machine à coudre se mettait en marche. Elle avait fait l'acquisition de cet oiseau pour meubler sa solitude et voilà qu'elle le confinerait… à la sienne. Elle avait le sentiment de l'abandonner comme elle l'avait été. Sensible au point de… «Mais non, se dit-elle, ce n'est qu'un oiseau après tout, et Coquette s'agitera avec les bruits qui viendront de partout. Si elle dépérit, je lui achèterai un compagnon…» Et Mathilde trouva bête de s'en faire pour une perruche qu'elle retrouverait le soir et qui, somme toute, était heureuse avec un miroir, son eau, ses graines et ses jouets.

Sans perdre un seul instant, sans être sûre qu'elle serait embauchée, elle avertit ses plus fidèles clientes qu'elle se devait d'abandonner la couture en raison de sa santé. Toutes furent déçues, l'une d'entre elles insista même pour être privilégiée, mais, malgré son grand cœur, Mathilde ne se laissa pas convaincre. Elle s'employa dès le soir à terminer tout le travail qu'elle avait sur sa table, perles et pierreries prêtes à être posées. Quelques retouches sur des robes achetées ailleurs, elle fourmilla de ses mains jusqu'à une heure tardive, quitte à subir en double, pour la dernière fois, un mal de dos, un mal de reins, et à supporter son épaule plus basse que l'autre qui lui semblait plus lourde.

Le vendredi matin, elle avait tout terminé, et c'est avec empressement qu'elle insista pour que ses clientes passent chercher leurs vêtements durant la journée. Toutes lui témoignèrent de la sympathie, face à son état de santé, tout en se disant fort déçues de ne plus pouvoir compter sur elle. Les couturières de son calibre se faisaient rares dans le voisinage. Un métier qui se mourait en cette fin de siècle où les femmes se dirigeaient beaucoup plus vers l'informatique que les travaux manuels. Il y avait certes des couturières plus âgées, celles qui persistaient encore, mais aucune comme Mathilde, pour regarder dans un magazine une robe de Versace et la copier à deux plis près. Mathilde s'était retenue de leur dire qu'elle s'en allait vers une nouvelle destinée. Elle n'avait pas à partager sa vie privée avec ces clientes d'occasion. Et elle n'avait pas l'impression de leur mentir en évoquant des raisons de santé. Son dos la faisait atrocement souffrir. Elle songeait même à consulter, à se plier de mauvaise grâce aux anti-inflammatoires, mais depuis le coup de pouce de Rachel, travail terminé, elle sentait ses muscles se décontracter et ses vertèbres se replacer. La douleur à l'épaule diminuait déjà alors que, assise sur son divan, elle se détendait en écoutant un *Concerto* pour clavecin de Manuel de Falla. C'était fraîche et dispose qu'elle voulait se présenter, le soir même, à la clinique où le docteur Daniel Primard l'attendait.

Le soir venu, c'est avec un certain trac que Mathilde se préparait à se rendre à son entrevue. Elle s'était coiffée, maquillée, et elle avait enfilé un superbe tailleur noir sur lequel une jolie broche en forme de bouquet atténuait la sévérité de l'austère couleur. Au côté gauche, un double coussinet remontait son épaule d'un cran sans que rien n'y paraisse. Et une ample mante rouge donnait de l'éclat à son visage quelque peu flétri par les tourments à peine dissipés. Elle se rendit à l'endroit indiqué en moins de quinze minutes. Le docteur venait de retirer sa blouse blanche. Lui et son équipe avaient eu une journée chargée, les grippes se multipliant en février. Mathilde regardait partout et elle aimait déjà l'ambiance de cette clinique. Elle voyait toutes ces chaises alignées pour les patients, le petit poste avec une fenêtre qui s'ouvrait, d'où elle les recevrait. Mais elle cessa vite de rêver.

La nervosité la tenaillait. Car, c'était la première fois depuis son mariage, sauf les quelques mois chez Eaton, que Mathilde se présentait pour l'obtention d'un emploi.

La mante sous le bras, les jambes croisées, elle vit une porte s'ouvrir et un assez bel homme s'avancer en sa direction, sourire aux lèvres, l'air très affable.

— Madame Authier, je présume… Je suis le docteur Primard, lui dit-il, en lui tendant la main et en la priant de le suivre. Mathilde était gênée sans être gauche pour autant. Se levant, elle suivit le médecin et le précéda dans la pièce qu'il venait de lui indiquer. Il lui offrit un fauteuil en face de son vaste bureau et prit place dans le sien, sans avoir perdu son sourire rassurant.

— Alors, c'est vous dont Pierre-Paul me parlait. Ça vous plairait d'être des nôtres?

— Heu… oui, mais reste à savoir si je suis la candidate idéale, docteur. Je n'ai jamais fait ce genre de travail. Au fait, je n'ai jamais vraiment travaillé…

Le médecin souriait et Mathilde sentit qu'il semblait satisfait de son allure, de son maintien. Du moins, à première vue.

— Vous parlez l'anglais, m'a-t-on dit?

— Oui, je me débrouille fort bien. Je n'ai rien oublié… J'ai parlé si longtemps, jadis, chez Eaton. J'y travaillais jeune fille et quelque temps après m'être mariée… Vous savez, les anglophones étaient nombreux à ce moment-là.

— Et ils le sont encore, répondit le médecin. Pas ceux qu'on a fait fuir… mais nous avons, de nos jours, des gens de toutes les nationalités pour les remplacer, et la plupart s'expriment en anglais. Quatre trente sous pour une piastre! si vous me suivez, ajouta-t-il en riant. Mais il y a aussi ceux qui se présentent ici dans leur langue d'origine sans interprète avec eux. À ce moment-là, c'est par signe qu'on finit par comprendre s'ils viennent pour un mal à l'estomac ou une crise du foie. Donc, bilingue et attentive surtout, vous ne devriez avoir aucun problème, Madame Authier. Si l'emploi vous intéresse, la préposée qui part en congé de maternité pourrait commencer à vous former dès lundi. La clinique ouvre à dix heures et, à seize heures, vous êtes libre. Le soir, nous avons une étudiante qui prend la relève. Et d'autres médecins, évidemment, car ce serait nous tuer à la tâche. Ce soir, je suis resté sachant que vous veniez, mais je travaille plutôt de jour. Je fais encore de la consultation lorsque c'est nécessaire, mais comme je dirige cette clinique, je laisse les malades à mes collègues et... je plonge dans la paperasse!

Il avait éclaté d'un rire franc, et Mathilde constata la blancheur de ses dents qui épousait, discrètement, les brindilles d'argent de sa moustache et les tempes grises qui éclaircissaient ses cheveux noirs et soyeux. Très grand, ce que Mathilde n'appréciait guère chez un homme, il avait une carrure athlétique sans la moindre once de graisse. Somme toute, Daniel Primard était séduisant parce que charmant. Pas aussi beau que Gilbert, c'était évident, mais plus jovial, bon vivant, avec un sourire constant aux commissures des lèvres.

— Alors, vous acceptez, Madame Authier?

— C'est que... Vous ne m'avez même pas demandé de références...

— Pierre-Paul est votre meilleure référence, Madame. Il est mon avocat, je suis son médecin. Donc, inutile d'aller plus loin, vous avez toutes les qualifications requises. Au fait, je n'ai pas discuté du salaire...

Et le docteur l'informa du salaire, des heures à accomplir, du travail qui l'attendait, de la durée de l'emploi à moins que la future mère ne prolonge son congé, etc. Elle se leva et lui serra la main en signe d'accord, se «cassant» presque le cou pour le regarder dans les yeux. Il la reconduisit jusqu'à la porte en se disant heureux de sa décision plus que rapide. Elle promit d'être là dès lundi alors que France, la future mère, allait tout lui apprendre.

Au volant de sa voiture, Mathilde était radieuse quoique perplexe. Un emploi bien rémunéré en moins de vingt minutes! C'était inimaginable pour elle. Et le docteur Primard ne l'avait pas questionnée sur son état civil. Pierre-Paul l'avait sans doute informé qu'elle était séparée et qu'elle n'avait pas d'enfants. Et ce qui l'avait plus que ravie, c'était que Daniel Primard, la dévisageant de la tête jusqu'aux pieds, lui avait dit avec sincérité: «C'est très joli ce que vous portez. Vous avez bon goût, mais ici, vous devrez en faire votre deuil, car c'est la blouse blanche qui vous attend.» Ils avaient ri de bon cœur. Tous les deux. Elle plus que lui, parce qu'elle avait senti, en le suivant des yeux, que le charmant docteur ne s'était pas rendu compte de son léger handicap à l'épaule, qu'elle avait camouflé de son savoir-faire.

De retour, heureuse, sautillant presque, elle s'était empressée d'appeler Rachel pour lui dire:
– C'est fait, Rachel! On m'a engagée! Je commence lundi!
– Quelle joie, Mathilde! Tu verras, c'est une nouvelle vie qui s'offre à toi.
– Remercie Pierre-Paul de ma part. Sans lui…
– Oui, oui, mais comment l'as-tu trouvé, le docteur Primard? Bel homme, n'est-ce pas?
– Heu… oui, charmant. Avec le sourire, de belles manières… Assez rassurant…

– C'est un amour, cet homme! C'est lui qui soigne toute la famille. Janou l'adore et Benjamin l'aime beaucoup.

– Heureuse de l'entendre. Bon, je te quitte, j'ai mille choses à faire d'ici lundi.

Elles raccrochèrent. Rachel était ravie pour sa belle-sœur. Elle lui avait fait l'éloge du docteur, mais sans vouloir précipiter les choses, elle avait volontairement omis de dire à Mathilde que Daniel Primard... était libre.

Chapitre 7

Sans savoir ce qui se tramait pour Mathilde, Gilbert était de moins en moins à son aise dans ce condo de l'Île-des-Sœurs qu'il n'avait pas encore apprivoisé. Et moins bien dans sa peau depuis que Lucie, sournoisement, douce-reusement, avait repris le contrôle du moindre de ses gestes et de ses pensées. Il s'en était rendu compte, mais trop tard. Elle dirigeait tout, décidait de tout, et Gilbert, hargneux mais sou-mis, n'osait plus l'affronter de peur de déranger les études de Geneviève. Par contre, mince consolation, Gilbert faisait beau-coup d'argent grâce à Lucie Chénart. En quelques mois, il avait doublé ses revenus des huit mois de l'année précédente. Fin renard, il entassait son avoir, plaçait son argent avec soin, ce qui lui rapportait des intérêts plus qu'appréciables. Car, au condo, c'était Lucie qui payait. Tout! De la nourriture jusqu'aux plus petits comptes mensuels. Jamais Gilbert n'allait dans sa poche sauf quand, gentiment, il l'invitait au restaurant… avec sa fille. Gilbert adorait Geneviève. Il la traitait comme si elle avait été sa propre fille. Parce qu'elle était douce, charmante, sérieuse. Parce qu'elle lui rappelait Mathilde au moment de leurs pre-mières fréquentations. Et sa passion pour Lucie s'estompait. Passion! Le terme était sans doute trop fort, et ce, depuis le début. Gilbert était tombé amoureux de Lucie… Gilbert était-il vraiment tombé amoureux de Lucie? Les souvenirs se livraient bataille. Déjà! N'était-ce pas plutôt elle qui était tombée amoureuse de lui et qui, habilement, l'avait arraché des bras de sa femme? Gilbert Authier était confus, repu et décontenancé par trop de questions sans réponses. «Ce soir, nous sortons!» décidait souvent Lucie. Et Gilbert l'accompagnait comme un caniche qui suit sa maîtresse. Il lui arrivait «d'aboyer», mais elle le faisait taire d'une caresse en lui faisant miroiter de fabuleux contrats. Et c'est ainsi, sous son emprise, qu'il se retrouvait sur une piste de danse, lui qui dansait mal, ou dans une salle bondée de spectateurs, où Lucie applaudissait à tout rompre une chanteuse populaire… qu'il n'aimait pas. Elle l'avait même «traîné» de force à Nassau pour une semaine où il avait fait des siestes en comptant les jours, pendant qu'elle tentait de vaincre les vagues. Lui qui ne nageait pas. Lui qui, les yeux ailleurs, ne voyait même pas qu'une superbe fille le reluquait. Gilbert était absent, jamais présent. Et chaque fois que son pied foulait un nouvel endroit, sa tête était ailleurs. Lucie le possédait tellement qu'elle en vint à ne plus se plaindre de celui qui n'était pas «chaud lapin». Elle s'était habituée à faire l'amour à deux… pour deux. Car Gilbert était beau et il n'était qu'à elle. Ses parents l'avaient trouvé adorable, ses frères l'avaient aimé, et Geneviève l'adulait. Et comme elle l'avait à sa merci, le peu d'égards n'importait guère.

Marc Derouet qui, de son œil de lynx, voyait que son meilleur ami était enchaîné malgré lui, en vint à détester Lucie qui le privait d'aller prendre une bière avec lui. Gilbert était à elle, qu'à elle! Et cette fois, elle ne comptait pas perdre l'homme qu'elle avait si durement acquis. Un certain matin, alors que tous les employés des Immeubles Arc-en-Ciel étaient en train de prendre le café, Lucie entra en trombe, se dirigea vers le groupe, et lança à Gilbert:

– Laisse ton café! Arrive! L'immeuble de Longueuil, je l'ai dans ma poche!

Puis, faisant demi-tour, sa mallette à la main, elle se dirigea vers la sortie pour l'attendre alors que tous, consternés, se regardaient. Gilbert ne savait plus où poser les yeux. Jamais il n'avait été humilié de la sorte. Elle l'avait interpellé telle une patronne, comme s'il était son subalterne. Se levant, enfilant son veston, son manteau, Gilbert prit sa mallette et ne put éviter le regard de Marc. Ce dernier, mi-moqueur, mi-compatissant, lui laissait savoir, sans le lui dire, que Lucie le menait d'un claquement de doigts. Gilbert sortit et, assis dans la voiture, avant qu'elle ne dise un mot, lui cria:

– Ne m'apostrophe plus jamais de la sorte, Lucie! Je suis peut-être ton conjoint et ton partenaire en affaires, mais je n'accepte pas d'être humilié devant les employés! Je suis un homme, Lucie Chénart, un être humain, pas ton pantin!

Lucie en fut éberluée. C'était la première fois que Gilbert ripostait de la sorte depuis qu'elle le tenait… dans le creux de sa main.

– Qu'est-ce qui te prend? Ça ne t'intéresse pas une affaire frôlant le million? Dans notre domaine, pas de temps à perdre, pas de temps pour les courbettes!

– Je regrette, mais le respect, ça ne prend qu'une seconde ou deux, Lucie!

– Bon, nous n'allons pas recommencer… Pas une rechute dans ton orgueil de mâle! Tu me connais, non? Une grosse affaire et je deviens agitée. Ce n'est pas par manque de respect, c'est dans ma nature…

– Alors, change-la, Lucie! Million ou pas, grosse affaire ou pas, tu ne t'adresses pas à un enfant de chœur quand tu t'adresses à moi, Lucie! Rechute ou pas, appelle ça comme tu voudras, je suis certain qu'ils sont tous en train de rire! Te rends-tu compte de mon embarras?

— Personne n'a remarqué, Gilbert! À moins que ce damné Marc Derouet t'ait fait un sourire narquois! Ah! celui-là! Si ce n'était que de moi, il ne serait plus là, ce fainéant! Pour ce qu'il rapporte!

— À chacun son ambition, Lucie, et tu n'es pas la directrice, Dieu nous en garde!

— Tu remontes sur tes grands chevaux, toi? Ça allait si bien depuis deux mois…

— Parce que tu m'avais dans ta poche, Lucie! Mais là, c'est fini! Je veux bien partager ta vie, mais il va te falloir apprendre que j'existe, moi aussi!

— Ce qui veut dire?

— Que des compromis, ça se fait à deux! Et j'en ai fait à sens unique depuis deux mois! Désormais, les sorties qui ne m'intéressent pas, les voyages qui ne me tentent pas, tu les feras seule, Lucie! J'en ai assez de te suivre à la piste!

Voyant qu'il n'était pas du genre à courber l'échine ce matin-là, Lucie se fit plus cajoleuse, plus doucereuse.

— M'aimes-tu, Gilbert? M'aimes-tu encore?

— Quelle question! Je suis encore là!

Œil pour œil, dent pour dent, Lucie répliqua:

— Quelle réponse! Ça ne veut rien dire, ça!

— Interprète-la à ta manière, Lucie! Et puis, ce n'est guère le moment de poser des questions de cette nature! On arrive ou pas, à ton affaire d'un million?

— Notre affaire, Gilbert, pas seulement la mienne! C'est au prochain tournant. Et tu ferais mieux de changer d'attitude si tu veux que ça marche! Si tu gardes cet air bête…

L'homme les accueillit gentiment, mais Gilbert, tout en étant poli, était de glace. Lucie jouait le tout pour le tout, souriante… pour deux. Mais, malgré ses efforts, la négociation n'aboutit pas. L'homme, prétextant un rendez-vous urgent, s'esquiva en disant qu'un autre courtier était dans la course. Et la vente d'un million tomba dans les mains de leur compétiteur. Hors d'elle, incapable d'accepter la défaite, Lucie raccrocha vivement le téléphone après la mauvaise nouvelle et se tournant vers Gilbert qui lisait son journal lui lança, devant Geneviève: «C'est de ta faute! De ta faute, Gilbert! À cause de ton air bête!» Puis, claquant la porte de sa chambre, elle laissa son amant pantois devant l'air attendri de Geneviève. Et Gilbert soupira… d'écœurement.

Le lendemain, profitant d'une réunion à Toronto où Lucie s'était rendue, Gilbert accepta d'aller souper avec Marc dans un restaurant «branché» de la rue Saint-Denis. Attablés, dégustant une bière avant de commander le repas et le vin, Marc lui demanda:
— Ça va toujours avec Lucie, Gilbert? On dirait que…
— Ne te mêle pas de mes affaires, Marc! La vie privée, ça ne regarde que les intéressés! Est-ce que je te demande comment va la tienne, moi?
— Tu le pourrais, il ne se passe rien…
Se rendant compte que Marc avait baissé la tête, Gilbert se reprit:
— Excuse-moi, je m'emporte, j'ai des sautes d'humeur et je ne sais pas pourquoi.
— Je ne voulais que tenter de t'aider, moi, rien de plus…
— Je le sais, Marc, excuse-moi encore une fois. Ça fait des lunes qu'on n'a pas mangé ensemble et je me comporte comme un abruti.

– Sans doute le stress, Gilbert… À moins que… Tu es tellement introverti…

– À moins que quoi?

– Que ça n'aille pas comme tu le souhaitais avec Lucie.

– Non, c'est pas ça… Tous les couples ont des différends. Tous les couples s'affrontent de temps en temps. C'est normal…

– Non, Gilbert! Pas de ta part! Ça n'arrivait jamais avec Mathilde.

– Marc, je t'en prie, pas de comparaison! Je ne suis plus le même homme! Mathilde, c'est de l'histoire ancienne! Avec Lucie…

Mais Gilbert s'arrêta, sachant fort bien que son meilleur ami n'était pas dupe.

– Oublions ça, veux-tu? Toi, Marc, ça va? Tout marche sur des roulettes?

– Si on veut, ça m'en prend si peu pour être heureux. Un gars seul, tu sais… Mais je suis vraiment content de souper avec toi, Gilbert! Depuis le temps! Ça me manquait, tu sais…

– Comment se fait-il qu'un gars de ton apparence, un gars de trente-neuf ans à peine ne croise personne sur sa route?

– Sans doute à cause de mon mauvais caractère… répondit Marc en souriant.

– À d'autres, Marc! Tu as meilleur caractère que moi! Tu es un bon vivant, tu aimes les sorties, les voyages, tu as tout pour séduire la fille la plus coriace!

– Pas sûr, moi… Ça se termine toujours mal. Tu connais ma vie, non?

– Oui, mais depuis le temps… Envisages-tu de vieillir seul, Marc Derouet?

L'autre se mit à rire et, après avoir commandé, portant son verre de bière à ses lèvres:

– Et puis, après? Pas de comptes à rendre, pas d'embête-ments... Tu sais, quand j'observe les autres...

– Parles-tu de moi, toi?

– De toi et de tous ceux qui sont dans le même sac, Gilbert! Même les gars mariés avec des enfants! Des comptes à rendre, des responsabilités... C'est peut-être par lâcheté, je ne le sais pas, mais la vie à deux pour le moment, merci, pas pour moi. J'ai trop d'exemples devant les yeux! Même les couples les plus unis éclatent...

– Tu t'es arrêté! Tu parlais de Mathilde et moi, non? Avoue!

– Oui, mais c'était sans y penser, Gilbert... C'est le divorce qui m'a le plus surpris...

– Nous ne sommes pas divorcés, Marc, dois-je te le rappeler?

– Divorcés, séparés, qu'importe... C'est quand même une rupture, non?

– Est-ce un reproche? Avec le ton que tu adoptes...

– Non, non, Gilbert! Dieu que tu es soupe au lait! Ce que je veux dire, c'est que si un couple comme celui que tu for-mais avec Mathilde a pu éclater, imagine les autres, Gilbert! Tu vois bien que rien ne dure, que rien ne vaut la peine! Tu bâtis pendant des années et un jour, «boum!», ça saute, c'est l'écroulement! Et tu voudrais que je cherche à me caser? Après tout ce que j'ai vu, Gilbert?

Les yeux ailleurs que sur son ami, Gilbert murmura en avalant sa première bouchée:

– Non, Marc, et je n'ai rien à ajouter... Passons à un autre sujet, veux-tu?

Ils mangèrent copieusement, se délectèrent d'un bon vin d'Alsace et parlèrent d'affaires, de projets, de réunions inu-tiles au bureau et du temps qu'il ferait le lendemain.

Lucie, rentrée plus tôt que prévu, devint inquiète lorsque Geneviève lui dit que Gilbert n'était pas là. Nerveuse, agitée, elle regardait souvent sa montre. Se pouvait-il que l'altercation de la veille soit en cause? Se pouvait-il que Gilbert, las de son joug, après mûre réflexion, ne daigne plus rentrer? Se pouvait-il... Lucie feuilleta un magazine, parla peu à sa fille et attendit, impatiente et troublée, que la nuit vienne. Apeurée, craignant le pire pour leur vie à deux, elle ne retrouva sa respiration que lorsqu'elle entendit la clef dans la serrure. Apercevant Gilbert, soulagée, choquée sans le laisser paraître, elle se leva, se jeta dans ses bras et lui murmura avant qu'il ne dépose sa mallette:

– Mon amour! J'ai eu si peur! Les routes sont de glace... Enfin! Te voilà sain et sauf!

Quelques jours s'écoulèrent et, après avoir craint de perdre Gilbert, rassurée sur ses bonnes intentions, Lucie avait repris la laisse qu'elle avait momentanément déposée. Un soir, après la vente ratée d'un immeuble, elle rentra à la maison, furieuse, et invectiva Gilbert sans retenue devant Geneviève.

– Si tu avais été plus éloquent, aussi! Si tu étais démonstratif comme je le suis! Mais non! Monsieur laisse le client dans l'indécision sans même lever le pouce pour le convaincre! Je me demande si je ne réussirais pas mieux seule!

Gilbert, humilié une fois de plus devant Geneviève, répliqua d'un ton désintéressé:

– Alors, vends-les seule tes immeubles, Lucie... Je n'ai jamais insisté pour faire tandem...

– Non, c'est vrai! Mais tu empoches les commissions, Gilbert! Et ce, sans te gêner! C'est même moi qui te donne la part qui ne te revient même pas!

146

– Dans ce cas-là, Lucie, dès demain, toi, tes clients, moi, les miens. Comme autrefois. Et je me débrouillais fort bien sans toi…

– Bien sûr! Avec de faibles revenus dont tu te contentais! Tu habitais la même maison depuis quinze ans, Gilbert! Avec toutes les bonnes aubaines qui te sont passées sous le nez! Toi et Marc Derouet comme agents d'immeuble, le même panier! Pas d'ambition, pas même l'audace de vendre ta maison!

– Ma maison? Tu veux dire celle que Mathilde habite? Celle de la rue Georges-Baril?

– Oui, cette maison qui ne te rapporte rien et dont tu acquittes tous les coûts! Si seulement tu divorçais, Gilbert! Si seulement tu en avais le cran! Tu pourrais vendre, partager avec elle et gonfler au moins ton compte en banque!

Insulté, outragé par le ton, Gilbert répliqua sèchement:

– Un divorce, ce n'est pas qu'une maison, Lucie! Un divorce, ce n'est pas qu'une question d'argent! Un divorce, c'est carrément la fin d'une vie, et ça, je n'y tiens pas! Mathilde gardera la maison jusqu'à la fin de ses jours, Lucie! Si tu crois qu'après l'avoir trahie, je vais la mettre dans la rue…

– Elle ne partirait pas les mains vides! Elle pourrait même s'acheter…

– Assez, Lucie! Pas un mot de plus sur ce qu'a été ma vie avec Mathilde! Je te l'interdis! Et comme il n'est pas question de mariage entre nous…

– Qui sait? Et si l'envie me prenait? Si je changeais d'idée, moi?

– Toi, Lucie, pas moi! Jamais je ne me remarierai. C'était là notre pacte…

– Toi et tes pactes! Un avec ta femme pour la quitter et un autre avec moi pour que je ne change pas d'idée. Sais-tu que c'est pas mal lâche d'avoir un bouclier qui te protège au cas où? Et si Mathilde avait envie de se remarier, elle?

– Si tel était le cas, ma mère m'en aviserait et, là, je prendrais les dispositions…

– Toi? C'est tout juste si tu parviens à prendre une décision, Gilbert!

Geneviève qui, de loin, entendait tout, fit irruption dans le salon et lança:

– Maman! C'est assez, maman! Tu veux encore tout gâcher?

Surprise, insultée d'être rappelée à l'ordre par sa fille de seize ans, Lucie rétorqua:

– Toi, tes livres et tes études, compris? Depuis quand oses-tu intervenir dans les débats de ta mère? Ce qui se passe entre adultes ne te regarde pas, ma fille!

Geneviève tourna les talons et regagna sa chambre. Gilbert, confus, aurait voulu prendre sa défense, mais c'eût été jeter de l'huile sur le feu. Néanmoins, il était fier et surpris à la fois. Fier de l'intervention de Geneviève et surpris de constater que c'étaient parfois les enfants qui rappelaient les parents à l'ordre. Geneviève venait de le prouver en tentant de calmer sa mère… déchaînée.

Lucie, à bout de souffle, prit son manteau et cria à Gilbert:

– Et comme tu ne veux jamais sortir, que tu sautes chaque soir dans tes pantoufles, je sors, moi! Je vais aller au cinéma, au restaurant, je ne sais où, mais j'ai besoin d'air! Lis ton journal, regarde tes nouvelles sportives et, si tu t'endors dessus, secoue-toi et couche-toi! Ne m'attends pas! Pour ce que ça donnerait de toute façon!

Gilbert ne répondit pas et laissa Lucie claquer la porte. Laissant échapper un long soupir, il ferma les yeux un instant et les rouvrit pour se plonger dans les pages du *Devoir* qu'il n'avait pas encore ouvert.

Geneviève, sur la pointe des pieds, s'approcha de lui et lui murmura gentiment:

– Pas facile avec elle, n'est-ce pas? Elle a de ces sautes d'humeur...

– Bah! Ne t'en fais pas, ce n'est pas la première. Je m'y fais, Geneviève.

– Non, Gilbert... tu la subis, tu as une patience d'ange... Si tu savais comme j'ai peur que ça se termine mal, votre histoire.

– Que veux-tu dire?

– J'ai peur que tu partes, Gilbert, que tu en aies assez de son sale caractère. J'ai peur que tu la quittes... comme les autres.

– Ne crains rien, je suis coriace, j'ai la couenne dure... ajouta-t-il en souriant.

Geneviève, pensive, craintive, lui murmura avec une certaine mélancolie:

– C'est exactement ce que les autres ont dit, Gilbert...

– Tu les regrettes, les autres?

– Non, j'ai fini par m'habituer à leur absence, mais le premier n'était pas vilain, tu sais. Pas comme toi, Gilbert, parce que j'étais plus jeune et qu'il n'était pas proche de moi. Mais il lui était dévoué. Il était même très gentil avec elle. Puis, un jour, il est parti sans jamais donner de nouvelles. Il en avait assez d'être mené par le bout du nez. Les autres n'ont même pas été deux mois avec nous. Je pourrais dire, aussitôt entrés, aussitôt sortis. Mais toi, s'il fallait... Tu es celui qui l'endure le plus longtemps, Gilbert, et je la vois aller, je la connais, elle est en train de t'user sans crainte de te perdre.

– Allons, ne crains rien, Geneviève, rien de dramatique pour l'instant, et, pour te rassurer, je serai là pour le jour de tes noces… ajouta-t-il en riant.

Geneviève éclata de rire avec lui et rétorqua non sans y avoir pensé:

– Dans ce cas-là, laisse-moi te dire que tu seras ici long-temps! Je n'ai pas l'intention de me marier de sitôt! Pas avec l'exemple que j'ai toujours eu sous les yeux.

Puis, d'un ton plus grave, encore incertaine, elle ajouta:

– Mais il ne faudrait pas que tu te sacrifies pour moi, Gilbert. Un jour, je partirai… Tu sais, pour elle, ce n'est jamais un drame que de se séparer d'un homme. Avec toi, je ne sais pas mais, chose certaine, c'est moi qui serais la per-dante, Gilbert. Pas elle, cette fois, mais moi, parce que je te considère comme un père… Et je tremble à l'idée qu'un jour tu en aies assez.

– Geneviève!

Mais la jeune fille, incapable de retenir une larme, s'était hâtée de regagner sa chambre. Elle aimait beaucoup Gilbert. Profondément. Jamais un conjoint de sa mère ne s'était pen-ché sur elle comme Gilbert le faisait. Pour la première fois, elle avait «un père». Elle qui, de son cœur blessé, malmené par la vie, avait toujours eu l'impression… de ne pas avoir de mère.

Mathilde était ravie, heureuse et fort aise de ce nouvel emploi qui l'avait sortie de sa profonde léthargie. Depuis quinze jours, elle n'était plus la même. Levée tôt, alerte, elle se rendait à la clinique chaque matin avec la joie au cœur. Elle avait vite appris le fonctionnement de l'ordinateur et, plus aimable que celle qui l'avait précédée, recevait les patients avec le sourire, la bonne humeur, et avec tendresse lorsqu'elle voyait un enfant qui pleurait dans les bras de sa mère. Les infirmières de la clinique l'adoraient et les médecins n'avaient que des éloges à son égard. Au point que Daniel Primard lui fit savoir qu'elle avait cette vocation dans le cœur, mais qu'il ne s'attendait pas à ce qu'elle se dévoue corps et âme pour ces patients de quelques heures à peine. Toujours bien mise, ravissante, elle revêtait la blouse blanche qui n'enlevait rien à l'élégance qu'elle déployait. Elle travaillait sans même compter les heures, sans même songer qu'il lui fallait donner sa place à l'étudiante lorsque son quart de travail se terminait. Elle avait toujours un dossier à compléter, des effets à ranger. Le docteur Primard lui dit un certain soir: «Assez, Madame Authier, votre journée est terminée. Vous ne regardez jamais l'heure?» Elle avait souri, s'était excusée de ne pas donner le poste à l'autre qui attendait puis, blouse blanche retirée, elle avait remarqué que le docteur lui avait rendu son sourire. Avec bonté, respect, délicatesse. Avec une infinie tendresse.

Et le soir venu, tout comme les fins de semaine où elle avait congé, c'était la chorale qui prenait la relève. Un samedi, elle s'était rendue avec Martin Vanel, l'organiste, pour un tour de chant dans une résidence pour personnes du troisième âge. Elle et lui, bénévolement. Une résidence où une vieille amie de la grand-mère de Martin coulait des jours heureux. Et ce joyeux récital pour les aînés dura une heure. «Joyeux» était certes un grand mot puisque de vieux couples lui réclamaient la chanson *Le temps qu'il nous reste*. Mathilde ne comprenait pas qu'à un âge avancé, on veuille entendre une chanson qui remuait jusqu'à l'âme. Les vieux pleuraient et Mathilde parvint non sans efforts à la terminer sans fondre en larmes. Les vieilles personnes aimaient-elles se faire souffrir? Inconsciemment? Les cœurs usés se nourrissaient-ils de tristesse qu'ils confondaient avec la joie? Mathilde était bouleversée, même si, c'était inévitable, chaque fois qu'elle se rendait dans les résidences, on lui réclamait *Le temps qu'il nous reste*. Ce qu'elle avait peine à chanter sans être émue. Mais, en ce samedi, un vieux monsieur lui redonna une once de gaieté en lui demandant: «Vous connaissez *Y'a d'la joie* de Charles Trenet?» Court moment de répit car, juste après, une dame âgée lui demandait: «Vous pouvez chanter *Les roses blanches*, Madame Authier?» Ce qui lui chavira encore le cœur. Et pour la faire davantage chanceler sur ses jambes, un octogénaire lui demanda: «Vous pouvez me chanter *Souvenirs d'un vieillard*, ma petite dame? C'était la chanson préférée d'Hortense. Elle est partie… mais je suis sûr qu'elle vous entend.» Parfois, Mathilde sentait une larme glisser sur sa joue. La personne chargée de la soirée lui avait dit: «Arrêtez, vous allez les faire pleurer.» Mathilde avait répondu: «C'est l'émotion, Madame, il m'est impossible d'être insensible à une telle chanson.» Mathilde avait été fort applaudie, Martin Vanel aussi, parce qu'il avait interprété à l'orgue, en solo, pour que Mathilde reprenne son souffle, *La valse des patineurs*, sur laquelle les vieilles personnes balançaient la tête de gauche à droite pour en suivre la cadence.

Sortie de cette résidence après avoir embrassé tous les pensionnaires, Mathilde avait dit à Martin: «J'ai le cœur en miettes. Ils ne vivent que dans le passé. Ils ne veulent entendre que ce qu'ils fredonnaient jadis…» Et Martin lui avait répondu: «Que veux-tu, Mathilde, à cet âge on redevient un enfant. On vit l'autrefois sans se soucier du présent. Tu as remarqué? Jusqu'à l'amie de ma grand-mère qui te demandait une chanson de Berthe Sylva. Tu la connais, toi?» Mathilde n'avait pas chanté la chanson réclamée, mais elle répondit à Martin: «Oui, je la connais, de nom, de réputation, parce que j'ai étudié la chanson française de 1900 jusqu'à nos jours. Mais Berthe Sylva, c'est si loin, si loin dans ma mémoire. C'était avant Edith Piaf et Annie Gould... Et je suis certaine que ce qu'elle me demandait était triste; elle en avait déjà la larme à l'œil.»

Il la déposa à sa porte espérant qu'elle l'invite à entrer, mais Mathilde n'en fit rien. Elle l'aurait certes fait par politesse, mais elle sentait depuis le premier jour que Martin Vanel tentait de se rapprocher d'elle. Désespérément! Mais, en femme avertie, Mathilde faisait mine de ne rien percevoir de ses intentions. Martin Vanel, quoique charmant, n'avait que vingt-neuf ans. Il aimait tout comme elle la musique, mais son visage d'enfant, imberbe, ses cheveux blonds... Et Mathilde n'éprouvait rien pour lui sauf une franche camaraderie.

Tu seras en forme pour le baptême, demain? lui demanda Martin.

– Bien sûr! Pourquoi ne le serais-je pas?

– C'est que... avec ton travail, la chorale, des récitals comme celui de ce soir...

– Ne crains rien, chanter est une détente pour moi. Bonne nuit, Martin.

Et elle était rentrée pour s'empresser de nourrir Coquette qui avait fait du grabuge dans sa cage, alors que, dehors, Martin Vanel hésitait à repartir. Juste au cas où, de sa fenêtre, poliment, elle l'aurait invité à entrer.

Le lendemain, charmant dimanche, vêtue d'une robe blanche ornée de feuilles d'argent, Mathilde allait rejoindre les membres de la chorale à l'église paroissiale. Sans avoir omis d'ajuster à son épaule gauche une rose de soie avec des pétales d'argent. Serge, le directeur de la chorale, l'accueillit gentiment, les autres membres dont Paule, son amie, avec ravissement, et Martin, déjà assis à l'orgue, lui sourit tendrement… tristement. Au point que ce sourire troubla Mathilde l'espace d'un moment. Un beau baptême, celui d'une petite fille qu'on allait prénommer Anne, le pieux prénom de la mère de la Vierge Marie. La chorale chanta en chœur *Aux sources de la vie*, un collectif très connu, un rituel dans les baptêmes. Et c'est à Mathilde qu'on demanda de chanter *Un enfant* de Jacques Brel, qu'elle rendit de sa voix pure et cristalline, comme l'aurait fait Nana Mouskouri. Les gens étaient endimanchés, et la joie de la jeune mère tenant son enfant sur son cœur bouleversa Mathilde. Elle qui aurait tant aimé connaître ce bonheur. La cérémonie prit fin et la jeune maman remercia Mathilde pour la chanson de Brel. Le père, plus démonstratif, lui avait dit: «Vous aimeriez venir prendre un verre de vin avec nos invités, vous et la chorale?» Elle avait remercié, chacun devait se rendre auprès des siens, avait-elle répondu pour épargner Paule qui ne savait jamais comment refuser. Martin Vanel s'offrit pour la reconduire chez elle, mais elle lui dit:

— Merci, très aimable à toi, mais j'ai ma voiture.

— Dans ce cas, Mathilde, un bon café quelque part, ça te dirait?

— Heu… non, maman s'en vient chez moi. Une autre fois peut-être…

Voyant l'air déçu de celui qui espérait tant la mieux connaître, elle ajouta:

— Dis Martin, tu pourrais me rendre un service?

— Si je le peux, avec plaisir…

– J'aimerais beaucoup avoir une bande sonore sur cassette. Tu sais, ces chansons qu'on me demande sans cesse dans les résidences. Si jamais tu n'étais pas disponible, la bande me serait très utile. J'aurais l'impression que tu m'accompagnes à l'orgue.

– Oui... je peux, mais je suis toujours disponible, Mathilde.

– S'il t'arrivait d'être malade? Tu comprends? En guise de prévention...

– Bien, si tu insistes, je t'enregistrerai cette bande, mais je suis rarement malade, tu sais.

– Oui, je sais et je préfère que tu sois là, mais par mesure de précaution...

Martin avait fini par accepter de lui rendre ce service, de lui être utile, mais il était déçu, vivement déçu. Il avait cru, il eût souhaité, que le service qu'elle attendait de lui était peut-être de l'accompagner quelque part. Ou de la conduire à un endroit peu sûr pour elle, un certain soir. Pas une simple bande sonore. Une bande qui lui permettrait sans doute d'aller chanter sans lui. À son insu, peut-être? Mathilde sentit la déception dans les yeux de Martin et, émue, prise de compassion, lui dit:

– À la prochaine répétition, nous irons le prendre, ce café, Martin. Promis!

Un épais brouillard recouvrait la ville en ce vendredi matin, 17 mars 1995. Dernière journée de la semaine pour elle à la clinique où les patients attendaient nombreux avec ces rhumes de fin d'hiver. Mathilde conduisit prudemment pour s'y rendre et l'auto se gara d'une seule pièce dans l'espace qui lui était réservé. Heureuse de retrouver les collègues, un médecin cependant manquait à l'appel, retenu au lit par une vilaine grippe. Et à cause de cette absence, la clinique regorgea de patients qui durent attendre plus que de coutume avant que l'on clame leur nom. Mais le sourire de Mathilde, son amabilité et sa bonne humeur eurent raison des plus grognons. Le docteur Primard était là, affable, courtois et heureux de voir Mathilde à son poste. Depuis le premier jour, il l'observait. Au départ, pour évaluer ses capacités et, peu à peu, avec un certain intérêt. Elle ne savait rien de lui ou presque. On était très discret à son sujet, et comme il était le patron, raison de plus pour ne pas commenter sa vie intime. Tout ce que Mathilde savait, c'est qu'il était veuf et qu'il était père d'un grand garçon de vingt ans. Une infirmière, plus bavarde que les autres, lui avait chuchoté ces quelques détails à l'oreille sans que Mathilde la questionne. Daniel Primard, pour sa part, savait que Mathilde était séparée et qu'elle n'avait pas d'enfants. Mais, mine de rien, il l'appelait «Madame Authier» lorsqu'il s'adressait à elle. Sachant, bien sûr, que c'était le frère de Pierre-Paul qui avait quitté une si charmante personne. Depuis le premier jour, Mathilde dînait seule dans un petit restaurant du quartier. Car, dans une telle clinique, impossible de partir à deux quand la salle d'attente était sans cesse bondée de patients.

Ce matin-là, timidement, Daniel Primard s'approcha d'elle.

– Vous dînez à quel endroit ce midi, Madame Authier?

– Heu… je ne sais pas… Si vous préférez que je reste à cause de l'affluence…

– Non, au contraire, j'aimerais me joindre à vous si ça ne vous dérange pas.

Elle rougit, ne sachant quoi répondre. Jamais le directeur n'avait invité qui que ce soit, pas même un confrère ou une infirmière.

– C'est que… Il y a beaucoup de monde, il manque un médecin…

– Ne vous en faites pas, j'en ai déniché un pour l'après-midi. Un confrère qui me rend service à l'occasion... Et regardez, ça diminue, ça se déroule bien.

– Je n'y vois pas d'inconvénient, docteur, mais là où je prends un léger repas, je ne crois pas que l'ambiance...

– Alors, laissez-moi vous inviter dans un petit restaurant italien de la rue Saint-Laurent non loin d'ici. Vous verrez, service rapide, courtoisie, bons plats.

Mathilde quitta donc la clinique avec le docteur Primard sous l'œil amusé et narquois de l'infirmière qui avait la langue bien pendue. Mal à l'aise, elle prit place dans sa luxueuse Mercedes et se laissa conduire à l'endroit désigné tout en parlant de la fin de l'hiver, du printemps qui reviendrait sous peu.

Le docteur Primard semblait un habitué de ce petit endroit charmant. Le propriétaire, empressé, lui demanda: «Votre table habituelle, docteur?» Ils se retrouvèrent à une table pour deux tout près d'une fenêtre. Le docteur lui suggéra divers plats, mais, peu en appétit le midi, Mathilde opta pour une salade et une entrée de spaghettinis dans une sauce rosée. Daniel commanda un copieux repas et, regardant son invitée, lui demanda:

– Un bon vin rouge, ça vous irait, Madame Authier?

– Heu... non. Le midi, vous savez... avec un après-midi à traverser...

– Qu'importe! Un verre ou un peu moins ne va pas entraver votre travail...

Elle voulut protester, mais le docteur Primard commanda une bouteille d'un vin rouge assez corsé. Son préféré sans doute. Mathilde le goûta par politesse mais, le trouvant trop sec, elle déposa son verre et, de temps à autre, le reprenait pour n'en avaler qu'un soupçon.

– Je suis très satisfait de votre rendement, Madame Authier. Votre apport à la clinique est de premier ordre.

Ravie, détendue quelque peu, elle répondit:

– Ouf! Vous m'avez fait peur! Moi qui me demande encore si je suis à la hauteur.

– Si tel n'avait pas été le cas, Mathilde, je ne vous aurais pas invitée à dîner pour vous le dire! lui répondit le docteur en éclatant de rire.

Il l'avait appelée «Mathilde» sans même s'en rendre compte. Surprise, elle n'en avait rien laissé paraître. De toute façon, le docteur Primard appelait tous les autres par leur prénom, sauf elle. Ce qui la gênait terriblement.

– On m'a dit que vous chantiez dans une chorale? Que vous vous produisiez parfois en spectacle?

– Je ne sais trop qui vous a renseigné, docteur Primard, mais je ne donne pas de spectacles. Il arrive, à l'occasion, que je chante pour l'âge d'or. Dans des résidences, vous comprenez? Ce qui n'est pas un spectacle mais plutôt un récital puisque je ne m'y rends qu'avec l'organiste. De temps en temps seulement et sur demande car, avec la chorale, c'est à l'église que je chante.

– J'ai sans doute mal interprété… Veuillez m'en excuser, Mathilde. Oh! pardon! Encore une bévue! Je voulais dire Madame Authier.

– Aucune offense, docteur, et si vous préférez m'appeler Mathilde, je n'y vois pas d'inconvénient. Étant la seule à être traitée révérencieusement, je serais certes plus à l'aise.

– Bon, avec votre permission, ce sera Mathilde dorénavant. J'avoue que ça m'embêtait ce «Madame» constamment, mais je n'osais pas, j'étais gêné…

– Gêné? Vous? Pourquoi? Je suis pourtant une femme très simple…

– Oui, mais différente des autres, Mathilde, l'interrompit le docteur.

– Je ne vois trop en quoi. Là, c'est moi qui suis gênée, je n'ai aucun diplôme…

– La différence ne vient pas d'un certificat, mais d'une façon d'être. Vous n'êtes pas comme les autres femmes. Vous avez… Vous êtes…

– Une femme d'une autre époque? répondit-elle en riant.

– Non, pas tout à fait… Mais pourquoi dites-vous cela?

– C'est ce que mon mari disait! s'exclama t-elle, sans penser qu'elle ouvrait une porte.

– Votre mari et vous, c'est… Excusez-moi, c'est fini, n'est-ce pas?

Se rendant compte de sa bêtise, Mathilde ne sut que répondre. Pour cacher son trouble, elle but une gorgée de vin, baissa les yeux…

– Allons, vous n'avez pas à rougir de ce fait, Mathilde. Vous n'êtes pas la seule dans une telle situation. J'ai moi-même été séparé avant de devenir veuf…

Un aveu qui la troubla. Sans chercher à comprendre, elle se rendit compte que Daniel Primard avait l'intention de la renseigner sur son sort.

– Je me suis marié avant de terminer mes études. Nous avons eu un fils, Sébastien, et peu à peu, ça s'est gâché. Sébastien avait huit ans quand ma femme et moi nous sommes séparés. Christine est retournée en Suisse avec notre fils. Car elle était suissesse, j'avais oublié de vous le dire. Elle était de Genève, où ses parents habitent encore.

Mal à l'aise dans ces confidences soudaines, Mathilde l'interrompit:

– Ne vous sentez pas obligé, docteur…

– Non, laissez-moi terminer, ça me fait du bien d'en parler. Depuis qu'elle habitait Genève, je ne voyais guère mon fils, même si nous devions en avoir la garde partagée. Que des

ennuis… Que des tracas, Mathilde… Christine avait des problèmes d'ordre psychologique… Mais pour en arriver au but,
elle a perdu la vie deux ans plus tard dans un accident de la
route. Elle se rendait chez une amie un soir de pluie… Mes
beaux-parents m'ont téléphoné pour m'apprendre la triste
nouvelle. Je vous épargne les détails, mais c'est peu après que
j'ai pu reprendre mon fils qui est revenu vivre avec moi. Et je
l'ai élevé du mieux que j'ai pu malgré la profession qui prenait tout de moi. Sébastien vit encore avec moi, il est sur les
traces de son père, la médecine, rien d'autre pour lui. Dès
lors, dès qu'il est revenu, je n'ai vécu que pour lui et la
science. Et… Et vous, Mathilde? Est-ce trop demander?

— Bien, à ce que je vois, on vous a renseigné… Mais mon
histoire est si banale comparée à la vôtre. Je suis navrée, vraiment désolée pour votre épouse.

— Passons, voulez-vous? Le temps a fait son œuvre, bientôt douze ans…

Mathilde baissa les yeux, puis, le regardant avec une certaine contenance:

— C'est Pierre-Paul qui vous a renseigné sur moi, n'est-ce
pas?

— Que l'essentiel, Mathilde, et c'était naturel. Pour la
forme, pour l'emploi…

— J'ai été… Je suis encore l'épouse de son frère. Nous
sommes séparés depuis six mois seulement. Gilbert vit avec
une autre. Ai-je besoin d'aller plus loin?

— Non, je ne crois pas, mais… mais vous n'avez personne
en vue?

— Docteur Primard! Je viens à peine de surmonter
l'épreuve…

— Excusez-moi, Mathilde, pardonnez-moi, quelle mala-
dresse!

– Non, soyez à l'aise, la question n'était que normale, docteur.

– Mathilde, vous m'obligeriez beaucoup en m'appelant Daniel. Si j'ai pris la liberté avec vous…

– Docteur! Vous n'y pensez pas! Comment osez-vous me demander une telle familiarité quand les infirmières vous traitent avec un respect sans pareil?

– À la clinique, c'est différent… Tiens, faisons un pacte…

– Non, pas ce mot-là! Surtout pas un pacte! lui tonna-t-elle abruptement.

Décontenancé, le docteur Primard se demanda quelle mouche l'avait piquée. Constatant son trouble, Mathilde lui murmura avec gentillesse:

– Le pacte, c'était avec mon mari, vous comprenez? Et c'est à cause de ce pacte que je l'ai perdu…

Sans trop comprendre ce qu'elle voulait dire, le docteur Primard se reprit:

– Bon, disons une entente, Mathilde, une simple entente. À la clinique, je serai le docteur Primard et, dans l'intimité, Daniel. Ça vous va?

Ébahie, n'en croyant pas ses oreilles, Mathilde se demandait si elle avait bien entendu quand il lui avait dit «dans l'intimité». Quelle intimité? Était-ce une façon de lui dire que… Était-ce là une invitation à se revoir? Elle ne répondit pas, regarda par la fenêtre, et il lui dit, pour ne pas la laisser dans l'embarras:

– Bon, je crois que nous devrions partir, Mathilde. Le temps passe, les patients…

Elle ne se fit pas prier pour prendre son sac à main, son manteau, son foulard et se diriger vers la sortie. À bord de la Mercedes, la conversation bifurqua sur le froid qui persistait, sur le brouillard du matin, mais rendus à destination, avant qu'il n'ouvre la portière, il lui demanda:

– Seriez-vous dérangée si j'allais vous entendre chanter un de ces jours?

– Où ça? À la messe du dimanche, docteur? demanda-t-elle en riant.

– Heu… non. Mais si vous donniez un récital dans une résidence… Vous pourriez dire que je suis un parent, votre chauffeur, n'importe quoi!

Mathilde éclata d'un rire franc et lui répondit:

– Soit! Si jamais je donne un récital avec ma bande sonore, je vous inviterai à titre de chauffeur. Car, d'habitude, c'est l'organiste qui me véhicule.

Le docteur Primard et madame Authier firent leur entrée dans une salle bondée de gens. Les infirmières se regardaient et celle qui l'avait remplacée pendant l'heure du dîner, celle qui avait la langue bien pendue, avait regardé sa montre en guise de désapprobation. Mathilde reprit son poste, son ordinateur, et l'infirmière «bavarde» demanda au docteur Primard, en lui montrant un dossier:

– Peut-on accepter cette vieille dame qui insiste et qui a oublié sa carte? Regardant la patiente, la reconnaissant comme une habituée, il lui répondit:

– Oui, oui, ça va aller. Elle peut revenir avec sa carte après la visite?

– Selon elle, oui, mais c'est une mauvaise habitude à prendre.

– Ne craignez rien et remettez le dossier à Mathilde.

Et l'infirmière, babillarde, venait d'apprendre par mégarde que «Madame Authier» était devenue Mathilde… le temps d'un dîner.

Chapitre 8

Vendredi 7 avril 1995, le soir où, enfin, madame Authier avait accepté de rencontrer Lucie qui l'attendait pour souper. Une rencontre qu'elle avait remise d'un mois à l'autre depuis janvier, de peur de déplaire à Pierre-Paul qui n'aurait certes pas apprécié que sa mère devienne la complice des amours illicites de son frère aîné. Et c'est à l'insu de tous qu'elle se rendit à l'Île-des-Sœurs lorsque Gilbert vint la quérir vers dix-huit heures en lui disant: «Enfin! Il était temps!» Béatrice Authier s'était parée de ses plus beaux atours pour impressionner cette femme qu'elle avait tant hésité à connaître. Lucie, de son côté, avait tout mis en œuvre pour que la mère de son amant soit reçue telle une reine dans son luxueux condo. Elle voulait que «belle-maman» se rende compte de l'évolution de son fils, de son aisance, et du bonheur qu'il éprouvait à vivre à ses côtés. Piètre cuisinière, elle avait eu recours à un traiteur haut de gamme pour que la table soit digne de celles des plus grands restaurants. Madame Authier, précédée de son fils, se trouva à la porte de l'appartement de l'imposant immeuble, et c'est Lucie, vêtue dernier cri, maquillée, coiffée, qui vint leur ouvrir pour les inviter à passer au salon où, en sourdine, le dernier compact du pianiste André Gagnon créait une ambiance de circonstance.

– Enchantée, Madame Authier. Si vous saviez comme je suis ravie de faire votre connaissance. Gilbert m'a tellement parlé de vous.

– Heureuse de vous connaître, Madame, avait répondu avec courtoisie la mère de Gilbert.

Assise sur un divan, timide, sage et vêtue pour l'occasion, Geneviève attendait que Gilbert la présente. Ce faisant, madame Authier lui dit:

– Vous, Mademoiselle, j'ai l'impression de vous connaître déjà tellement Gilbert m'a parlé de vous. Et je me dois d'ajouter que vous êtes ravissante.

Un compliment qui déplut quelque peu à Lucie qui n'avait eu droit qu'à une faible poignée de main et un sourire poli. La table était splendide. Les verres de cristal, les ustensiles d'argent, la vaisselle de porcelaine de grand prix, les serviettes de table blanches et brodées, la nappe immaculée. Tous les plats bien présentés dans des récipients de terre cuite orangés attendaient les convives qui prenaient place. Il était évident que Lucie avait décidé d'en mettre plein la vue à la mère de «son homme». Ce qui n'impressionna nullement madame Authier pour qui l'art de la table n'était pas une nécessité. Maintes fois, elle s'était fort bien accommodée d'un pâté au saumon sur le coin de la table de Mathilde. Pour Béatrice Authier, la classe, c'était au cœur qu'on l'avait d'abord. Assiettes de porcelaine ou de vitre, bols en terre cuite du traiteur ou de chez Zellers, aucune importance. Pour elle, l'accueil le plus sincère se devait d'être naturel, sans manières, sans dentelle, sans artifices. Et c'était cet aspect qu'elle aimait tant de Mathilde. Elle qui la recevait naguère tout comme sa propre mère, avec des cigares au chou préparés de ses mains, une tasse de thé, un beigne ou deux, le tout servi sur des napperons plastifiés.

Lucie avait fait provision de vins de France de grand prix et elle suggéra à Gilbert d'en faire la dégustation avant d'en verser dans le verre de cristal de sa mère. Madame Authier causa longuement avec Geneviève. Elle s'informait de ses études, de ses projets. Bref, elle avait la tête plus souvent tournée du côté de la fille que de la mère. Ce qui irritait Lucie qui tentait par tous les moyens d'engager la conversation. Gilbert arbitrait de son savoir-faire ce repas qui risquait de déplaire à Lucie. Il parla de leurs voyages, Lucie s'enflamma pour y mettre plus d'éloquence, mais madame Authier ne répondait que par des «Ah oui?» ou des «Ah bon!», pour bifurquer de ces propos en disant à Geneviève: «Vous avez là un bien joli bracelet, Geneviève. C'est un souvenir?» L'adolescente était ravie d'avoir toute l'attention de l'invitée sur elle. D'autant plus que madame Authier la vouvoyait, ce qui la faisait se sentir femme à cette table où, de coutume, elle était considérée comme une enfant. Madame Authier, polie, écouta tout ce que Lucie avait à lui dire, mais sans la moindre riposte. À l'écoute, tout simplement. Désintéressée, indifférente. Et ce, au grand désarroi de Gilbert qui se sentait mal à l'aise. Pas la moindre allusion sur leur vie à deux, pas le moindre compliment. Un souper élégant certes, mais silencieux, au point que la visiteuse se rendait compte lorsque André Gagnon cédait la place à André Rieu et ses valses sur le lecteur de disques compacts. Au point de dire à Lucie: «Votre musique me plaît beaucoup. Quelle détente!» Il était vingt-deux heures lorsque madame Authier manifesta le désir de regagner son domicile. Gilbert s'empressa de lui remettre son manteau et sa mère remercia poliment «Madame Chénart» de la charmante invitation. En appuyant sur le «Madame» chaque fois qu'elle s'adressait à elle, même si cette dernière l'avait priée de l'appeler Lucie. Avant de partir, madame Authier bavarda avec Geneviève, l'encouragea dans ses études et déposa un affectueux baiser sur sa joue. La jeune fille en fut charmée, mais Lucie fulminait. La mère de Gilbert ne lui avait tendu qu'une main moite, comme elle l'avait fait à son arrivée.

En cours de route, déconcerté par la soirée, Gilbert lui demanda:

— Et puis, maman? Que penses-tu d'elle?

— Cette petite est bien élevée. Une jeune fille comme on en croise rarement.

— Maman! Je te parle de Lucie, pas de Geneviève! s'impatienta Gilbert.

— Oh! Excuse-moi! Elle est affable, gentille…

— Tu ne l'aimes pas, n'est-ce pas? Elle ne t'a pas plu, hein? Dis-le!

— Je n'ai rien contre elle, Gilbert, c'est une femme de carrière, une femme établie, mais…

— Mais quoi?

— Disons que je la trouve un peu condescendante, Gilbert. Elle n'est pas naturelle. Plaisante peut-être, mais je me demande…

— Tu te demandes quoi, maman?

— Tu veux la vérité? Soit! Je me demande si tu es aussi heureux avec elle que tu le laisses paraître, Gilbert. Vous êtes tellement différents… Et puis, après Mathilde…

— Je savais que son nom viendrait sur le tapis, maman. Tu te meurs de me parler d'elle. Tu t'es retenue pour Lucie, mais…

— Écoute, Gilbert! Après avoir connu une belle-fille comme Mathilde, celle qui pourra la supplanter dans mon cœur est loin d'être née. Mathilde, c'était une femme en or pour toi, une perle rare. Toi et elle ne faisiez qu'un, Gilbert. Ça se sentait, ça se voyait… Là, avec l'autre, je regrette…

Pantois, triste et inquiet à la fois, Gilbert l'interrompit:

– N'ajoute rien, maman, ne me fais pas regretter de t'avoir invitée.

– Libre à toi, mon fils, il ne fallait pas me questionner.

– Marc… heu… Marc Derouet m'a dit que Mathilde travaillait… Une amie, une ex-cliente de Mathilde le lui a appris.

– Oui, Gilbert. Dans une clinique médicale où elle est fort appréciée. Elle a repris du poil de la bête, tu sais. Elle chemine, Gilbert, elle élargit ses horizons. Tu ne pensais tout de même pas qu'elle allait t'attendre et pleurer toute sa vie, non? On dit même que Mathilde et le docteur…

Madame Authier s'arrêta sec. Elle allait dévoiler une confidence de Rachel.

– Que Mathilde et le docteur… Quoi?

– Bon, bien, autant te le dire, une idylle s'amorce.

Cet aveu fut pour Gilbert une gifle en plein visage. Blême, la main tremblante, ayant peine à rester impassible, il murmura:

– Heureux pour elle… Je… Je suis content…

Mais il ne put aller plus loin. Les yeux sur la route, un rictus amer aux commissures des lèvres, il venait à son tour d'être atteint en plein cœur. Mathilde et le docteur… Mathilde et un médecin! Il sentit son sang se glacer dans ses veines et un vif sentiment d'infériorité s'emparer de lui. Mathilde et un médecin! Tandis que lui, petit agent immobilier avec une agente d'immeubles qui le menait par le bout du nez… Un médecin! Le même sentiment qu'il avait ressenti lorsque Pierre-Paul était devenu avocat et Sophie, enseignante. Des professionnels! Des gens de carrière, alors que lui… Et

Mathilde, petite couturière qui l'avait toujours rassuré par le cran qu'elle avait au-dessous de lui. Il déposa sa mère après l'avoir embrassée sur la joue. Il lui demanda si elle allait à son tour le recevoir avec Lucie. Madame Authier répondit: «Sans doute, peut-être, je vous ferai signe.» Mais, dans son cœur, Béatrice Authier ne voulait plus revoir celle qui avait suborné son fils. Celle qu'elle n'aimait pas, celle qu'elle haïssait déjà. Et elle jura sur la tête de Mathilde de ne jamais les inviter ou de retourner sous leur toit. Elle regrettait déjà d'avoir cédé. Elle jura de ne plus la revoir parce qu'elle avait senti que Gilbert n'était pas heureux avec elle. Et son cœur de mère souffrait de voir Mathilde s'en détacher… peu à peu.

Très tôt, en ce vendredi saint, Mathilde s'était rendue chez son coiffeur, Fabien. Après une mise en plis et un dernier coup de peigne, ce dernier s'écria:

– Avec cette tête, vous me faites penser à Anne Archer, Madame Authier!

– Anne… qui? Encore une actrice, si je ne m'abuse?

– Oui, c'est elle qui jouait le rôle de la femme de Michael Douglas dans le film *Fatal Attraction*. La jolie brunette! Vous avez vu ce film?

– Heu… oui, je crois, mais de là à retenir son nom… Vous savez, je ne suis pas friande de cinéma, je me consacre à la musique.

– Ne vous en faites pas, Anne Archer a cet air distingué que vous affichez. Prenez-le comme un compliment, Madame Authier, elle est belle à croquer!

Mathilde sourit, paya son coiffeur et s'empressa de se rendre à l'église pour les répétitions en vertu des cérémonies religieuses entourant Pâques. La voyant entrer, Martin Vanel ne put s'empêcher de lui dire:

– Plus belle que toi, Mathilde…

Mais il s'arrêta devant les autres membres de la chorale. Mathilde avait rougi et Paule, taquine, lui avait murmuré à l'oreille:

– Tu le chavires, tu sais. Il ne tenait pas en place jusqu'à ce que tu arrives.

Mathilde, retrouvant son calme, lui répondit à voix basse, à cause des lieux:

– Voyons, Paule, c'est un enfant… Du moins, pour une femme de mon âge.

Ils répétèrent des psaumes, puis *C'est le Seigneur* qu'on chantait au sanctus et *De semaine en semaine*, un rituel qui faisait partie des messes. Après la répétition, Martin lui demanda sans être entendu des autres:

– Aucun récital en vue pour les aînés, Mathilde? Pas même à Pâques?

– Heu… non, pas cette année. Je reçois ma mère, je me repose.

Pieux mensonge, Mathilde allait se rendre à une résidence, mais avec sa bande sonore. Elle avait même répertorié *Easter Parade* en anglais pour faire plaisir à certaines dames. Et elle la chanterait *a cappella* parce que Martin ne lui en avait pas enregistré la musique. Elle n'avait pas osé la lui demander de peur qu'il insiste pour l'accompagner, quitte à transporter son orgue. Et elle lui avait menti sur le récital qu'elle allait donner dans une résidence de Pierrefonds parce que Daniel, son directeur, son «docteur», avait insisté pour s'y rendre et l'entendre chanter.

Depuis la veille, il neigeait. Et en ce dimanche de Pâques, 16 avril 1995, il faisait froid. Ce qui attrista Mathilde car, selon elle, il était normal qu'il neige le jour de la naissance du

Christ, mais pas le dimanche de sa résurrection. L'hiver réclamait un dernier sursis en plein cœur du printemps et les saisons devaient faire des compromis. Tout comme elle qui avait troqué le joli tailleur contre la robe de laine et le manteau beige qu'elle enfila pour se rendre aux saints offices. La journée s'écoula paisiblement, Mathilde offrit ses vœux à sa mère, à sa belle-mère, mais ne trouva pas nécessaire de les transmettre à Pierre-Paul et Rachel. Elle craignait une invitation de leur part et comme elle devait chanter le soir même… De plus, malgré sa bonne obligeance, Mathilde prenait de plus en plus de distance avec la famille immédiate de Gilbert. Comme si un nouveau sentier s'ouvrait devant elle. Comme si, sans en parler à sa mère, elle retrouvait foi en elle et en des jours meilleurs.

Daniel passa la prendre vers dix-huit heures. Les récitals se tenaient tôt en soirée dans les résidences. Elle l'attendait dans l'embrasure de la porte pour ne pas qu'il ait à se déplacer. Il la trouva fort jolie, le lui dit, et elle le remercia en rougissant. À bord de la Mercedes, en route, il s'immobilisa et lui murmura à l'oreille:

— Mathilde, une petite faveur. Je peux?

— Oui, de quoi s'agit-il?

— Je crois que… J'aimerais qu'on se tutoie si c'est possible.

Souriante, elle le regarda et lui répondit:

— Si tel est ton désir, Daniel, je n'y vois aucune objection.

Soupirant d'aise, il lui sourit, lui prit la main et la pressa fortement dans la sienne. Mathilde en fut estomaquée. C'était la première fois qu'il osait la toucher. Étonnée, surprise, mais… heureuse. Car elle ne retira pas sa main de celle de Daniel. Et son cœur n'avait fait qu'un bond au doux contact de cette chaleur inespérée. Mathilde sentit, dès lors, qu'elle était aimée et que son cœur, malgré la retenue, battait plus fort que de coutume.

– Cette coiffure te va à ravir, mon ange.

«Mon ange», avait-il dit. Elle était pour lui «son ange» après avoir été pour Gilbert, durant vingt ans, «sa douce». Elle avait tressailli. Elle se méfiait des affectueuses appellations. Quelque peu remise de sa blessure, elle se méfiait de la tendresse. Elle se méfiait même… du bonheur.

Ils entrèrent à la résidence de Pierrefonds où les pensionnaires leur firent bon accueil, l'organisateur de la soirée inclus. On les invita à manger, à boire un petit vin blanc, mais Mathilde refusa, anxieuse de divertir ces braves gens réunis pour s'assouvir de souvenirs. Elle présenta Daniel, tel qu'entendu, comme un parent et, pendant qu'elle montait sur une petite scène aménagée où un micro avait été disposé, Daniel prenait place au fond de la salle pour ne pas la distraire de sa présence. Elle débuta avec le *Easter Parade* qu'elle chanta *a cappella* et qui fut accueilli par des applaudissements retentissants. Puis, charitable, elle demanda aux personnes présentes ce qu'elles désiraient entendre. Une dame aux cheveux blancs lui murmura timidement:

– Vous connaissez *Amapola*? C'est la chanson que je fredonnais à mes enfants.

Un vieux monsieur, sorti de sa gêne par la demande de la dame, enchaîna:

– Et si c'est possible, *La belle de Cadix*. Vous connaissez? La chanson de Luis Mariano.

Et comme Mathilde avait ces airs du bon vieux temps sur ses bandes musicales, elle put répondre à toutes les demandes ou presque. Elle chanta des chansons de Pierre Dudan, d'Alys

Robi, de Fernand Gignac, pour ensuite leur offrir une *Berceuse* de Schubert, l'*Ave Maria* de Gounod et l'inévitable *Le temps qu'il nous reste* qui lui fit verser quelques larmes. Pour égayer l'ambiance, sans qu'on la lui réclame, elle enchaîna avec *La petite Tonkinoise* popularisée par Joséphine Baker, et tous les spectateurs battirent la mesure. Et elle termina son tour de chant avec *C'est la saison d'amour* immortalisée par Yvonne Printemps que les plus âgés chantonnaient avec elle. Elle fut applaudie, réclamée de nouveau, mais l'organisateur leur fit comprendre que madame Authier était épuisée. Elle avait chanté sans la moindre interruption. On la félicita et une dame lui réclama un autographe. Gênée, elle lui répondit:

— Mais, je ne suis pas une artiste, Madame, je ne suis qu'une bénévole.

Ce à quoi la dame lui répliqua:

— Avec une telle voix? Vous êtes meilleure que toutes les chanteuses de la télévision. Je vous en prie, juste votre nom.

Pour ne pas lui déplaire, Mathilde signa sur le bout de papier de la dame son nom et un petit mot d'affection. Ce qui fit boule de neige, puisque Mathilde signa, ce soir-là, autant d'autographes qu'une vedette de la chanson.

De retour à bord de la Mercedes, Daniel, qui n'avait rien dit, lui avoua:

— Je m'attendais à une jolie voix, Mathilde, mais pas à un talent pareil! Si tu l'avais voulu, tu aurais pu faire carrière, j'en suis sûr!

— Avec des chansons d'autrefois? Tu plaisantes, Daniel! De nos jours, c'est Johanne Blouin, Céline Dion, Marie Carmen et des «rockeuses» comme Marjo qu'on veut entendre, pas des chanteuses d'une autre époque! Mais je te remercie du compliment. Venant de toi, ça me rassure.

– J'ai été vraiment conquis, Mathilde! Je n'en croyais pas mes oreilles!

– C'est un passe-temps, Daniel, que ça. Et ça fait telle-ment plaisir. Tu as vu tous ces sourires? Si tu savais comme les gens âgés sont seuls et oubliés… Et, tu as remarqué? C'est le passé qui les intéresse. Leur jeunesse, leurs enfants, les chansons qu'ils fredonnaient jadis, rien du présent. On ne m'a demandé qu'une seule fois une chanson de Dalida, et pas l'une de ses dernières! Tous les artistes qu'ils aiment sont dis-parus ou presque. Comme il doit être doux de vivre de souve-nirs, d'oublier le jour, de songer à hier…

– Pour ma part, Mathilde, je préfère songer à demain, à ce qui vient.

Mathilde le regarda, lui sourit et détourna la tête. De retour sur la rue Georges-Baril, elle ne l'invita pas à entrer. Voyant que la soirée s'arrêtait là, épris, audacieux, il l'attira à lui et ils échangèrent dans le noir leur tout premier baiser. Un doux baiser, tendre, léger… et passionné. Un baiser qui cha-vira Mathilde au point qu'elle eut peine à dormir cette nuit là.

Samedi 22 avril 1995. Mathilde avait mal dormi. De jolis rêves suivis de cauchemars. Comme si le bonheur qu'elle vivait avec Daniel sombrait sans cesse sous la proie de gris nuages. Elle dormait bien et mal à la fois, parce qu'elle était amoureuse, et qu'un signet semblait vouloir se poser sur les chapitres de sa relation qui s'épanouissait au fil des heures et des jours. La veille, ne parvenant pas à trouver le sommeil, elle qui devait chanter dans un mariage le lendemain, elle se laissa bercer par les sons mélodieux des chansons de Cesaria Evora, cette chan-teuse aux pieds nus du Cap-Vert dont elle ne comprenait pas le dialecte de son *Petit pays*. Elle réussit finalement à s'endormir. Cesaria chantait, Mathilde sommeillait, mais le doux visage et le baiser de Daniel s'interposaient entre les bras de Morphée et la réalité. Daniel Primard, épris de Mathilde, sérieux dans sa relation avec elle, tenait absolument à la présenter à son fils. Pour sa part, Mathilde n'avait encore rien dévoilé de son roman à sa mère et encore moins à la famille de Gilbert, même si tout un chacun s'en doutait. Elle avait même fait jurer à Daniel de ne pas dire un mot à Pierre-Paul, son beau-frère, sur la trame qui se déroulait entre eux. Mathilde voulait, pour l'instant, d'un bonheur discret. Car, aussi près étaient-ils l'un de l'autre, le docteur Primard n'avait pas encore partagé le lit de sa dulcinée. Non pas par un respect outre mesure, mais parce que Mathilde se refusait à franchir ce pas qui risquait de l'entraîner dans le fait accompli. Elle aurait certes aimé, elle aurait même voulu, mais elle résistait. Sans trop savoir pourquoi... ou presque.

L'église était bondée, c'était un grand mariage. La mariée était superbe, le marié, fort séduisant. Aussi, fait curieux en cette fin de siècle, ils avaient à peine tous deux vingt ans. Tout comme elle et Gilbert... jadis. Martin Vanel interpréta la *Marche nuptiale*, le chœur entonna *Si je n'ai pas l'amour* de Denis Veilleux, Paule chanta l'*Ave Maria* de Schubert et Mathilde, à la demande des futurs époux, chanta *Pour vivre ensemble*, un succès de Frida Boccara. Le père de la mariée les invita à la réception et Mathilde se désista ainsi que Serge, Martin et deux autres choristes. Seule Paule accepta l'invitation, ce qui lui valut d'interpréter cinq chansons d'amour qu'elle rendit de son mieux, n'ayant pas la voix cristalline de Mathilde. Mais, Paule, friande de réceptions, n'en manquait pas une quand se présentait l'occasion. Dans le but de se faire valoir, d'être quelque peu en vedette, et dans l'espoir de dénicher un homme, célibataire de préférence. Mathilde allait quitter l'église lorsque Martin, patient, pantois, lui demanda:

– Alors Mathilde, c'est pour aujourd'hui, ce café que tu m'as promis?

Ne sachant comment s'y soustraire, Mathilde accepta mais s'empressa d'ajouter:

– Oui, si le restaurant n'est pas trop loin. J'ai promis à maman d'être chez elle pour le souper... Tu comprends... elle n'a que moi...

Ils dénichèrent un petit resto dans un centre commercial et, aussitôt le café servi, Martin Vanel s'empressa de lui défiler d'un seul trait:

– Écoute, Mathilde, il faut que je te le dise, tu m'intéresses. Je suis amoureux de toi, j'ai envie de former un couple avec toi, et j'aimerais t'emmener à Lyon, en France, afin de te présenter à mes parents.

Suffoquant presque sous cet aveu inattendu, Mathilde retrouva sa respiration normale et lui demanda avec une certaine sévérité dans les yeux:

– Tu ne t'es jamais demandé si j'étais libre, Martin? Et tu ne t'es jamais posé la question à savoir si j'étais intéressée, moi?

– Heu... non. Je sais que tu es séparée... Nous avons des affinités...

– Alors, là, tu m'écoutes et, sans te blesser, je vais te donner l'heure juste. Je suis séparée, c'est vrai, mais je ne suis pas libre, Martin. J'ai quelqu'un dans ma vie. Un homme que j'aime et qui m'aime. Et, nonobstant ce fait, Martin, sans vouloir être brusque, je n'ai jamais eu la moindre attirance pour toi. Bon camarade, oui, mais pas plus.

– Voilà qui dégonfle un ballon quand on est amoureux!

– Martin! Je t'en prie, il y a un an, tu ne faisais même pas partie de la chorale! Un béguin, peut-être, mais amoureux, permets-moi d'en douter! De plus, nous ne sommes pas du même âge…

– Ah! C'est donc ça? Et celui que tu aimes, il a ton âge, lui?

– Non, il est plus âgé que moi. De quelques années, Martin, et c'est cela qui fait que les êtres se rejoignent. Et sans égard au fait que je sois plus vieille que toi, je n'éprouve rien, Martin. Je n'ai aucun penchant, aucun sentiment pour toi. Est-ce si difficile à comprendre? Tu es un copain, un collègue, tout comme Serge et les autres, mais là s'arrête mon intérêt. Une franche camaraderie, tu comprends? Tu es quand même assez mûr pour comprendre que l'amour…

– N'ajoute rien, Mathilde, j'ai compris! Je n'insiste pas, je suis déçu tout simplement. On voit bien que tu n'as jamais vécu une peine d'amour, toi!

– C'est ce que tu crois, Martin? Sincèrement? Alors, si c'est le cas, nous n'avons plus rien à nous dire.

– Non, excuse-moi, j'ai réagi spontanément, Mathilde. Je ne veux pas que ce malentendu vienne gâcher le tandem que nous formons hors de la chorale.

– Il vaudrait mieux qu'il en soit ainsi, Martin. De toute façon, avec mes bandes sonores, pour le peu de bénévolat que je fais…

– Il fait quoi dans la vie, celui que tu aimes? Musicien, peut-être?

– Non, Martin, il est médecin.

Irrité, se sentant soudainement diminué, Martin Vanel lança à la dérobée:

– Médecin! Bien là, je comprends! C'est mieux qu'un petit organiste français, non?

– Sa profession n'a rien à voir dans notre relation. C'est le hasard…

– Hasard mon cul, Mathilde! Entre un riche médecin et un organiste de chorale, ne viens pas me dire que l'argent ne parle pas!

Outrée, choquée, Mathilde se leva sans terminer son café et sortit non sans lui avoir dit:

– Cette fois, nous n'avons vraiment plus rien à nous dire, Martin. Moins que rien!

Le jour suivant, Serge, le directeur de la chorale, téléphona chez Mathilde pour lui annoncer que Martin Vanel avait remis sa démission sans lui donner la moindre raison. Il avait décidé à brûle-pourpoint de retourner à Lyon. Sentant que Serge était mal à l'aise, elle lui expliqua ce qui s'était passé sans rien omettre de sa conversation avec Martin. Elle eut même la franchise de lui dire qu'elle fréquentait un médecin et que Martin l'avait traitée, de façon indirecte, d'opportuniste. Compte rendu établi, elle murmura à Serge:

– Je suis désolée, sincèrement désolée, mais je n'ai rien fait pour m'attirer ses faveurs. Je suis navrée pour la chorale, je me sens quelque peu responsable.

Serge, heureux de pouvoir la rassurer, lui rétorqua:

– La chorale? Tu n'as pas à t'en faire, Mathilde. Martin Vanel était loin d'être indispensable. Ma copine, Carole, une musicienne de calibre, va le remplacer au pied levé. Tu verras, elle est exceptionnelle; elle a même des œuvres signées de son nom. Comme elle était très occupée avec les grands orchestres, je ne pouvais compter sur elle, mais là, depuis que nous vivons ensemble, elle nous consacrera le temps requis pour nos messes, nos mariages et tout le reste. Ne t'en fais pas, Mathilde, le départ de Martin, c'est un mal pour un bien.

Ravie, soulagée par la tournure des événements, Mathilde, de bonne guerre, demanda:

– Et Martin? T'a-t-il dit ce qu'il comptait faire?

– Non, et je n'ai pas insisté, Mathilde. Martin est un enfant gâté. Il est entretenu par ses parents, il est sans cesse entre ciel et terre et, à vrai dire, ça fait trois fois qu'il change de chorale. Ne t'en fais pas pour lui, tu as mieux à faire, ma douce amie.

Mathilde raccrocha le récepteur avec un soulagement au cœur. Généreuse, elle n'avait pas dit à Serge que Martin avait été grossier dans son langage. Blessée, elle n'aimait pas vexer les autres, mais Martin Vanel et ses avances, son exclamation vulgaire, ce n'était qu'un jeu d'enfant. Selon Serge, depuis trois ans, il avait changé sept fois d'amie de cœur. Délivrée de ce jeune «séducteur», Mathilde allait se consacrer entièrement à Daniel Primard, à son avenir, et laisser sur une page blanche cet amoureux folâtre qui n'avait déjà plus de nom ni de visage pour elle.

La salle était bondée de patients à la clinique médicale et, pour une fois, Mathilde ne savait plus où donner de la tête. Les gens s'impatientaient, s'en prenaient à elle, et c'est le docteur Primard qui, de son autorité, rappela tout ce beau monde à l'ordre. Mathilde, quelque peu surprise par le ton du directeur, se sentit chagrinée lorsqu'un enfant se mit à pleurer après avoir sursauté. Daniel s'était certes emporté avec raison, mais la jeune femme ne pouvait admettre qu'on élève la voix devant des gens malades, fiévreux, qui n'attendaient qu'un diagnostic ou un soulagement au bout d'une heure d'attente, parfois deux. Au moment du dîner, alors qu'il consultait avec elle des dossiers, elle lui murmura:

– Tu ne devrais pas t'emporter de la sorte, Daniel. Il est normal que les patients ne soient pas tolérants avec un mal qui les tenaille.

– Je sais, je sais, mais c'était devenu insupportable et j'ai remarqué que tu n'avais plus la situation en main. On abuse de ta patience, de ton sourire, Mathilde. Je veux bien croire que ces gens sont malades, mais je n'accepte pas que nous devenions les souffre-douleur de leur impatience. On s'imagine que les médecins et les infirmières sont invincibles, que rien ne les touche ou ne les agace parfois. Nous ne sommes pas que des bénévoles de la santé, Mathilde. Toi, tu es trop bonne, trop douce. Et la dernière remarque du monsieur à ton endroit m'a mis hors de moi.

– Il faut le comprendre, Daniel, être indulgent. Ça faisait une heure qu'il attendait avec son bébé dans les bras. Un bébé qui pleure, qui hurle de douleur, ça devrait passer avant les autres, selon moi.

– Dommage, Mathilde, mais dans une clinique sans rendez-vous, c'est chacun son tour. Premier arrivé, premier servi!

– Tout de même! Une clinique, ce n'est pas un bureau de plaques d'immatriculation, Daniel! Autant leur faire prendre un numéro si tu penses de la sorte!

Se rendant compte qu'elle était fort indisposée par le banal incident, Daniel préféra prendre un dossier, tourner les talons et rejoindre ses confrères. Il ne voulait surtout pas que son manque de patience soit à son détriment. Et il tenait à éviter, coûte que coûte, la moindre altercation avec la femme qu'il aimait.

À la clinique, par le biais de la langue de l'infirmière indiscrète, les ragots allaient bon train. Tous savaient que le docteur Primard et Mathilde Authier entretenaient une liaison. On chuchotait, on se questionnait, et quelques infirmières se demandaient ce que Mathilde avait de plus qu'elles pour avoir intéressé celui qu'elles convoitaient. Mathilde Authier! Une préposée à l'accueil! Une femme sans instruction, sans diplôme, une ex-couturière dans le cœur de leur éminent directeur! Mathilde sentait qu'on chuchotait dans son dos et que la courtoisie à son égard n'était plus qu'une brève politesse. Alarmée, elle en parla à Daniel le soir même qui, surpris de cette révélation, lui répondit: «Dès demain, je vais les mettre au courant. Ne t'en fais plus, mon ange, la vérité en plein visage et, par la suite, tu verras, ce sera le silence et le respect.» Mathilde craignait ce moment, mais dès le lendemain, les ayant tous réunis, Daniel Primard leur annonça: «Mathilde Authier et moi, nous nous fréquentons. Une fréquentation sérieuse. Alors, inutile de chuchoter et de chercher à savoir. Vous voilà éclairés, vous l'apprenez de ma bouche.» Mathilde, à son poste, avait tout entendu. Les confrères masculins se montrèrent ravis du choix de leur directeur, mais les infirmières, moins loquaces, gardèrent quelque peu leur distance, tout en redevenant aimables et affables envers elle. Mais, après l'aveu qui ne pouvait être plus clair, Daniel s'était approché de Mathilde et, devant tout le personnel, lui déclara avec un sourire franc: «Il ne te reste plus qu'à rencontrer mon fils, Mathilde!»

Deux jours plus tard, fort en beauté, Mathilde était à bord de la Mercedes de Daniel en direction de Westmount où le docteur avait sa résidence. La voiture s'immobilisa dans l'entrée d'une vaste et luxueuse maison de pierres blanches, et Mathilde avait le cœur à l'envers. C'était la première fois qu'il l'invitait chez lui et la splendeur des lieux la figea sur son siège. De plus, angoissée à l'idée de rencontrer son fils, Mathilde se demandait si ce dernier la recevrait avec indifférence. Elle sentait qu'elle n'était pas à la hauteur du docteur et que le garçon, se souvenant de sa défunte mère… Des idées noires, une peur terrible, à la pensée d'offrir à ce futur médecin une image à des lieues de celle qu'il attendait. Ils entrèrent au moment où une femme de ménage quittait les lieux après, probablement, une dure corvée. Le salon était immense, les meubles de qualité, les miroirs encadrés d'étain incrustés d'or, des toiles de maîtres, des lampes de cristal, des bibelots, des figurines de grand prix. Mathilde était plus que mal à l'aise dans ce fauteuil de style Récamier lorsque Sébastien, souriant, bien vêtu, fit son entrée.

— Sébastien, je te présente Mathilde Authier, de lui dire son père.

Le jeune homme s'approcha, lui tendit la main et lui dit révérencieusement:

— Enchanté, Madame, mon père m'a beaucoup parlé de vous.

Elle balbutia quelques mots de politesse et le jeune homme reprit:

— Surtout, soyez à l'aise. Avec un tel sourire... Vous accepteriez un verre?

Avant qu'elle ne réponde qu'elle buvait peu, Sébastien lui versa un soupçon de cognac dans un petit verre sur pied. Elle le remercia et, retrouvant son calme:

— Votre père m'a confié que vous étiez sur ses traces? Tel père, tel fils?

— À défaut d'avoir hérité de son caractère, j'ai hérité de sa vocation, c'est vrai.

Il affichait un doux sourire. Il était beau, très beau, et bien bâti. Encore plus beau que son père avec ses grands yeux bleus... sans doute de sa mère.

Voyant que le protocole s'éternisait, Daniel coupa court aux déférences.

— Écoute, Sébastien, Mathilde est la femme que j'aime et comme tu la reverras de plus en plus, il serait agréable de briser ce miroir de rigidité. Puis, se tournant vers Mathilde, il lui demanda:

– Tu n'as pas d'objection à laisser tomber le vous, mon ange? Sébastien pourrait en faire autant et, de cette façon, la complicité sera plus évidente.

– Heu… non, si ton fils le veut bien, Daniel.

Le garçon, embarrassé, marmonna à l'endroit de son père:

– Tu m'as pourtant bien élevé… Madame Authier, je veux dire Mathilde…

– Le pas est franchi, de lui dire Mathilde en riant. Et si tu le veux bien, j'apprécierais qu'on se tutoie comme des amis. Daniel a raison…

– Dans ce cas-là, je te sers un autre verre, Mathilde! Un autre pour toi, papa?

Mathilde accepta le second cognac qu'elle dégusta à très petites gorgées cette fois. La glace était rompue, Sébastien semblait l'accepter d'emblée. Ils causèrent longuement, rirent de bon cœur, et Daniel, satisfait et heureux, pressait sa main dans celle de Mathilde.

Dimanche 14 mai 1995, le vent était tellement fort en ce jour de la fête des Mères que Mathilde dut sortir pour ramasser le parasol qui était rendu tout près de la clôture. La veille, elle avait soupé avec Daniel dans un restaurant français de la rue Saint-Denis, mais il était entendu qu'ils ne se verraient pas le lendemain. Mathilde voulait consacrer cette journée à sa mère qu'elle voyait peu souvent de ce temps et en profiter pour la renseigner sur sa relation avec Daniel, sur son travail, sur sa nouvelle vie, quoi! Dès neuf heures, elle avait téléphoné à sa belle-mère pour lui offrir ses vœux, et cette dernière, la remerciant poliment, lui annonça qu'un fleuriste venait de lui livrer une douzaine de roses blanches de la part de Gilbert et… Lucie. Elle avait osé mentionner le nom de celle qui l'avait remplacée dans le cœur de son fils et Mathilde en fut vivement contrariée. Madame Authier ne l'avait certes pas fait dans le but d'offenser sa bru, mais de façon nonchalante, comme s'il était normal qu'on s'habitue à «l'autre» avec le temps. Mathilde coupa court à la conversation lorsque sa belle-mère lui apprit que Pierre-Paul et Rachel l'avaient invitée au restaurant pour célébrer la journée. Une coutume qui datait de vingt ans et à laquelle Gilbert et Mathilde ne dérogeaient pas lorsqu'ils vivaient ensemble. Mais là, seule, sans mari, on n'avait pas songé à inviter Mathilde à partager ce repas traditionnel. Sans doute parce qu'elle faisait de plus en plus le vide autour d'elle et qu'elle n'avait donné aucun signe de vie à sa belle-sœur depuis deux mois. Depuis l'arrivée de Daniel dans les parages, Mathilde se distançait de plus en plus de sa belle-famille. Surtout de Pierre-Paul qui, professionnellement lié à Daniel, aurait pu s'immiscer dans leur relation personnelle.

Avec ce vent qui secouait les arbres, tout comme les vieilles personnes, la mère de Mathilde préféra rester chez elle et inviter sa fille à lui rendre visite, quitte, pour cette fois, à commander d'un restaurant un repas chaud préparé. Daniel, de son côté, passait la journée avec son fils. Il n'avait plus de mère ni de père, et comme son fils n'avait plus sa mère, ce dimanche n'avait plus d'importance pour eux. Néanmoins, il respectait le doux sentiment que Mathilde avait envers sa mère. Il espérait de tout cœur la connaître, ce qui se ferait un peu plus tard, selon Mathilde, lorsque madame Courcy serait avertie de leur liaison et de leur tendre passion. Mathilde arriva chez sa mère en début d'après-midi avec une gerbe de fleurs dans les bras et de la tendresse dans le cœur. La vieille dame, altière, précieuse, quoique d'origine modeste, avait revêtu, en une telle circonstance, sa plus jolie robe et sorti ses pierres précieuses pour s'en parer le cou. Des émeraudes que son Raymond lui avait offertes au début de leur mariage. Heureuse, serrant sa fille dans ses bras, disposant les fleurs dans un vase, elle servit le thé puis, installée dans son fauteuil, dit à sa fille:

— Je ne t'ai jamais vue aussi radieuse! Tout va bien, ma petite fille?

— Comme sur des roulettes, maman! J'adore mon emploi, je suis très impliquée dans la chorale et mon bénévolat auprès des aînés me procure de la joie. Et toi, maman, ça va?

— Bah! Si on veut! Mon arthrite dans les poignets, mes migraines, mon hypertension, tu sais, je ne rajeunis pas. À mon âge, la carrosserie… En autant que ça n'atteigne pas le moteur!

— Tu vois ton spécialiste, au moins? Tu es suivie?

— Oui, bien sûr, une consultation de dix minutes, des ordonnances de nouvelles pilules qui me rendent malade… On a beau crier au progrès, dire qu'on découvre des remèdes miracles, ce n'est pas pour les vieilles carcasses! Bon, assez parlé de moi, Mathilde. J'imagine que tu as appelé ta belle-mère avant de partir?

— Oui, ce matin, pour lui offrir mes vœux, pour prendre de ses nouvelles.

— Je suppose qu'elle en a profité pour te parler de son rejeton?

— Maman! S'il te plaît! Ne ternis pas cette journée… Je suis ici pour toi…

— Oui, je sais, mais n'empêche que j'ai raison, n'est-ce pas? Son Gilbert, son préféré! Elle a sûrement aussi vanté, comme de coutume, son avocat!

– Non, maman, la conversation a été brève et madame Authier ne me parle pas de Gilbert quand je l'appelle, mentit Mathilde.

– Sais-tu ce qu'il devient au moins? Toujours avec sa grébiche, ce crétin?

– Maman! Arrête! Quels horribles mots de ta bouche! Tu devrais plutôt t'informer de mon sort et laisser le passé enterré.

– Bien, je l'ai fait, mais tu m'as tout dit dans une phrase. Tu travailles, tu chantes, tu sembles heureuse. Quelque chose de plus, Mathilde?

– Oui, maman! Reste bien en place, dépose ta tasse, j'ai des confidences à te faire!

– Bien là, tu m'inquiètes, toi! Non, je ne devrais pas dire ça, tu as le sourire…

– Oui, maman, parce que j'ai rencontré quelqu'un, un homme qui m'aime et que j'aime. Et ça devient de plus en plus sérieux.

Florence Courcy faillit s'étouffer avec sa salive.

Toi? Quelqu'un? Qui, Mathilde? Quelqu'un de bien, au moins?

– Daniel Primard, maman. Un médecin. Le directeur de la clinique.

La vieille dame bomba le torse, emprunta un air souverain et s'exclama:

– Ah! ma fille! Quelle joie! Un médecin! Un professionnel! Un homme libre, j'espère? Pas trop vieux? Comment est-ce arrivé?

– Un veuf, maman, un homme de quarante-cinq ans, père d'un fils unique qui vient d'avoir vingt ans et qui se destine à la médecine comme son père.

– Pas possible! Un médecin! Mathilde! C'est un cadeau du ciel…

— Peut-être, maman, mais laisse-moi te raconter comment tout ça est arrivé. Laisse-moi tout te raconter et, après, je répondrai à toutes tes questions.

Et Mathilde lui fit, étape par étape, le récit de sa rencontre sans omettre la moindre virgule. Elle déclamait son roman d'amour comme on le fait d'un poème. À certains moments, la mère s'exclamait. Des «Oh!» des «Ah!», surtout lorsque Mathilde lui parla de Westmount, de la Mercedes, des grands restaurants qu'ils fréquentaient. Pour Florence Courcy, c'était le Pérou! Elle qui avait cru un moment qu'il s'agissait d'un collègue de la chorale aux prises avec trois enfants. Mais là, ébahie, c'était le conte de fées qui parvenait à son oreille. Lorsque Mathilde eut terminé, elle demanda avec empressement:

— Il t'a parlé de mariage? Tu n'es même pas divorcée! Il faudrait y songer...

— Maman! Je t'en prie! Nous ne sommes qu'à l'ébauche de notre relation. Je le fréquente, maman, rien de plus pour l'instant.

— Tu ne vas quand même pas laisser passer une telle chance, ma petite fille!

— Nous n'en sommes pas là, maman, je viens à peine de rencontrer son fils. Et puis, Daniel aimerait faire ta connaissance.

— Bien, qu'attends-tu? Présente-le moi, ce parti en or pour toi!

— Je le ferai, maman, mais il ne faudrait pas que tu lui fasses des courbettes! Pas trop d'éloquence, tu comprends? Daniel est médecin, mais c'est avant tout un homme. Un homme d'une grande simplicité.

— Allons donc! Un médecin! Un homme du monde, Mathilde! Ah! mon Dieu! Je vois déjà la tête des Authier quand ils apprendront que la petite couturière fréquente un médecin! Surtout la mère avec son nez pincé! Et puis, Gilbert! Lui qui se prenait pour le nombril du monde!

– Non, maman, pas ça! Je t'interdis de parler en mal de Gilbert! Je sais que tu ne l'as jamais aimé, mais j'ai vécu vingt ans de bonheur avec lui. Et n'oublie pas qu'il m'a tout laissé. La maison, les meubles… Il défraie encore tous les coûts… Gilbert n'est pas un monstre, maman! Il est encore mon mari et je ne tolérerai pas que tu le traites comme un vaurien parce que j'ai rencontré un médecin! Ne parle jamais plus en mal de lui, maman!

Madame Courcy, décontenancée, tenta de réparer quelque peu sa bévue.

– Oui, je sais qu'il ne t'a pas laissée dans la rue… Bon, c'est promis, je ne reparlerai plus de lui. Mais toi, parle-moi de l'autre, Mathilde! Il est beau? Il a de la classe?

– Il est fort séduisant sans être aussi beau que… Passons, Daniel a de la classe, il partage mes goûts. Il est même venu m'entendre chanter.

– Ah! oui? Toute une preuve d'amour, Mathilde, quand on sait que l'autre… Non, excuse-moi, je m'échappe sans y penser. Tiens! C'est donc pour ça ta nouvelle coiffure, ton allure plus fraîche? Puis, c'est drôle, on dirait que ton épaule…

– Non, maman, elle est toujours plus basse que l'autre, mais Daniel n'en a pas fait de remarque. Il faut dire qu'avec une épaulette de plus, mes boucles, mon camouflage… Ce qui importe, maman, c'est que je sois heureuse.

– Ah! mon Dieu! Quel bonheur! J'ai eu si peur un certain temps. Tu semblais dépressive, tu… Au fait, c'est réglé tout ça, Mathilde? Tu t'en es remise? C'est bel et bien fini avec lui?

Trois jours plus tard, le mercredi 17 mai, Gilbert était parti plus tôt sous la pluie négocier la vente d'une maison à Terrebonne. Seul cette fois, sans Lucie qui lui avait trop souvent reproché d'être celle qui gonflait son compte en banque. Debout, après son départ, elle déjeuna avec sa fille qui l'embrassa en lui souhaitant: «Bonne fête, maman!» Lucie Chénart s'était levée sur ses trente-sept ans en ce jour que Geneviève n'avait pas oublié. Elle lui avait même acheté, de ses économies, un chemisier rose que sa mère trouva ravissant. Elle avait ajouté une jolie carte remplie de mots tendres, tous soulignés. Trop tendres pour cette mère qui se souciait peu du bonheur de sa fille. Mais Lucie en fut émue. Très émue. Geneviève avait le cœur sur la main, la pensée toujours présente et une sensibilité à fleur de peau. Lucie la remercia en lui disant: «Ta mère prend de l'âge, ma grande!» Voyant qu'elle était seule, elle lui demanda:

– Gilbert est déjà parti? Je ne l'ai pas entendu refermer la porte.

– Sans doute pour ne pas te réveiller, Geneviève. Il avait un contrat à négocier à l'extérieur et il en aura pour la journée. Mais pour moi, c'est congé!

– Ah! oui? Tu ne travailles pas aujourd'hui, maman?

– Non. C'est ma fête et j'en profite. Je me détends, je décompresse.

– Vous avez des plans pour ce soir, Gilbert et toi?

– Heu… non, pas encore, mais je présume que Gilbert m'en réserve la surprise. Il a sans doute songé à un grand restaurant et, si tel est le cas, tu seras de la fête toi aussi. Tu n'as aucun empêchement, j'espère?

– Non, aucun maman, j'avais prévu, tu sais, je me suis rendue disponible. Mais là, il faut que je me hâte sinon je vais rater le premier cours.

Geneviève s'esquiva et Lucie, restée seule, attendit toute la matinée que quelques collègues téléphonent pour lui offrir leurs vœux. Hélas, aucun appel. Pas même Marc Derouet qui savait que c'était son jour de fête. Lucie n'était guère aimée au sein de l'entreprise. Peu aimable, sournoise, vilaine avec plusieurs, on devait certes se réjouir de ne pas l'avoir dans les jambes pour une journée. Elle reçut une carte de ses parents, rien de ses frères. Mais elle se doutait bien, elle espérait du moins, qu'au fil des heures, on sonnerait à sa porte pour lui remettre un bouquet de fleurs de la part de Gilbert. Des roses rouges sans aucun doute. Mais la journée s'écoula sans qu'arrive le bouquet, pas plus qu'un appel de sa part. Intérieurement, elle pensait: «Il me réserve tout pour ce soir», mais Geneviève rentra sans que Gilbert se soit manifesté d'aucune façon. Lucie avait pris un bain, enfilé sa plus jolie robe et retouché ses cheveux courts après s'être maquillée. Geneviève la trouva fort en beauté, elle le lui dit, et sa mère en fut flattée. Dix-neuf heures et Gilbert n'était pas encore de retour. Aucun signe de vie de la journée. Les ventes étaient parfois longues à conclure, mais une journée entière... Et Terrebonne, ce n'était pas le bout du monde! Lucie tournait en rond et fulminait sans le laisser paraître. Geneviève avait un creux à l'estomac. Elle n'avait rien avalé pour ne pas nuire à son souper. Trente minutes plus tard, une clef dans la serrure, Lucie respira d'aise, et Gilbert entra avec son imperméable sur le bras. Rien dans les mains, rien dans les yeux. Déposant sa mallette, il lui dit sans la regarder:

— Cette vente n'a pas été facile, mais c'est fait. L'acheteur avait la tête dure, sa femme était hésitante... Ah! Quel boulot!

Puis, se frottant les mains de satisfaction, il regarda Lucie et lui demanda:

— Il y a de quoi dans le frigo? J'ai une de ces faims de loup!

Droite devant lui, blême de rage, elle le toisa du regard et lui dit devant Geneviève qui s'attendait au pire:

– Un petit congelé Swanson peut-être? Du saumon en conserve? Des rôties?

– Bah! N'importe quoi, Lucie! Vous avez sans doute mangé à l'heure qu'il est.

– Non, Gilbert, Geneviève et moi n'avons rien avalé! répondit-elle sèchement.

Ne comprenant pas trop ce qui se passait, il vit Geneviève regagner doucement sa chambre. Regardant Lucie, il lui demanda:

– Qu'est-ce qu'elle a? Quelque chose ne va pas?

– Qu'est-ce qu'elle a? Non, qu'est-ce que j'ai, Gilbert Authier! C'est ma fête, aujourd'hui! J'ai trente-sept ans, Gilbert! Le 17 mai 1995!

Constatant sa bévue, pâle, mal à l'aise, il répondit d'un ton ahuri:

– Lucie! Pardonne-moi! J'ai oublié! Où donc avais-je la tête?

– Sur tes épaules, mon ami! Mais, à ce que je vois, aussi vide que d'habitude!

– Lucie! Je te jure que c'est un oubli! Un oubli impardonnable, je l'avoue, mais avec ce contrat que je préparais depuis hier… Pourquoi ne pas m'en avoir averti?

– Averti? Tu oses me demander cela, Gilbert Authier? Ai-je eu besoin de prévenir Geneviève que sa mère allait avoir un an de plus? Regarde le chemisier qu'elle m'a offert! Lis sa carte, Gilbert! Lis aussi celle de mes parents! Doit-on avertir son amant du jour de fête de celle qu'il aime? Doit-on lui coller la page du calendrier sur son imperméable, Gilbert? Et aucune excuse n'effacera l'affront que tu m'as fait!

– Écoute, Lucie, il est encore tôt. Nous pouvons aller au restaurant tous les trois. Je n'ai qu'à faire démarrer la voiture…

– Laisse tomber, Gilbert! Et si tu n'as pas de tête, laisse-moi te dire que tu as du front! M'offrir un souper à la sauvette comme on le fait d'un prix de consolation!

Lucie se mit à pleurer et, tournant les talons, alla s'enfermer dans sa chambre. Geneviève revint au salon et regarda Gilbert qui, piteux, ne savait plus quoi dire.

– Je suis désolé, Geneviève. J'ai oublié et ta mère a raison d'être en furie. J'aurais dû le noter… Je ne sais plus quoi faire… Jamais elle ne me le pardonnera.

Geneviève, ne voulant pas prendre parti ni pour sa mère ni pour Gilbert, avait quelque peu hoché la tête. Selon elle, sa mère avait raison d'être en colère. Comment avait-il pu oublier un jour si important? Mais, d'un autre côté, comme elle aimait Gilbert, elle ne pouvait se permettre de lui jeter la pierre. Déjà qu'il était très mal à l'aise…

– Je vais commander, Gilbert. Des mets chinois, peut-être?

Et pendant que Geneviève s'exécutait, elle pouvait entendre tout ce que sa mère crachait au visage de Gilbert qui avait osé aller la rejoindre. Il balbutiait, elle criait:

– On va remettre ça! Tu vas me remettre ça! Où et quand, Gilbert? Sûrement pas entre les draps avec ce que tu… Passons!

Il balbutia encore et elle s'écria:

– Non, pas demain, Gilbert! C'était aujourd'hui, ma fête! Et puis, merde! Tu peux aller chier, Gilbert Authier!

Et là, Geneviève entendit clairement la riposte.

– Joli vocabulaire, ma chère! Grossier vocabulaire! À deux pas de ta fille! De quoi être fière, Lucie!

– Pas même une fleur, Gilbert, pas même une carte… gémit-elle en pleurant.

– Je sais et je regrette, mais c'est fait, Lucie. Dois-je me mettre à genoux?

– Ne deviens pas narquois, je suis à un pouce près d'enfoncer le mur, Gilbert!

– Pourquoi pas? Vas-y, Lucie, défonce! Comme le taureau que tu te vantes d'être, défonce! Tu défonces tout, Lucie! Même moi!

– Sors de la chambre, Gilbert, va retrouver Geneviève, trouve l'absolution auprès d'elle! Et dors sur le divan! Je n'ai pas envie d'un ingrat dans mon lit!

Gilbert sortit et aperçut le livreur qu'il s'empressa de régler. Sans dire un mot, il prit place à la table, avala deux *egg rolls* et du riz pour apaiser sa faim et Geneviève, malgré son inconfort, trouva la force de calmer le creux qu'elle avait à l'estomac. Elle regarda Gilbert, versa une larme et murmura:

– La relation se corse… Je le savais… Je vais te perdre, n'est-ce pas?

Il lui prit la main, lui sourit et lui murmura tendrement:

– Non, Geneviève. Ta mère est en furie, mais je la connais, va. Demain, tout va s'arranger. Je sais que j'ai eu tort, je suis le seul coupable, mais tu ne me perdras pas pour une querelle, Geneviève. À moins que…

Il allait terminer sa phrase lorsque Lucie sortit de la chambre en s'essuyant les yeux. Regardant Geneviève, elle lui dit:

– Ouvre une bouteille de vin, au moins. Ça va atténuer le chagrin…

Puis, regardant Gilbert, elle lui murmura devant sa fille:

– Pardonne-moi pour les grossièretés. Je me suis emportée… Il n'est pas dans mes habitudes… Et oublie le divan, j'ai besoin de toi auprès de moi.

Gilbert se leva, l'encercla de ses bras, lui caressa la nuque de ses doigts et lui dit en lui baisant le front:

– C'est moi qui te demande pardon, Lucie. Jamais un tel oubli ne se reproduira.

Dernier jour de mai et Mathilde était rentrée fatiguée à la maison; la journée avait été ardue à la clinique. Daniel avait également regagné son havre de paix pour se remettre de cette file d'attente et de trois cas d'urgence. Ils s'étaient vus la semaine précédente, ils ne s'étaient pas quittés d'une semelle. Ils étaient allés au cinéma, au restaurant, ils avaient fait une longue balade dans les Cantons de l'Est et Mathilde avait trouvé le moyen de le présenter à sa mère qui succomba au charme du médecin. Une visite d'une heure à peine, mais dès les premiers instants, Florence Courcy avait été conquise. Inconditionnellement. Au point qu'elle avait téléphoné à Mathilde le soir même pour lui dire: «Quel homme merveilleux! Quel bon parti, ma fille!» sans même s'inquiéter du fait que Mathilde n'était pas encore libre. Elle avait perçu ce médecin comme s'il était le premier prétendant de sa fille. Sans penser que Mathilde avait vingt ans de vie commune derrière elle avec Gilbert.

Mais, malgré leur fréquentation plus que sérieuse, Daniel Primard n'avait pas encore passé une seule nuit, pas même une soirée sous le toit de Mathilde. Bref, leur amour ne grandissait qu'au rythme des baisers et des étreintes. Daniel, sans insister, aurait certes désiré… mais Mathilde s'excusait en lui disant qu'elle n'était pas prête, qu'elle préférait attendre, qu'elle adorait ce préambule sans tourner trop vite les pages de leur belle histoire. Compréhensif, Daniel la taquinait en lui disant qu'elle était vraiment une femme d'une «autre époque», mais devant la moue de sa bien-aimée, il s'excusait et l'étreignait contre lui. Ce qui lui importait, c'est qu'ils s'aimaient. Mathilde, privée du plaisir de la chair depuis le départ

193

de Gilbert, aurait certes eu envie, certains soirs, de fermer les yeux et de se laisser tomber dans les bras de Daniel, mais quelque chose l'en empêchait. Elle ne pouvait dire quoi, elle ne savait pas ce qui en était la cause, mais son corps se refusait même si son cœur lui suggérait un abandon total. Son corps se retenait comme s'il n'était pas libre de se livrer à cette extase. Comme si Mathilde eut été infidèle en ouvrant la porte de sa chambre à Daniel. Comme si une voix intérieure lui murmurait qu'elle était madame Authier, mariée, liée à tout jamais à celui qui… Mais cette voix intérieure ne lui rappelait pas qu'elle avait été blessée, trompée, abandonnée par celui qui se prélassait dans le lit d'une autre. Du moins, pas encore, à moins que Mathilde ne fasse la sourde oreille.

Dernier jour de mai et Mathilde s'apprêtait à se détendre devant le téléviseur où l'on offrait un concert à PBS. La perruche, fort agitée, volait d'une pièce à l'autre et venait maintes fois se poser sur son épaule… gauche. Incommodée, Mathilde la remit dans sa cage. Le bruissement d'ailes lui faisait perdre les sons atténués d'un mouvement d'une œuvre de Mozart. Calée dans son fauteuil, une tisane au citron à portée de la main, elle sursauta lorsque la sonnerie du téléphone se fit entendre. Maugréant, absorbée par la musique, elle décrocha le récepteur.

– Oui, allô?

– Mathilde? C'est Rachel! Enfin, tu es là! Nous avons si peu de tes nouvelles…

– Oh! Rachel, heureuse de t'entendre. Tu sais, je travaille si fort que le soir venu, je n'ai plus la force de prendre le téléphone. Excuse-moi. Comment vas-tu, toi?

– Ça va, Pierre-Paul et les enfants aussi. La routine, quoi! Mais toi, que deviens-tu? Je te sais fort occupée, mais tu te fais distante. On croirait que tu as fait le vide.

– Non, Rachel, ce n'est pas le cas, mais tu sais, travailler et être à la maison…

– Oui, je comprends, mais même madame Authier s'interroge. Elle t'aime beaucoup…

– Moi aussi, Rachel, mais ma vie a changé, je ne suis plus à ma machine à coudre. Le travail, la chorale, les petits récitals… Je ne vois plus le temps passer.

– Sans parler de Daniel Primard, bien entendu.

– Que veux-tu dire?

– Allons, Mathilde, ne fais pas mine de ne pas comprendre. Avec le bouche à oreille… Et n'oublie pas que Pierre-Paul et Daniel sont très liés. Allons, Mathilde!

– C'est Daniel qui s'est confié à Pierre-Paul?

– Non, mais mon mari n'est pas dupe, tu sais. Daniel n'est plus le même, il parle sans cesse en bien de toi. À quoi bon vouloir cacher…

– Ce n'est qu'une fréquentation, Rachel, rien de sérieux pour le moment.

– Sans doute, mais ne le cache pas comme si c'était un drame que de refaire sa vie. Tu es libre, Mathilde, entièrement libre. Sois de ton temps, voyons!

– Rien ne presse, un pas à la fois, et puis, passons Madame Authier va bien?

– Heu… oui, mais figure-toi qu'elle a osé aller souper chez Gilbert et… l'autre. Si tu savais comme Pierre-Paul l'a semoncée. Elle le cachait, bien sûr, mais un soir, elle s'est échappée. Pierre-Paul était en furie…

– Mais c'est son droit, Rachel! Gilbert est son fils à ce que je sache et je me demande bien de quoi Pierre-Paul se mêle! rétorqua vivement Mathilde.

– De ce qui le regarde, Mathilde! Après ce que Gilbert t'a fait…

– Écoute Rachel, une fois pour toutes, je vous demande de ne pas vous ingérer dans cette affaire. Gilbert a fait son choix, Gilbert est un adulte et je me demande de quel droit son petit frère…

– Son petit frère? Pierre-Paul est avocat, Mathilde! Pierre-Paul est sérieux…

– Pierre-Paul! Pierre-Paul! Que lui, Rachel! Comme si c'était la fin du monde que d'être avocat! Tu veux que je sois une femme de mon temps, Rachel? Alors, je vais l'être! Mêlez-vous tous de vos affaires! Notre passé, notre rupture, ça ne regarde que Gilbert et moi! Je regrette d'avoir à m'emporter pour vous le rappeler, mais je ne veux plus qu'on se mêle de notre vie et encore moins de ma vie depuis qu'il est parti. J'ai traversé l'épreuve, je me remets sur pied…

– Mathilde! Pour l'amour du ciel! Pierre-Paul est de ton côté!

– Il n'a pas à prendre position, je ne lui ai rien demandé, Rachel, ni à toi! Je suis assez grande pour gérer mes émotions, je n'ai besoin de personne, tu entends? Désolée d'être aussi radicale, mais il faut que tout cela cesse. Gilbert a refait sa vie, je jongle avec la mienne, j'avance, point à la ligne.

– Tu oublies que c'est nous qui t'avons trouvé cet emploi et que c'est grâce à notre aide si tu as rencontré Daniel…

– Pour l'emploi, oui, et je t'en ai remerciée, Rachel. Pour ce qui a suivi, c'est le hasard, que le hasard. Ce n'est quand même pas Pierre-Paul qui a plaidé auprès de Daniel pour que nos sentiments se croisent…

– Non, tu as raison, Daniel Primard a vu clair, mais n'empêche que sans le travail que je t'ai trouvé, les choses n'en seraient pas là.

– Pas trouvé, Rachel, suggéré. J'aurais pu accepter l'offre du fleuriste… Est-ce à dire que je dois t'en être reconnaissante jusqu'à la fin de mes jours? Il y a toujours une certaine part du destin dans ce qui arrive dans la vie, Rachel.

– Bon, ça va, n'en parlons plus, changeons de sujet. Dis, avant que je l'oublie, tu as su pour Sophie?

Irritée par le sujet qu'elle venait de clore, Mathilde répondit impulsivement.

– Sophie? Non, et je ne suis pas certaine de vouloir l'entendre...

– Que tu le veuilles ou non, tu fais encore partie de la famille, Mathilde! clama Rachel sur un ton autoritaire. La chère Sophie, l'enseignante, la belle-sœur de marbre... Ah! Figure-toi donc qu'elle a écrit à sa mère pour lui annoncer qu'elle allait se marier!

– Ah oui? Tant mieux pour elle.

– Tant mieux? C'est «son» homme marié qu'elle épouse, Mathilde! Il a divorcé pour elle! Elle a fini par mettre le grappin dessus! Et c'est lui qui a hérité de la garde de ses trois enfants. Imagine, Mathilde! Sophie et son air bête avec trois enfants à sa charge! De plus, ils s'en vont vivre en Abitibi. Elle va enseigner dans le coin, dit-elle. Un mariage à la sauvette, sans invités, pas même sa mère, Mathilde! Quand Pierre-Paul l'a appris, il a fait une de ces colères...

– Encore? Décidément! Un autre procès, j'imagine? La toge, les bras en l'air?

– Il s'est emporté contre l'outrage fait à sa mère. Ah, la Sophie! Attends juste un instant, Mathilde, Janou me demande quelque chose.

Mathilde, à bout de nerfs, entendait sa nièce qui hurlait à sa mère que sa jupe n'était pas repassée. Elle criait si fort que Mathilde éloignait le récepteur de son oreille. Lorsque Rachel revint au bout du fil pour lui dire:

– Excuse-moi, c'était sa jupe, elle ne la trouvait pas...

– C'était Janou qui hurlait de la sorte, Rachel? Est-ce possible? De tels cris…

– L'adolescence, tu sais, mais avec le temps…

– Non, Rachel, avec ce que je viens d'entendre, tu devrais demander à Pierre-Paul de s'occuper de sa fille et d'oublier le reste de la famille!

– Dis donc, est-ce le fait de fréquenter un docteur qui t'enfle la tête, toi? Jamais tu ne m'as parlé de la sorte et je ne comprends pas…

– Désolée Rachel, mais Daniel n'est pour rien dans ma prise de conscience et ma tête est toujours du même calibre sur mes épaules! Tu m'as demandé d'être une femme de mon temps? Je le suis, Rachel! Et je crois sincèrement que ton mari «avocat» devrait cesser ses poursuites contre Gilbert, Sophie et sa mère, et s'occuper au plus vite du cas de sa fille. Et là, tu m'excuseras, mais on entame l'ouverture de *Nabuco* à la télévision et je n'ai guère envie de rater cela.

– Bon, à ta guise, je te laisse à ton concert, mais lorsque Pierre-Paul apprendra ce que tu penses de lui…

– Bonsoir, Rachel!

Et Mathilde avait raccroché brusquement avant que sa belle-sœur ne revienne à la charge avec le savoir-faire de son «illustre» mari. Sachant qu'elle venait de se la mettre à dos, Mathilde laissa échapper un soupir de soulagement. Rachel, outre son intervention pour son emploi grâce à l'influence de son mari, n'avait toujours été pour elle… qu'un nuage gris. Avec Pierre-Paul dans cette nuée… à l'infini. Un nuage qu'elle venait de dissiper de la main. Enfin! Surprise de sa réaction, elle qui leur avait été si longtemps soumise, elle regrettait quelque peu… Mais non! Elle ne regrettait rien! Sortie de sa coquille, Mathilde Authier avait sa propre vie à fouetter. Ce qui l'attrista, cependant, c'est que sa belle-mère avait rencontré «l'autre» sans même lui en parler. «L'autre» qu'elle avait sans doute appris à aimer… Celle qui n'avait sans doute pas une épaule plus basse que l'autre et qui rendait son fils heureux. Mathilde en fut déçue, amèrement déçue, et c'est Rachel qui écopa, non sans l'avoir cherché, du venin de son chagrin. Désarmée, sachant que sa belle-mère était passée de l'autre côté, Mathilde fut secouée. Madame Authier qui lui avait dit l'aimer comme sa propre fille depuis vingt ans. Madame Authier qui avait maugréé, qui s'était élevée contre la trahison de Gilbert et qui, d'un souper, acceptait «l'autre» de bon gré. Madame Authier qui ne lui donnait guère signe de vie, absorbée par le bonheur de Gilbert. Madame Authier… Mathilde préféra ne plus y penser et ferma le téléviseur avec un rictus au coin de la bouche, un dard au cœur.

Deux jours plus tard, ayant terminé sa journée et rentrant chez elle pour se changer en vertu d'une sortie avec Daniel, Mathilde ramassa son courrier et fut surprise d'y trouver une enveloppe jaune avec l'adresse de retour de sa belle-sœur, Sophie. Avant même de nourrir Coquette qui s'impatientait dans sa cage, elle prit place dans un fauteuil, décacheta l'enveloppe et déplia deux feuilles jaunes aux bordures ornées de chats siamois chassant des rats. Était-ce une prémonition? Jamais elle n'avait vu un papier à écrire aussi repoussant. Mais avec Sophie…

Chère Mathilde,

Si je t'écris ces mots, c'est que je les crois nécessaires. Il n'est pas dans mes habitudes de me confier, tu le sais, mais j'ai éprouvé le besoin de te parler librement, toi, la seule âme charitable de la famille.

On t'a sans doute renseignée sur le fait que j'allais me marier. C'est vrai! C'est presque fait! Je l'aime, il est ma vie et j'aime ses enfants. Les nouvelles se feront rares, il va de soi. Avec cette damnée famille, sauf le respect que j'ai pour ma mère, mon silence sera d'or. Pierre-Paul et ses hauts cris, Rachel et son adulation pour lui, fini tout ça, Mathilde! Fini pour moi!

Nous n'étions pas près l'une de l'autre, toi et moi, mais sache que je t'ai toujours admirée et respectée... en silence. Et ce, nonobstant ce que Rachel a pu te dire dans ses propos exagérés. Ta rupture m'a fait de la peine, beaucoup de peine, car tu ne méritais pas ce que mon frère a fait de toi. Mon frère! Ce cher Gilbert qui était mon univers jadis! Égoïste comme mon défunt père et, depuis toujours, le préféré de ma mère. Gilbert qui n'a pensé qu'à lui sans songer que tu allais en souffrir. J'espère que le temps a pansé la plaie, Mathilde, et que le vent a séché tes larmes. De toute façon, Gilbert ne te méritait pas et, sans être vilaine, j'espère qu'il trouvera chaussure à son pied avec l'autre. Je ne lui veux aucun mal, il a toujours été bon pour moi, mais être quelque peu malmené lui fera peut-être regretter la perle rare que tu étais pour lui.

Oublie-le, Mathilde, si ce n'est déjà fait, et ouvre les yeux sur ta vie. Cette vie qui t'appartient désormais. Oublie aussi tous les Authier, ma mère incluse. Oublie cette famille que l'on disait unie et qui était remplie d'accrocs. N'en suis-je pas la preuve? Si tu savais quel enfer j'ai vécu dans cette famille décomposée! Sauf avec Gilbert, je me dois de l'admettre. Là, désormais, je sens que je serai heureuse et j'ose espérer que tu le seras aussi. Reprends ta vie, Mathilde. Entièrement! Reprends ta vie et oublie ces années où tu n'étais qu'une Authier de plus, à peine considérée. Oublie

comme j'oublie, moi, dans les bras d'un bonheur que je me
suis créé. Sois heureuse, Mathilde, comme je le suis. Va de
l'avant, ferme les yeux sur le passé, le cauchemar est terminé.
Et que Gilbert... Non, ce serait méchant, il ne mérite pas ce
que j'allais écrire. Mais sache que, sans te l'avouer, je t'ai
toujours aimée, toi. Qui sait si l'on se reverra? Sois assurée,
Mathilde, que je garderai toujours un doux souvenir de toi.

Sophie

La lettre n'était pas datée. Mathilde était abasourdie. Sophie, celle qui durant toutes ces années lui avait à peine parlé... Mais malgré les sentiments que sa belle-sœur étalaient de son encre, Mathilde n'appréciait guère qu'elle s'en prenne à Gilbert, même entre parenthèses. Égoïste? Non! Gilbert avait été dans un franc partage à la hauteur de leur douce union. Et de quel droit se permettait-elle, après un si long silence, de lui donner des conseils? Elle aurait aimé répondre à Sophie, lui donner sa version des faits, mais à quoi bon? Sa belle-sœur ne souhaitait pas entretenir de relation. Sa lettre n'était qu'un acte dissimulé de considération. Certaines phrases l'avaient touchée, car elle sentait que Sophie avait été très malheureuse. Mais, émotion dissipée, elle n'admettait pas qu'elle se permette de douter de Gilbert qui n'avait jamais été vilain avec elle. Gilbert qui s'était toujours mêlé de ses affaires quand on dénigrait Sophie devant lui. Un peu trop, peut-être? Était-ce ce qu'elle reprochait, sans le dire, à son grand frère? Mais le «oublie-le» n'avait pas sa place dans une telle lettre. Une telle décision ne revenait qu'à Mathilde, à personne de la famille, encore moins à elle qui, après plusieurs mois, venait seulement de se manifester alors qu'elle avait été de bois au moment où Mathilde était dans la douleur du choc. Parce qu'elle était heureuse et qu'elle voulait que Mathilde répande la nouvelle? Oh que non! C'était mal connaître celle qu'elle avait regardée de haut si longtemps. Et voilà qu'elle osait maintenant dire que Gilbert ne la «méritait» pas. Elle qui, jadis, l'avait regardée comme si c'était elle qui ne «méritait» pas son grand frère, son «univers». De plus, ce que Mathilde, sans le dire à quiconque, ne prisait guère, c'était que Sophie, à l'instar de celle qu'elle appelait encore «l'autre», avait brisé un ménage pour s'emparer d'un homme. Sans même songer que cette femme, privée de ses enfants, allait souffrir de ce divorce qu'elle avait sans doute commandé d'un ton ferme à «son» homme. Sur le même ton qu'elle ordonnait à ses élèves de garder le silence ou de prendre la porte. Sur le même ton, sans doute, que Pierre-Paul adoptait quand il s'élevait contre toute riposte. Et ce papier à lettres jaune avec des chats siamois chassant des rats… Mathilde en avait presque des frissons. Repliant la missive, elle la remit dans l'enveloppe et la déposa dans le dernier tiroir de sa commode. Puis, le «oublie-le» refit surface. Comme si on pouvait oublier en quelques mois vingt ans de vie aux côtés de l'être aimé. Comme si…

Au même moment, le téléphone sonna et Mathilde s'empressa de répondre.

– Mathilde, c'est Daniel. Si je passais te prendre?

– Heu… tu peux me donner encore quinze minutes? Je ne suis pas tout à fait prête.

– Bien sûr, mais tout va bien? Le ton me semble triste…

Cachant son désarroi, retrouvant un ton plus enjoué, elle répondit:

– Mais non, tout va, Daniel. Je me suis attardée sur le dernier acte de *La Traviata* que j'écoutais en me préparant et, malgré moi, l'aria de «Violetta» me met le cœur à l'envers chaque fois.

– Alors, change de cassette, écoute *La Veuve Joyeuse*, car je t'emmène dans un restaurant où la joie sera de rigueur. On y joue de la musique tzigane!

– D'accord, je serai prête, lui dit-elle, en s'efforçant de rire pour le rassurer.

La Veuve Joyeuse, lui avait-il suggéré. Voilà qui se voulait à l'opposé de ce que son cœur ressentait ce soir-là. Elle, la séparée... malheureuse. Elle qui n'avait pas encore trouvé le baume pour adoucir la vive blessure. Elle qui, malgré l'outrage, malgré le naufrage, voyait encore, de temps à autre, dans un sursaut, Gilbert lui souriant alors qu'elle faisait ses vocalises. Elle qui ne s'était pas encore résignée à retirer du salon la plus belle photo de leur mariage... en dépit du virage.

Chapitre 9

Dimanche 18 juin 1995. Gilbert, en petite tenue, était en train de se raser lorsque Lucie, vêtue d'une robe de chambre en satin rose, surgit dans la salle de bain, encercla la taille de son amant de ses mains froides et lui chuchota, en déposant un baiser sur son épaule:

— Bonne fête, mon amour!

Gilbert qui en était à appliquer sa lotion après rasage, se retourna et lui dit:

— Merci, Lucie, mais ce n'était pas nécessaire. Je m'en veux encore pour le jour de ta fête...

Elle lui mit un doigt sur les lèvres et poursuivit d'un ton amoureux:

— Laisse, n'en parlons plus, c'est déjà loin. Comment te sens-tu, bel homme que tu es, avec quarante et un ans sur tes fortes épaules?

— Bah! Un peu dépité, je l'avoue. Personne n'aime voir un chiffre prendre la place d'un autre. Regarde! J'ai un cheveu gris de plus qui vient de surgir! J'ai même une ride de plus sur le front! s'exclama-t-il en riant.

— Grand enfant, va! Tu es superbe, Gilbert! Tu as un corps d'athlète, des bras musclés, pas une once de graisse sur le ventre, que veux-tu de plus? Et tous tes cheveux, mon chéri, avec quelques reflets d'argent qui te rendent encore plus attirant.

– N'exagère pas, Lucie, je ne suis pas du genre jeune premier.

– Mais si… Je parie que tu es plus beau à quarante et un ans que tu l'étais il y a vingt ans. Plus mâle, plus sensuel… L'homme dans la force de l'âge, quoi!

Puis, lui embrassant le cou, les épaules, les bras, elle lui murmura:

– Ça te dirait qu'on regagne la chambre, le lit… Un jour comme celui-là…

Souriant, ne voulant la décevoir, sachant qu'il lui faudrait reprendre une douche, Gilbert la suivit sans en avoir vraiment envie. Elle s'accrocha à ses jambes, elle se déhanchait de plaisir dans ce prélude à ses plus grandes attentes, et Gilbert lui fit l'amour sans trop froisser les draps. Sans ébats. Tout doucement, respectueusement, malgré les gestes quelque peu osés de Lucie, malgré l'ardent désir qu'elle manifestait d'être prise avec emphase, malgré ce qu'elle attendait, en vain, de son amant, sur un drap de satin blanc. Elle accusa une jouissance en retenant un cri, en mordant dans son oreiller, et Gilbert, repu, détendu dans la position du missionnaire, la laissa jouer avec son corps sans lui rendre la pareille, jusqu'à ce qu'il ferme les yeux… d'ennui.

Une heure plus tard, frais et dispos, habillé, il fut surpris de constater que Geneviève avait préparé en son honneur un grand… petit déjeuner. Elle était ravissante dans sa robe blanche, les cheveux tirés, la queue de cheval retenue par un anneau de perles. Elle l'accueillit avec le plus charmant des sourires.

– Bonne fête, Gilbert, lui dit-elle, en lui remettant un présent orné de rubans.

– Merci, Geneviève, mais ce n'était vraiment pas nécessaire. Tu es une étudiante, tu as besoin de ton argent. C'est gentil, mais c'est trop...

Et pendant qu'elle versait le café, Gilbert déballait le cadeau tout en regardant, ahuri, les chandelles allumées sur la table d'apparat.

– Tiens! Une cravate! Et quel bon goût tu as, Geneviève. Elle est superbe!

Geneviève, ayant fait fi de ses économies, lui avait offert une cravate de soie beige avec quelques lignes abstraites dans les tons de noir et de vert. Une cravate d'une boutique huppée signée de la griffe d'un grand couturier. Une importation qui ravit Gilbert mais qui laissa Lucie pantoise. Jamais elle n'aurait cru que sa fille, si jeune, puisse connaître à ce point les goûts de «son» homme. Lucie lui offrit un petit présent et quelle ne fut pas la surprise de Gilbert d'y découvrir un briquet plaqué or avec ses initiales gravées. Elle qui ne prisait guère qu'il fume. Elle qui, par ce présent, lui indiquait que l'odeur du tabac ne l'incommodait plus. Elle qui, depuis quelque temps, lui permettait tout par crainte de le perdre.

– Ce soir, j'ai pensé t'inviter avec Geneviève dans un grand restaurant. Que nous trois, Gilbert, discrètement, sans gâteau, sans bougies.

– Lucie! C'est trop! Je ne peux accepter. Pas après ce que j'ai fait et que je regrette encore. C'est déjà beaucoup trop... Cette inattention impardonnable...

– N'ajoute rien, je t'en prie. Je t'ai dit que c'était oublié, n'en parlons plus. Et puis, tu ne peux refuser ce plaisir à Geneviève.

Regardant cette dernière, avant qu'il puisse lui dire quoi que ce soit, elle répondit:

– C'est vrai, Gilbert, ne me déçois pas. Les occasions du genre sont si rares. J'ai envie d'une grande sortie, moi aussi. J'ai envie de rire, de m'amuser.

Gilbert, lui caressant la joue d'une main quasi paternelle, lui répondit:

– Ça va, je me soumets. Je ne saurais te refuser cette joie, jolie jeune fille.

Et Lucie, témoin de la scène, souriait maladroitement, sachant très bien que Gilbert, par cet accord, tenait beaucoup plus à plaire à Geneviève qu'à elle.

Madame Authier téléphona à son fils pour lui offrir ses vœux et pour prendre de ses nouvelles, mais la conversation fut brève. Elle ne s'était arrêtée qu'à lui, sans le moindre mot pour Lucie, mais sans oublier de lui demander d'embrasser Geneviève de sa part. Gilbert était soucieux. Terriblement soucieux en ce jour de sa fête. Aucun mot de Mathilde, même pas de la bouche de sa mère, aucune carte, aucun vœu. À moins que demain, lundi… Mais non, il savait que Mathilde n'oserait jamais lui faire parvenir des vœux à son adresse. À moins qu'au bureau… Mais non, sans doute pas, puisque demain, c'était sa fête à elle. Tourmenté, peiné, il songeait à leur rituel, à «leur» anniversaire qu'ils célébraient ensemble depuis tant d'années. Mélancolique, il l'imaginait déjà avec «l'autre» en train de célébrer ses trente-neuf ans. Et Gilbert, triste et pensif derrière un sourire de commande, alla fêter «sa journée» avec Lucie et Geneviève dans un grand restaurant. Elles s'amusèrent ferme, mais pas lui. Il fit semblant d'être de la partie pour le bonheur de Geneviève, mais son cœur n'était pas de la fête. Son cœur était ailleurs, sa tête aussi. Ce soir-là, c'était à Mathilde qu'il songeait. À celle avec qui, pour la première fois, il n'y aurait pas d'échange de vœux d'anniversaires réciproques. À celle qui, pourtant, ne pouvait avoir oublié ce rituel… à deux. Gilbert rentra donc dans le vaste condo avec un triste sentiment au cœur. Il avait bu plus que de coutume. Pour oublier, pour noyer son chagrin, pour enivrer son cafard. Dans cette grande chambre des maîtres, alors que Lucie et lui se déshabillaient, il était pensif, sérieux, presque de glace.

— Qu'est-ce que tu as, mon amour? La soirée ne t'a pas plu?

Sortant de sa rêverie, le cœur au bord des lèvres, le vin triste, il répondit:

— Mais oui, ce fut très agréable. C'est sans doute le fait de prendre de l'âge…

— Allons donc, Gilbert Authier! Quarante et un ans! Je sais que les hommes de ta génération regrettent longtemps leur trentaine, mais regarde-toi, bon Dieu! Tu es plus beau, plus désirable…

— Oui, tu me l'as dit et ce n'est pas ça… J'ai trop bu, je crois…

Voyant qu'elle se faisait aguichante, qu'elle était prête à reprendre avec plus d'ardeur, le vin aidant, ce qu'elle avait orchestré le matin, Gilbert s'empressa de se mettre au lit avant qu'elle ne s'inonde de son parfum. Elle se rapprocha de lui, ses pieds frôlèrent ses jambes, ses hanches, et sentant venir ce qu'il ne souhaitait pas, Gilbert lui dit avec un tantinet de tendresse:

— Pas ce soir, Lucie, je ne suis pas en forme, j'ai trop bu, trop mangé…

Elle ne répondit pas, lui tourna le dos, empoigna de ses mains son oreiller et rumina sans qu'il s'en aperçoive. Le geste avait été brusque, elle voulait qu'il se rende compte qu'elle était vexée, mais Gilbert dormait déjà à poings fermés.

Le lendemain matin, alors qu'ils se rendaient au boulot, Lucie n'était guère d'humeur à engager la conversation. D'autant plus qu'il faisait terriblement chaud et que la journée n'allait pas être de tout repos pour elle, avec deux maisons à faire visiter sur la Rive-Nord. Gilbert parlait peu, dégageait le nœud de sa cravate de son col de chemise et n'avait devant lui que deux contrats à faire signer chez un notaire. Il sentait que Lucie n'était pas dans son assiette et qu'au moindre prétexte, elle s'emporterait. «Chassez le naturel qu'il revient au galop…», se disait-il en écoutant à la radio une chanson de Patrick Bruel. Ils se rendirent à l'agence en se plaignant de la chaleur, de la circulation dense, et Gilbert fut soulagé de sortir de la voiture, suivi de Lucie, et de retrouver au plus vite l'air climatisé de son bureau. Dès qu'il entra, ses collègues s'empressèrent de lui offrir leurs vœux d'anniversaire, Marc Derouet inclus. Lui qui avait omis volontairement de souligner l'anniversaire de Lucie. Ce qui aggrava l'humeur de cette dernière qui, contrats en main, paperasse sous le bras, repartit en direction nord dans le but de ne pas rater ces ventes qui lui rapporteraient gros.

Depuis leur violente altercation, Lucie et Gilbert ne formaient plus tandem sur le terrain des ventes. Ce qui avait diminué de beaucoup les revenus de Gilbert qui n'était pas aussi talentueux que Lucie dans l'art de convaincre un acheteur et de vendre un petit bungalow à gros prix. Mais Gilbert s'en foutait éperdument. Il gagnait autant d'argent que lorsqu'il était avec Mathilde et il avait un rassurant «coussin» en banque. Mathilde! Voilà qu'elle surgissait à nouveau dans ses pensées en ce jour du 19 juin. C'était à son tour de célébrer un an de plus… sans lui. Gilbert dépouilla son courrier avec un brin d'espoir dans le cœur, mais aucune carte, aucun mot de Mathilde. Il l'aurait tant souhaité pour avoir la chance de répondre à ses vœux en se servant d'un messager. Mais non, le silence total. Pas même un coup de fil… Rien! Mais Dieu qu'il se trouvait bête! Comment pouvait-il espérer que Mathilde décroche l'appareil pour lui, alors qu'il ne lui avait plus adressé la parole depuis qu'il était parti avec ses valises. C'était sa mère, que sa mère, qui tenait le lien et qui servait d'intermédiaire entre eux lorsque la toiture coulait ou que les comptes de la maison se multipliaient.

Marc Derouet, profitant de l'absence de Lucie, lui avait demandé:

— On mange ensemble ce midi, Gilbert? J'aimerais t'inviter pour ton anniversaire.

— Heu… oui, pourquoi pas? Gentil à toi, mais anniversaire ou pas, ce sera plaisant de prendre une bière ensemble comme on le faisait dans le temps.

— Alors là tu parles! D'autant plus qu'elle n'est pas là!

Vers midi trente, ils se retrouvèrent tous deux au petit bistrot qu'ils fréquentaient depuis toujours non loin du bureau. Trinquant à sa santé, Marc, mine de rien, lui demanda:

— N'est-ce pas la fête de Mathilde aujourd'hui, Gilbert?

— Ne joue pas à l'innocent, tu le sais! lui rétorqua Gilbert. Et je n'ai pas l'intention de lui offrir mes vœux, j'attends encore les siens!

— Gilbert! Tu ne pensais tout de même pas qu'elle était pour t'envoyer des fleurs?

– Non, mais une carte, un mot par l'intermédiaire de ma mère.

– Pourquoi ne le fais-tu pas, toi? Je suis certain qu'elle en serait heureuse.

– Tu es fou ou quoi? L'a-t-elle fait, elle? Pourquoi moi?

– Parce que c'est toi qui l'as quittée, Gilbert, pas elle!

Bouche bée, Gilbert préféra boire sa bière sans rien ajouter, mais son ami, plus tenace, sans vouloir tourner le fer dans la plaie, lui demanda:

– Ça va toujours avec Lucie? Tu es heureux avec elle, Gilbert?

– Ah! non! Ça ne va pas recommencer, Marc! À chacun ses histoires de cœur!

Marc n'osa rien ajouter, sentant que son ami filait un mauvais coton. Mais l'humeur maussade ne venait pas que des questions de Marc. Il était contrit, navré, indisposé, que sa fête et celle de Mathilde s'écoulent sans rituel. Il en avait la mort dans l'âme. Mélancolique, triste, le regard dans le vide, il était d'ores et déjà certain que Mathilde l'avait oublié.

Le soir venu, de retour avec Lucie, à quelques coins de rue de leur immeuble déjà en vue, elle lui demanda:

– Ne viens pas me dire que c'est encore ton âge qui te dérange! Qu'est-ce que tu as, Gilbert Authier? Une autre face de carême pour la soirée?

– Qu'est-ce qui te prend, toi? Je n'ai rien, tout va… Tiens! Tu as raté tes ventes encore une fois?

– Non, je les ai réussies, Gilbert! Toutes les deux! C'est ton attitude qui me met dans un tel état. Et je ne suis pas gourde, tu sais! Je sais ce qui ne va pas!

Gilbert la regarda, hocha la tête, mais elle reprit sans qu'il la questionne:

– Tu penses à ta femme, n'est-ce pas? Tu n'as pas reçu ses vœux, c'est ça? Et comme c'est sa fête aujourd'hui, ça te démange, ça t'agace…

– Ça suffit, Lucie! Ce qui se passait entre Mathilde et moi…

– Eh bien! Voilà! C'est ce qui ne se passe plus, Gilbert! Et il va falloir te l'entrer dans la tête. J'en ai assez de te voir regarder ailleurs quand il pleut, quand tu t'enlises dans tes pensées. La mélancolie, la nostalgie, fais-en aussi ton deuil! Et si tu veux sortir au plus sacrant de ton passé, divorce, Gilbert!

Le ton étant agressif, Gilbert perçut cet ordre comme une seconde flèche au cœur. Se tournant vers elle, il lui répliqua sèchement:

– Jamais, Lucie! Jamais, tu entends? Je te l'ai déjà dit, jamais! À moins qu'elle insiste…

– Elle! Elle! Et si moi j'insistais, Gilbert? Crois-tu vraiment que j'ai l'intention de n'être que ta maîtresse toute ma vie?

– Tu pourrais dire «conjointe», ça ferait moins marginal, Lucie.

– Ta conjointe! Ta maîtresse! Qu'est-ce que ça change?

– Rien, tu as raison. De la façon dont tu me traites…

– Encore moi! Tu es très mal placé pour me parler de traitement, toi! Tu dis m'aimer… Que dis-je? Tu ne me le dis même plus! Depuis le premier jour, j'ai toujours eu à mendier tes caresses, Gilbert! Jamais une avance de ta part! Jamais la moindre fleur ou le plus élémentaire des mots gentils! Tout se déroule à sens unique, Gilbert! Avec toi, j'ai toujours l'impression, même dans nos moments les plus intimes, de prendre un aller simple!

– Je suis comme je suis, Lucie! Pas chaud lapin comme tu dis! À prendre ou à laisser!

Furieuse, s'immobilisant dans l'entrée principale, Lucie, hors d'elle, lui cria:

– Tu es immonde, Gilbert! Tu es de glace! Tu es… Tu es aussi terne que les pierres grisâtres de ce maudit immeuble!

Non, Mathilde n'avait pas oublié Gilbert, comme ce dernier semblait le croire. Au point qu'en ce 18 juin, elle s'était levée avec un vague à l'âme. Elle se souvenait de «leur» dernier anniversaire, de leur rituel en tête-à-tête, et cette évocation lui faisait mal. Elle aurait souhaité pouvoir lui offrir ses vœux, mais comment faire? Par les bons soins de sa belle-mère? Non! C'eût été trop impersonnel. Par l'envoi d'une carte de souhaits? Peut-être, mais n'était-ce pas tenter de raviver ce qui était éteint? Gilbert était devenu «silence» depuis le jour de son départ. Aucun son de voix, pas le moindre mot, l'oubli, l'absence. Sans qu'il se doute que sa blessure était de plus en plus profonde au gré de cette rupture… muette. Et le temps, lentement, généreusement, lui était peu à peu venu en aide. Sans l'appui de qui que ce soit. Que par sa propre force. Et depuis, Daniel, sa tendresse, son amour, sa quiétude. Tout comme la libellule qui, trop longtemps sur un pétale de lys, découvre celui du muguet.

En ce jour de son anniversaire, Mathilde avait pris congé de son travail. Convaincue que Gilbert avait célébré son anniversaire la veille dans les bras de «l'autre», elle se leva plus tristement encore. Parce qu'elle était seule avec sa perruche pour faire face à ses trente-neuf ans. Bien sûr, Daniel serait là le soir même, mais en cet instant, personne pour la prendre dans ses bras et lui dire: «Je t'aime, ma douce.» Personne pour ouvrir les rideaux, la fenêtre, et la griser d'un sourire et du chant des oiseaux. Parce que ce «personne» s'étirait sans doute de paresse dans les bras de sa maîtresse.

Mathilde se versa un jus d'orange, brossa ses cheveux, respira une bouffée d'air de la fenêtre du salon puis, se retournant, posa les yeux sur le portrait de noces toujours en place sur le meuble d'acajou. Le regard fixé sur lui, sur elle, sur eux, elle sentit un sanglot l'étouffer. Elle se contint en détournant la tête, mais une larme avait glissé de sa paupière. Puis, comme pour se faire mal, pour affronter de plein fouet sa langueur, elle s'empara d'une petite cassette d'Adamo, celle que Gilbert lui avait achetée pour l'auto, et l'inséra dans le lecteur de son petit appareil dans la cuisine. Seule, la tête entre les mains, entre la joie et le chagrin, elle entendit Salvatore entamer *Tombe la neige*, la chanson préférée de celui qui n'était plus là. Puis, laissant la voix du bel Italien s'échapper et envahir la pièce, elle écouta *L'amour te ressemble*, *Si tu étais*, *La nuit*, *Si jamais*, *C'est ma vie*, puis, les yeux baignés de larmes, elle pesa sur le bouton avant que la douleur lui déchire le cœur. Une seconde de plus et Adamo allait poursuivre avec *Et tu t'en vas*, le plus beau de ses poèmes, mais combien cruel pour un cœur… sans ficelle. Mathilde pleurait à fendre l'âme, et Coquette, dans sa cage, témoin impuissant de sa peine, s'était tue. Retrouvant peu à peu la raison, contrôlant les hoquets de sa vive émotion, elle eut juste le temps de reprendre sa respiration, que le téléphone sonna. Le cœur à l'envers, la main tremblante, elle hésita. Si c'était lui? Si c'était vrai? Elle décrocha délicatement le récepteur…

— Mathilde? C'est ta mère! Bonne fête, ma petite fille! Mon Dieu que les années passent vite!

Vers dix heures, remise de sa torpeur, c'était Daniel qui l'appelait de la clinique. Daniel avec sa voix de miel, sa douceur, sa tendresse.

— Heureux anniversaire, mon ange… lui murmura-t-il au bout du fil.

— Ah! Daniel! Merci à toi! Si tu savais comme il m'est doux d'entendre ta voix!

— Quel bel accueil! Je me promets de la rendre plus douce ce soir. Pas trop malheureuse avec cet an de plus?

— Mais non, ce n'est qu'un chiffre qui change, rien de plus. On avance, d'autres commencent, c'est la roue qui tourne, personne n'y échappe.

— Et puis, si jeune encore, la fleur de l'âge, mon ange!

— Daniel! Tu es à la clinique! On peut t'entendre, non?

— Quelle importance… Je veux qu'on sache à quel point je t'aime, Mathilde.

— Pas trop de patients, j'espère? Avec ce congé que tu m'as donné…

— Sois tranquille, une autre a pris ta place. Tu n'es pas indispensable, tu sais! lui dit-il en riant. Indispensable pour moi, oui, mais pour la clinique… Écoute, que dirais-tu si je passais te prendre à dix-neuf heures? Le temps de me changer, et je saute dans ma voiture.

— Ça va, Daniel, voilà qui me donnera tout le temps de me préparer.

— Oh! Avant que je l'oublie, Sébastien t'offre ses vœux. Il aurait préféré le faire de vive voix, mais fiston a un examen aujourd'hui.

— C'est très aimable de sa part, Daniel. Remercie-le de tout cœur.

— Bon, je te laisse, mon ange, le devoir m'appelle. Profite de ta journée, c'est chaud et humide, tu sais. Pas chanceuse, mais avec les rideaux fermés, un bon ventilateur…

— Ne t'en fais pas, j'ai de la lecture, de la musique, et Coquette semble ravie de m'avoir à elle aujourd'hui. Assez possessive, cette perruche!

Ils éclatèrent de rire, raccrochèrent sur un dernier mot gentil, et les doux sentiments de Daniel avaient eu don d'atténuer de beaucoup l'orage de son vague à l'âme.

En début d'après-midi, c'était au tour de madame Authier de lui offrir ses vœux ainsi que ceux de Pierre-Paul et Rachel. Cette dernière, depuis leur désaccord, s'était abstenue d'entrer en communication avec elle.

— Tu vas célébrer ce soir, je présume? osa madame Authier.

— Oui, Daniel... le docteur Primard m'a invitée pour la soirée.

— Heureuse pour toi, Mathilde. Il est temps que le bonheur frappe à ta porte.

— Si vous le dites, mais... vous avez offert vos vœux à Gilbert, hier?

— Bien sûr, mais ce fut bref tout en étant de bon cœur. Je ne voulais parler qu'à lui...

— Que voulez-vous dire, Madame Authier?

— Mathilde, il faut que l'on s'explique. J'ai appris, et je le déplore, que Rachel t'avait informée que j'avais accepté une invitation de Gilbert.

— En effet, mais vous n'avez pas à vous justifier, Madame Authier. Gilbert est votre fils...

— Justement, Mathilde! J'y suis allée pour mon fils! Une mère sera toujours une mère, n'en déplaise à Pierre-Paul et Rachel. Mère un jour, mère toujours, n'est-ce pas? Et quelles que soient les fautes d'un enfant, une mère est toujours là pour lui tendre les bras. Ce que je déplore, c'est que Rachel t'en ait avisée avant que je ne le fasse moi-même. Et ce que je déplore davantage, c'est que Pierre-Paul, que j'aime autant que son frère, ait osé me reprocher ce geste maternel.

– Madame Authier! Allons! Vous n'avez pas à m'expliquer…

– Oh que si, Mathilde! Tu fais toujours partie de la famille, tu sais! Je me suis rendue chez lui après des mois d'insistance de sa part. Et là, discrétion ou pas, je veux que tu écoutes ce que j'ai à te dire. Je l'ai rencontrée, sa Lucie, je l'ai vue, j'ai même passé la soirée avec eux. Et crois-moi, Mathilde, je suis sincère, cette femme ne t'arrive pas à la cheville!

– Madame Authier, je…

– Non, laisse-moi terminer, Mathilde… Je t'aime et je veux en avoir le cœur net. J'ai aussi rencontré sa fille, une adorable enfant, celle-là, une fille de seize ans qui n'a rien hérité de sa mère, Dieu merci. Mais elle, Mathilde, elle, «l'autre» comme on l'appelle, j'ai été incapable de m'y faire. Je n'étais pas partie dans le but de lui livrer bataille sur un parti pris, au contraire. Tout ce que je souhaitais, c'était que Gilbert soit heureux. Mais cette femme, condescendante à souhait, fausse de la tête jusqu'au cœur, imbue d'elle-même, le genre «m'as-tu vue»… j'ai été incapable d'être aimable avec elle. J'ai tout fait pour n'en rien laisser paraître, mais je crois qu'elle a vite discerné que je ne la portais pas dans mon cœur. Et je ne comprends pas que mon fils ait pu s'enticher d'une femme semblable. Elle est tout le contraire de lui, à l'opposé de toi, Mathilde. Et je suis sûre que Gilbert n'est pas heureux avec elle. C'est sans doute par orgueil, pour ne pas admettre son erreur, qu'il persiste dans sa relation, mais crois-moi, elle et lui, c'est le jour et la nuit. Pauvre Gilbert!

Mathilde n'avait rien dit. Elle l'avait écoutée en silence, heureuse de constater, comme elle l'avait pensé, que sa belle-mère n'était pas passée de… l'autre côté. Mais ce qui la peinait, c'était que Gilbert puisse être malheureux avec «elle». Car malgré la blessure et la détresse, Mathilde souhaitait que son mari trouve le bonheur là où il l'avait choisi. Un bonheur à l'image de celui qu'elle vivait avec Daniel. Ne sachant trop que dire, elle murmura:

— Je suis désolée, Madame Authier, profondément désolée.

— Tu n'as pas à l'être, Mathilde, c'était son choix! Fils que j'aime ou pas, il doit répondre de ses actes. Mais chose certaine, jamais elle n'entrera sous mon toit, celle-là! Je ne les ai jamais invités, Mathilde. Lui, oui, mais sans elle. Voilà ce qu'aurait dû te dire Rachel et non laisser planer un doute sur moi. Maintenant que les choses sont tirées au clair, sache que je t'aime de tout mon cœur, Mathilde, et que ma porte t'est grande ouverte. Appelle-moi, viens me voir de temps en temps, ne me laisse pas sombrer dans l'oubli, Mathilde. J'ai presque perdu un fils à cause «d'elle», je ne veux pas te perdre, toi. Sophie m'écrit de temps à autre, mais c'est si bref, ce sont des lettres de respect. Quant à Pierre-Paul… Alors, ne me laisse pas, Mathilde, je t'aime comme ma propre fille!

Madame Authier avait des sanglots dans la voix et Mathilde était à deux souffles d'éclater avec elle. Madame Authier réitéra ses vœux, embrassa de son cœur sa belle-fille puis, soulagée, raccrocha.

Seule, émue, secouée, Mathilde se disait: «La pauvre femme…», tout en se promettant de ne pas la laisser seule dans son désarroi. Madame Authier était une bonne personne, une mère pour elle, parfois plus que sa propre mère. Quelques minutes plus tard, tout en s'appliquant du rouge à lèvres et du rimmel, Mathilde était songeuse. Elle aurait tant souhaité, malgré l'outrage et le sevrage, que Gilbert soit heureux. Elle avait tant espéré qu'il trouve avec «l'autre» ce que, bon gré mal gré, elle n'avait peut-être pas su lui donner.

Mathilde s'était changée, maquillée, coiffée. Fort élégante dans une robe jaune à rayures vertes, elle avait rehaussé son épaule gauche d'une boucle du même tissu. Daniel arriva à l'heure convenue et il n'eut pas à sonner, Mathilde l'attendait sur le perron de sa petite maison, rue Georges-Baril. Elle monta dans sa voiture, l'ayant prié de ne pas se déranger pour lui ouvrir la portière.

– Dieu que tu es belle! s'exclama-t-il. Et quel doux arôme que ton parfum.

Elle sourit, lui prit la main, la serra dans la sienne et lui demanda d'un ton taquin:

– Nous allons où, Monsieur Primard?

– Dans un restaurant italien qu'on m'a recommandé non loin d'ici. Tu verras, on dit que c'est intime et que l'ambiance est chaleureuse.

Daniel emprunta le boulevard Henri-Bourassa, direction ouest, puis, tournant à droite, il croisa quelques feux de circulation et se retrouva dans un petit centre commercial en plein air où, dissimulé tout au fond, elle aperçut le restaurant qui leur avait été suggéré. Un charmant restaurant où, en entrant, elle put distinguer des tables installées dans des alcôves et séparées les unes des autres par un rideau de tulle blanc qui laissait à peine voir la physionomie des gens installés à la table voisine. Cette disposition donnait l'impression aux convives d'être seuls, à l'abri des oreilles indiscrètes, dans un petit salon intime qui se prêtait au tête-à-tête. L'accueil fut empressé et comme Daniel avait fait une réservation, on les dirigea au fond, à droite, à la dernière table où l'éclairage tamisé rendait l'ambiance des plus romantiques. Ils commandèrent tous deux la salade César et l'escalope de veau à la milanaise avec pâtes, une spécialité de la maison. Et Daniel opta pour une bouteille de vin rouge Santa

Christina, suggestion du patron, qui semblait s'y connaître dans les vins appropriés. Mathilde décompressait dans cet endroit où l'atmosphère invitait à la détente. Et un doux, un délicieux malaise se mêla à leur vin dès la première gorgée.

– À ta santé, Mathilde. À cette belle journée de fête.

Ils trinquèrent, se regardèrent comme des amoureux, et elle lui murmura:

– Ne t'avise pas de leur dire que c'est ma fête, Daniel. Je ne veux pas les voir surgir avec la pointe de gâteau, les chandelles et les souhaits qui viendraient entraver cette intimité.

– Ne t'en fais pas, mon ange, que toi et moi, que nous deux ce soir.

Ils mangèrent de bon cœur. Le repas était succulent, les plats, bien présentés. Et ils se délectèrent de la musique baroque qui jouait en sourdinc. Ils avaient même eu droit à des arias de Pavarotti et Mathilde en fut ravie. Puis, après le dessert et le café allongé, à l'heure du Cointreau pour lui et du Tia Maria pour elle, il lui prit la main tout en humant le parfum qui se dégageait de la boucle à rayures vertes de son épaule. Profitant du moment, quelque peu grisée par le vin italien, elle lui demanda:

– Daniel, depuis le temps, tu as sûrement remarqué mon handicap…

– Quel handicap? Que veux-tu dire? Je ne comprends pas…

– Mon épaule gauche, Daniel. Tu as certainement remarqué qu'elle n'était pas à l'égalité de la droite. Tu sais, c'est depuis mon enfance…

– Et tu appelles cela un handicap, Mathilde? Un si léger détail? Bien sûr que je l'ai vu, mais quand on voit tes yeux, ta taille, tes jambes…

– Non, ce n'est pas qu'un détail, Daniel. C'est un complexe que je traîne depuis ma jeunesse. Je l'ai toujours camouflé d'une boucle, d'une fleur, d'une épaulette... Mais jeune, à l'école... je te fais grâce des sarcasmes dont j'ai été victime. Tu sais, les enfants peuvent être très cruels entre eux.

– Mathilde! C'est un menu détail, je te le répète. Et tu devrais cesser de l'entretenir tel un complexe. Personne n'est parfait, tu sais. Regarde, je perds déjà mes cheveux!

– Peut-être, mais ta tête n'était sûrement pas clairsemée au temps de l'école. Tu n'as pas eu à t'expliquer avec les autres élèves ou à rentrer chez toi en pleurant...

– Mathilde, je t'en prie, ne fais pas un drame d'une si légère anomalie. Tu es la plus jolie femme qui soit, tu es ravissante à souhait. Et si ça te rassure d'y poser une boucle ou une fleur, continue, ne te gêne pas, ça ne fait qu'ajouter une note d'élégance à tes créations de bon goût. Mais, de grâce, ne me parle pas d'un handicap quand, depuis le premier jour, je ne vois que ton cœur, mon ange. Et avec tout ce que j'ai vu en médecine depuis vingt ans, surtout chez les enfants...

– Tu as sans doute raison, excuse-moi. Tous ces enfants dans des fauteuils roulants... Je suis confuse... Mais je me sens soulagée d'en avoir discuté.

Et sur ces mots, devant les clients qui les percevaient à peine et sous les yeux du patron, il l'embrassa tendrement.

– Si tu savais comme je t'aime, Mathilde. Tu as transformé ma vie...

Encore sous l'effet du baiser qui l'avait légèrement embarrassée devant le patron pourtant discret, elle lui murmura en le regardant dans les yeux:

– Moi aussi, je t'aime, Daniel. Avec toi, je revis, je...

Elle n'osa aller plus loin, car Daniel, sous le coup du charme, venait de sortir de la poche de son veston une petite boîte rectangulaire recouverte d'un papier doré orné d'un chou ensoleillé. Il la déposa devant elle et lui redit de nouveau:

– Heureuse fête, Mathilde… Avec un souvenir pour la souligner…

Mal à l'aise, confuse, elle lui dit, en regardant le présent:

– Il ne fallait pas, tu n'aurais pas dû, Daniel, ça me gêne terriblement…

– Allons! Croyais-tu que ton anniversaire n'allait être souligné que par un repas et un bon vin?

Émue, elle retira le chou, défit délicatement l'emballage et se trouva face à un écrin de velours rouge qu'elle hésitait à ouvrir. Puis, soulevant le couvercle, elle y découvrit un bracelet en or surmonté de diamants. Un superbe bracelet souple qu'il s'empressa de lui fixer au poignet.

– Daniel! C'est trop! Je ne peux accepter… Quel bijou splendide!

– Ne dis rien de plus, mon ange, c'est le premier présent de ma part et ça m'enlèverait ma joie. Je ne savais trop si tu l'aimerais…

– L'aimer? Je n'ai jamais rien vu d'aussi beau, Daniel! Il est si flamboyant que ma robe jure à côté de lui. Je le porterai avec mes ensembles de velours.

– Tu le porteras quand bon te semblera, mon ange. Ce qui importe, c'est que ce bracelet te lie à moi. Ce sera notre talisman. Tiens! J'ai même l'impression de te mettre sous menottes! ajouta-t-il en riant.

Puis, retrouvant son sérieux, il lui dit avec tendresse:

– Je t'aime, Mathilde, je t'aime à la folie. Et si tu le permets, j'aurais autre chose à te dire…

– Je t'écoute, Daniel, je suis tout ouïe…

– J'aimerais faire de toi ma femme, mon ange… murmura-t-il à son oreille.

Ébahie, surprise, s'attendant à tout sauf à une telle demande, Mathilde resta bouche bée. Inquiète, intimidée, elle ne sut que répondre.

– Tu ne dis rien? Ai-je été trop spontané? Ai-je été maladroit?

– Heu… non, mais un tel choc… Je ne suis pas libre, Daniel, je ne…

– Oui, tu n'es que séparée, je le sais, mais si tu m'aimes comme je t'aime, je suis prêt à attendre que tout soit réglé, que tu sois libre… Tu sais, il n'en tient qu'à toi, Mathilde. De nos jours…

Effrayée à la seule idée qu'il puisse prononcer le mot «divorce», elle s'empressa de l'interrompre pour lui dire d'une voix frêle:

– C'est si soudain… Je ne m'attendais pas à cela, Daniel, on se connaît à peine…

– Allons, mon ange, à mon âge, au tien, avons-nous besoin d'aller plus loin avant de comprendre? Nous ne sommes plus à l'âge de Sébastien, tu sais…

– Et lui, Daniel, ton fils. As-tu songé à sa réaction? Qui te dit…

Il lui posa gentiment l'index sur la bouche avant de lui répondre:

– Il est au courant, Mathilde, j'ai déjà consulté Sébastien. Il est fou de joie à l'idée de t'avoir comme belle-maman. Mon fils t'adore, Mathilde. Il n'a que des éloges envers toi et il est si heureux que son père ait enfin trouvé la femme qui redonnera un sens à sa vie. Il désespérait, tu sais. Il m'a même dit qu'il craignait de me voir vieillir seul.

Mathilde fut remuée jusqu'aux entrailles. Heureuse, amoureuse, elle était davantage émue d'apprendre que le fils de Daniel la considérait au point d'en faire presque «sa mère». Attendrie par tous ces mots inattendus, elle commanda un autre Tia Maria pour se remettre de son émoi. Daniel, plus heureux qu'elle, récidiva dans le Cointreau pour que les goûts raffinés de ces élixirs se perdent dans un doux baiser.

— Tu n'as toujours pas répondu, mon ange, lui murmurat-il avec tendresse.

— C'est que... C'est si soudain, Daniel. Alors que tu planifiais, moi, je n'avais pas la moindre idée, tu sais. C'est nettement plus compliqué pour moi que pour toi...

— Pourquoi? Crois-tu que... que Gilbert s'opposerait?

— Heu... non, mais toutes ces démarches... Laisse-moi le temps de me faire à l'idée, Daniel. Donne-moi juste le temps nécessaire.

— Tu as vraiment besoin d'y réfléchir, Mathilde?

— Non, pas réfléchir, mais soupeser, envisager ce que tout cela implique.

— Écoute, sans vouloir te presser, la démarche est assez simple. Tu le lui fais savoir par sa mère et tu attends sa réaction. S'il n'y a aucun obstacle, ça peut vite se mettre en marche. Avec Pierre-Paul pour se charger...

— Non, Daniel, pas lui! Si démarche il y a, je ne veux pas que mon beau-frère en prenne la charge. N'importe qui, Daniel, mais pas lui! Qu'il soit ton avocat ou non, je ne veux pas de Pierre-Paul dans les affaires de Gilbert! Ce serait le pire affront à lui faire!

Voyant que le ton avait été impératif et que Mathilde avait perdu son doux sourire, Daniel lui murmura, tout en lui prenant la main:

— Je comprends, ne t'en fais pas, j'ai d'autres connaissances, Pierre-Paul ne sera pas de la partie, je te le promets, mon ange. Ce que femme veut...

– Non, Daniel, pas ce que femme veut… Pierre-Paul est mon beau-frère, et ce n'est pas un caprice, crois-moi! Jamais je ne ferai cette injure à Gilbert!

La rassurant, Daniel comprenait que, malgré l'hésitation, Mathilde ne semblait pas rejeter de la main l'idée d'être sa femme. Pour lui prouver davantage le sérieux de sa proposition, il ajouta:

– Et si tu désires des enfants, Mathilde, je n'y vois pas d'objection. Au contraire, avec toi…

– Daniel! Voyons! Je ne peux pas être mère, je n'ai jamais pu…

– En es-tu sûre, mon ange? Et si la chose s'avérait possible?

Mathilde, encore sous le choc de la demande, lui répondit abruptement:

– Écoute, Daniel, j'ai été mariée durant vingt ans! Si j'avais eu à être mère… Je n'ai retardé que de deux semaines au début de mon mariage et je me demande si ce n'était pas un dérèglement. Tu sais, ma mère a fait plusieurs fausses couches avant de réussir à me rendre à terme. Je n'ai même pas fait de fausses couches, moi. Jamais! En vingt ans sans précaution, si j'avais pu être mère…

– Qui sait si ce n'était pas lui, Mathilde? L'un de mes confrères, spécialiste en la matière…

Mathilde l'interrompit brusquement:

– Non, Daniel! Je ne tiens pas à consulter, je ne tiens pas à me soumettre à ces examens, à ces découvertes, à quoi que ce soit! J'aurais aimé avoir des enfants, je l'avoue, mais là, je n'y tiens plus. Je ne veux pas être mère à quarante ans, Daniel. Possible ou pas! Tu as déjà un fils…

Se rendant compte de l'état dans lequel Mathilde était plongée, Daniel la rassura vivement en lui disant:

– Mathilde! Je ne pensais qu'à toi! Je n'y tiens pas vraiment, moi! J'aurais certes accepté… Mais si ton désir est de vivre à deux, de poursuivre toi et moi, ce n'est pas moi qui vais m'en plaindre. J'avais peur de te décevoir en te disant qu'à quarante-cinq ans, être père…

Mathilde, à son tour, lui avait posé l'index sur les lèvres. Puis, lui offrant son plus joli sourire, elle lui dit avec des yeux remplis d'affection:

– Alors, n'en parlons plus, veux-tu? La déception est derrière moi, Daniel, loin derrière moi. À vingt ans, à trente ans, mais là, à l'orée de la quarantaine… Je ne suis pas de ces femmes de la dernière heure, je n'ai pas la fibre de la dernière chance. J'ai oublié ce fait, Daniel. Depuis longtemps.

– Quel ange merveilleux tu es! Quelle femme équilibrée! Comment ne pas t'aimer avec une telle sérénité en pleine jeunesse…

– Jeunesse? Trop aimable, Daniel, mais il ne faudrait pas exagérer…

Il l'attira à lui et l'embrassa de nouveau. Puis Mathilde, baissant les yeux, regardant son bracelet, lui dit:

– Une fleur aurait suffi, mon chéri… C'est trop, j'en suis encore mal à l'aise.

Ils quittèrent le restaurant sous les yeux des clients qui les prenaient sans doute pour des tourtereaux. Roulant lentement, Daniel ne pouvait s'empêcher de lui dire qu'il était heureux auprès d'elle. Puis, à brûle-pourpoint:

– Tu sais, tu pourrais vendre la maison, venir habiter la mienne. Tu pourrais quitter ton emploi. La femme que j'aime n'aura pas à gagner sa vie. Mais tu pourrais coudre, tu pourrais… je ne sais quoi! Oui, je le sais, tu pourrais continuer à chanter, Mathilde! Tu pourrais te consacrer au chœur de chant et offrir des récitals. Tu pourrais…

Et c'est elle qui l'embrassa pour le faire taire. C'était beaucoup en une seule soirée. Un bijoux de prix, une demande en mariage, la générosité de vouloir lui faire un enfant alors que… Et puis, vendre la maison, habiter la sienne… Tout cela signifiait un divorce d'avec Gilbert auquel elle ne songeait guère avant ce souper qui l'avait rendue chancelante. Que de projets, que d'éloquence, alors qu'elle n'avait pas encore songé sérieusement aux implications de la «grande demande». Elle l'aimait mais ne s'attendait guère à une telle précipitation de sa part. Elle se retint d'être songeuse, ne voulant pas jeter un voile sur cette soirée dont il avait sans doute rêvé. Heureuse malgré tout, enivrée par le vin, le Tia Maria et lui, c'est elle qui l'invita à entrer lorsque la Mercedes s'immobilisa rue Georges-Baril. Enfin, pour la première fois, Daniel pouvait contempler à souhait l'intérieur de celle qu'il aimait. Il fut ravi par le décor qui, quoique simple, était à l'image de «son ange»… d'une autre époque. Il vit sur les murs des reproductions de Fragonard et de Degas, un bouquet de fleurs séchées tombant en cascade d'un buffet et, juste à côté, le buste de Mozart et un portrait de Frédéric Chopin. Sans parler de l'horloge grand-père, de la photo de sa mère et des jolies boîtes musicales dont l'une était en jade, une importation orientale, lui dit-elle. Dans sa bibliothèque, il découvrit des romans de Flaubert, un de George Sand, des œuvres de Zola, la biographie de Ninon de Lenclos, celle de Malher, un ou deux romans contemporains et quelques livres pratiques, sans compter toutes les feuilles de musique. Puis, baissant les yeux, il fut surpris d'apercevoir quelques microsillons alors que la mode se voulait aux disques compacts. Il les poussa du doigt et reconnut celui de

Charles Aznavour, un autre de Julie Arel, un de Jacques Brel et deux de Salvatore Adamo. Plus loin, un microsillon de Maria Callas, un autre de Renata Scotto, des œuvres de Vivaldi, une à la harpe de Lucie Gascon et *The World of Russia* par l'orchestre philharmonique de Berlin dirigé par Georg Solti. Mais Daniel alla vite prendre place sur le divan alors que Mathilde revenait avec, sur un plateau, la cafetière, deux tasses et des biscuits au gingembre.

– Comme c'est joli chez toi! Très chaleureux, Mathilde! On se croirait…

– Dis-le! lui ordonna-t-elle en riant. Dans un salon de 1850, n'est-ce pas?

Il rit de bon cœur en acquiesçant de la tête pour ensuite lui murmurer:

– Peut-être pas si loin… Mais au début du vingtième siècle, au temps où les salons avaient de la vie. Chez moi, c'est si froid, si glacial.

– Mais non, c'est très élégant, Daniel. Tu as aussi de superbes antiquités que tu ignores… Des antiquités de prix, des toiles de maîtres, le tout mêlé à des statues de marbre et des figurines modernes. J'ai tout vu, tu sais!

Mais rien chez moi ne dégage cette chaleur que je retrouve ici.

– Allons, ce n'est pas parce que j'ai l'âme ancrée dans les siècles passés que je n'ai que des vieilleries, tu sais. J'ai des disques compacts, un four à micro-ondes, un robot culinaire et le plus récent catalogue de Sears! Ils éclatèrent d'un rire franc et, pour adoucir l'atmosphère, Mathilde fit tourner en sourdine des extraits de *Starmania*, pour que Daniel ne la prenne pas pour Madame de Staël ou, pire encore… Madame Bovary. Daniel n'avait pas été sans remarquer le portrait de noces sur le meuble d'acajou. C'était la première fois qu'il voyait Gilbert et, quoique la photo datât de vingt ans, il ne put s'empêcher de le trouver fort séduisant. Sans pour autant le dire à Mathilde, lui qui aurait aimé lui avouer qu'elle avait l'air d'un «ange» dans sa très belle robe blanche.

Assis l'un contre l'autre, se regardant sans savoir quoi se dire après s'être tout dit, il lui souriait alors que Mathilde sentait son cœur battre à tout rompre lorsque sa main effleurait la sienne. Ayant remplacé les extraits de *Starmania* par des arias de *La Bohème* sans qu'il s'en aperçoive, elle se retrouva dans les bras de Daniel qui l'étreignait de son ardeur et de son amour. Heureuse, amoureuse, blessure du cœur apaisée par les lèvres charnues du médecin, Mathilde se complaisait au point qu'elle ne sentit pas le mouvement des doigts qui dégrafaient sa robe. Et c'est sans s'en rendre compte, dans un état d'envoûtement, qu'elle se retrouva sous lui sur ce divan dont les coussins étaient tombés par terre. Sans ouvrir les yeux, le souffle coupé, elle laissa Daniel lui faire l'amour, non sans ressentir tout le bien-être de ce corps à demi nu… sur elle. Une relation, un coït dont elle rêvait et qu'elle accepta de son propre corps qu'elle croyait, à tort, frigide. Une prise habile, sensuelle, entrecoupée de «je t'aime», de «moi aussi», étouffés par des baisers si prolongés que c'était avec peine qu'elle retrouvait, l'espace d'un moment, sa respiration. Consciente, enivrée d'amour et de passion, Mathilde s'était donnée à lui. De plein gré. Parce qu'elle l'aimait et que, grâce à cet amour, elle était devenue… une femme de son temps. Reboutonnant sa chemise, les cheveux défaits par les doigts de Mathilde, Daniel Primard, heureux, comblé, encore sous l'effet de cet échange charnel, lui demanda avec un doux sourire aux lèvres:

– Alors, Mathilde, tu veux bien devenir ma femme, dis?

Transportée, subjuguée par le merveilleux amant qu'il était, le soutien-gorge dans une main, le bracelet d'or et de diamants encore au poignet, Mathilde répondit:

– Oui.

Chapitre 10

Septembre 1995, le 18 plus précisément, un an jour pour jour après avoir dit à Gilbert, alors qu'il la quittait: «Sois heureux.» Elle avait même passé sous silence leur anniversaire de mariage en juillet. Pour elle, son bonheur avec lui avait pris fin après vingt ans de vie à deux, pas un jour de plus. Que ces années pendant lesquelles ils s'étaient aimés. Pas celle où elle venait enfin de fermer les yeux sur son union pour les rouvrir sur l'horizon. Avec Daniel! Avec celui qui, peu à peu, médecin de l'âme, médecin tout court, faisait tout en son pouvoir pour cicatriser la plaie. Elle lui avait promis de devenir sa femme, elle en avait parlé à sa mère qui avait sauté de joie. Mais elle avait fait jurer à Daniel de n'en rien dire à Pierre-Paul jusqu'à ce qu'elle s'en charge elle-même par l'entremise de sa belle-mère.

Auparavant, par un beau soir d'été, peu de temps après le bracelet en or serti de diamants, peu de temps après le «oui» qu'elle avait murmuré après s'être donnée à lui sur le divan, Daniel Primard était revenu à la charge.

– Les procédures de divorce, tu comptes les engager quand, mon ange?

– Je ne sais trop, fin septembre, début octobre…

– Pourquoi attendre si longtemps? avait-il répliqué. Pourquoi pas dès maintenant, Mathilde?

– Heu… peut-être par principe, Daniel, mais je préfère attendre que cela fasse un an que Gilbert et moi sommes séparés. De cette façon, le temps, l'absence joueront en ma faveur. Et pour la famille, comme je serai la requérante…

– Allons donc, Mathilde! Comme si le temps avait de l'importance, puisque c'est lui qui t'a trompée, qui t'a quittée, qui est parti! Le temps, c'est moi qui en souffre, mon ange. C'est moi qui dois attendre.

– Daniel! Pourquoi cette précipitation? Nous nous marierons l'an prochain…

– Les procédures peuvent être longues s'il y a objection de sa part. J'aurais tellement voulu accélérer les choses. Avec l'avocat que j'ai trouvé, avec sa vaste expérience dans le domaine, nous pourrions sauver des mois.

– Daniel, je t'en supplie, laisse-moi le temps requis. Ne serait-ce que pour me donner bonne conscience, laisse-moi me rendre à terme avec… Et qu'est-ce que cela va changer? Nous aurons toute la vie pour nous aimer.

Il l'avait serrée dans ses bras, lui avait redit «je t'aime, je t'aime» et elle lui avait offert ses lèvres dans une ardente fièvre. Mais elle était soulagée qu'il n'ait pas insisté sur la phrase inachevée. Maladroitement, sans vouloir l'offenser, elle avait failli lui dire: «Laisse-moi me rendre à terme avec… ma peine.»

Car, depuis son départ, à quelque temps de l'anniversaire de la douleur, elle n'avait jamais réentendu la voix de Gilbert. Pas même un mot signé de sa main. Un silence… de mort. Et Mathilde voulait célébrer ce silence dans la haine qu'elle éprouverait dès lors pour celui qu'elle avait aimé. En se jetant corps et âme dans les bras de Daniel, sans encore avoir l'impression de «tromper» celui qui l'avait trahie, celui qui l'avait laissée choir pour une autre, sans merci face à son désespoir. Et c'était pour se rassurer, pour être en paix avec sa conscience, qu'elle n'avait plus voulu s'abandonner dans l'acte d'amour avec celui qui allait être... son mari. Daniel s'était quelque peu emporté, se sentant un peu insulté, mais Mathilde, plus loquace que du temps de Gilbert, lui fit comprendre qu'elle voulait d'une nuit de noces sans tache... ou presque. Avec le seul préambule de ces instants divins sur le divan. Maugréant, il avait fini par se plier devant ce caprice d'enfant, mais Mathilde, plus comtesse de Ségur que marquise de Montespan, lui fit le portrait d'elle, femme d'une autre époque, jouvencelle, vêtue de rose dans le lit de son Prince Charmant. Ce que Daniel trouva fort romanesque, mais tout de même, attendre un an... À son âge! Lui, adulte averti! Mais il finit par s'incliner devant son «ange», qu'il appelait déjà sa fiancée. Et dès lors, leur relation s'écoula sous les auspices d'un amour... tendresse. Main dans la main, baisers passionnés, quelques étreintes plus osées, dialogues amoureux, mais aucune offrande du corps dans son lit comme dans le sien. Surtout le sien! Celui de vingt ans de vie avec Gilbert dont elle ne voulait pas souiller le souvenir. Ce lit qu'elle ne voulait pas imprégner de l'odeur de Daniel, aussi amoureuse fut-elle. Ce lit qu'elle se jurait de respecter jusqu'au terme de sa peine. Jusqu'à ce qu'elle ne ressente plus rien pour celui qu'à son tour elle appellerait «l'autre».

Depuis le soir du grand aveu, du bracelet, de sa promesse, Mathilde s'était donnée corps et âme à la chorale. Daniel était même venu l'entendre chanter lors des funérailles d'une personne âgée, une dame qui avait insisté dans ses dernières volontés pour que les chants soient en latin. Assis dans le dernier banc, très loin de la famille de la défunte, Daniel avait pu l'entendre chanter avec le chœur *Panis Angelicus* et, en solo, l'*Ave Maria* de Gounod. D'ailleurs, ce n'est qu'en quittant le jubé que Mathilde aperçut son bien-aimé qui l'encensait d'un regard amoureux. Et elle en fut remuée. Jamais elle n'aurait cru que Daniel l'aimait au point de venir se délecter de son chant… lors d'un enterrement. Touchée, elle se jeta dans ses bras devant ses collègues, Paule incluse. Daniel venait de lui donner la plus belle preuve d'amour qui soit. Jamais Gilbert… Et Mathilde se retint de cette vile pensée. Elle s'était promis de ne jamais comparer. Elle s'était juré d'aimer Daniel sans voir, dans son ombre, le visage de Gilbert.

Et là, en septembre, en ce lendemain de «l'anniversaire» de l'abandon, fière et stoïque, s'efforçant d'haïr après avoir pleuré d'amour, elle dit à son futur époux qui n'attendait que ce moment: «Je vais bientôt prévenir la famille, Daniel, et dès lors, nous pourrons entamer les procédures.»

Gilbert Authier, de son côté, était de plus en plus désemparé depuis ces jours de «fête à deux» qu'ils n'avaient pas célébrés ensemble. Il s'accrochait désespérément à l'amour de Lucie, il falsifiait leurs ébats, il se débattait contre le mal qui le rongeait. Ce mal qui fait qu'on aime moins, qu'on aime de moins en moins, qu'on n'aime plus. Et Lucie, de plus en plus aux aguets, de plus en plus odieuse, n'était certes pas godiche au point de ne pas se rendre compte qu'il… feignait. Sans chercher à le maîtriser, plus habile, plus sournoise, elle faisait en sorte de l'amadouer. Au risque de l'enterrer avec elle dans cet amour désuet, flétri, dans cet amour à l'agonie.

Geneviève, témoin constant de la détérioration, avait dit à Gilbert: «Malgré ta promesse, malgré tes efforts, je sens la fin venir, Gilbert. Il en a été ainsi avec les autres et tu ne feras pas exception à la règle. Je t'en prie, ne te retiens pas pour moi. Ma mère est une vipère, tu sais, et un jour, je partirai moi aussi.» Il lui avait répondu: «Voyons, Geneviève, ça va, tu n'as pas à t'inquiéter…» et elle lui avait gentiment répliqué: «Il n'y a que moi qui ne l'abandonnerai pas. Pas par amour, Gilbert, mais parce qu'elle m'a donné la vie et qu'elle m'a gardée malgré les représailles. Elle aurait pu se défaire de moi, tu sais, mais elle a eu le courage de ne pas avorter, de m'élever seule, de voir à ce que je ne manque de rien… sauf d'amour. Et cet amour, je le trouverai, Gilbert. Un amour nouveau-né. Un amour que je n'aurai jamais reçu d'elle. Un amour que je n'aurai pas à partager. Mais toi, elle ne t'a pas donné la vie, tu sais, et tu n'as pas à lui vouer la tienne. Pas à la façon dont elle te traite. Pas toi qui as sans doute connu de meilleurs jours…» Somme toute, Geneviève l'incitait à quitter Lucie. Elle aimait trop Gilbert pour le voir souffrir chaque jour au bout de la laisse de sa mère. Elle voulait son bonheur, se rendant compte, sans connaître Mathilde, qu'il avait été plus heureux avec elle qu'avec sa mère. Cette Mathilde dont Gilbert avait encore une photo dans un coin de son porte-feuille. Cette femme que Geneviève avait trouvée si belle, avec un air si doux, le soir où, seule avec Gilbert, il avait sorti de sa cachette la toute petite photo de sa femme sans qu'elle le lui demande. Le soir où, malheureux après une vive altercation matinale, il avait sans doute éprouvé un remords qu'il tenait à partager avec elle.

Que d'histoires, que de drames étaient survenus dans la vie de Gilbert durant ces jours que Mathilde comptait des doigts jusqu'à échéance. Mathilde qui, sans rien savoir, chantait, alors que son mari dépérissait. Mathilde qui attendait sa délivrance, alors que Gilbert, peu à peu... se délivrait. Mathilde qui s'accordait avec Daniel une seconde chance, pendant que Gilbert, ahuri, vivait de sursis en sursis. Et, alors que la voix de Mathilde s'élevait dans l'air pur des églises, Gilbert, confus, ébranlé, exténué, avait peine à respirer dans les bras de Lucie. Drame après drame, voilà ce qui allait frapper Gilbert au moment où l'été entrait dans sa force. De la pluie, des éclairs, quelques coups de tonnerre par-ci par-là. Mais l'orage continuel allait prendre la force de l'ouragan un certain soir de la fin de juillet quand, rentrant de son travail avec une humeur massacrante, Lucie Chénart l'apostropha:

– Je n'en peux plus de ce fichu métier! Les prix des maisons sont à la baisse et, encore là, on marchande, on les veut pour rien! Deux ventes ratées dans la même journée! Des acheteurs sans marge de crédit...

Elle s'était arrêtée. Calé dans son fauteuil, Gilbert lisait son journal sans prêter attention aux jérémiades de sa «conjointe». Hors d'elle, devant Geneviève, Lucie lui lança dans sa verte colère:

– Et toi, tu ne dis rien! Tu ne m'écoutes même pas! On sait bien, Gilbert Authier, les efforts ne sont guère de ton ressort! Te rends-tu compte que tu ne gagnes presque rien depuis un mois? Te rends-tu compte que tu vis à mes dépens, Gilbert? Mais non! «Monsieur» dort, «monsieur» sommeille déjà alors que j'aurais besoin de ses bras, de ses caresses, de ses lèvres, de... de... Piètre amant, va! Un saumon dans une mare froide, Gilbert! Jamais je n'ai vécu de relation plus terne qu'avec toi! Opportuniste, va!

Après l'avoir écoutée sans rien dire, Gilbert bondit à la dernière insulte:

– Là, tu vas trop loin, Lucie Chénart! Opportuniste, moi? C'est toi qui es venue me chercher! C'est toi qui m'as sorti de chez moi pour m'emprisonner ici! C'est toi qui m'as fait quitter ma femme, Lucie! Sans la moindre pitié pour elle! Malgré ma réticence! Et tu me traites d'opportuniste, moi qui gagnais très bien ma vie avant de te rencontrer? Je prends Geneviève à témoin, Lucie! Jamais je n'ai voulu dépendre de toi! J'ai de l'argent de côté…

– De l'argent que tu ne sors pas souvent! Et ça t'arrange, Gilbert Authier!

– Tu n'as jamais voulu que je débourse pour quoi que ce soit, Lucie! Tu m'interdis encore de te verser le moindre sou! Tu ne veux rien me devoir! Tu me l'as dit, Lucie!

– Tu aurais pu oser le faire quand même, Gilbert! Mais il faut être un homme pour ça! Tu ne l'es même pas au lit, Gilbert!

– Bon, ça suffit! J'en ai assez pris, Lucie! Devant Geneviève à part ça! Je crois…

– Tu ne crois rien, Gilbert! Pas cette fois, plus jamais! C'est moi qui crois que tu devrais partir! C'est moi qui te fous à la porte, Gilbert! C'est moi qui te quitte! Et pas plus tard que demain, je te veux dehors avec tes guenilles!

– Maman! Tu n'as pas le droit! intervint Geneviève.

– Pas le droit? De quoi te mêles-tu, toi? T'ai-je demandé ton opinion? Finie la comédie, ma fille! Dehors, le père instantané! Dehors, celui qui ne vaut rien pour ta mère! Il t'a amadouée, hein? Il t'a eue comme les autres, à ce que je vois? Le divan ce soir, la porte demain, Gilbert Authier! Finie ma vie d'enfer avec un corps mort! Va où tu voudras, va au diable, je m'en fous! Mais c'est fini entre nous!

Sur ces mots, Lucie s'enferma dans sa chambre en claquant violemment la porte au nez de son amant et de sa fille.

Restés seuls, Gilbert et Geneviève se regardèrent. Ne sachant que dire, mal à l'aise, c'est elle qui rompit le lourd silence.

– Elle t'a quitté avant que tu ne le fasses, Gilbert. Elle ne pouvait se permettre d'être quittée une fois de plus. C'est ce que tu allais faire, n'est-ce pas, lorsqu'elle t'a interrompu?

– À vrai dire, oui. Du moins, je le crois. Avec de telles injures! Un opportuniste, moi! Tu sais, j'aurais tout fait pour que jamais ce jour n'arrive.

– Tu l'aurais fait pour moi, Gilbert, pas pour elle. Mais je savais que le moment viendrait. Et comme c'est elle qui te quitte pour sauver sa fierté, tu n'as plus rien à regretter.

– Mais je te regretterai toi, Geneviève… Depuis tout ce temps…

– Tu me manqueras aussi, Gilbert, mais le monde est petit, tu sais. Dans quelques années, je serai partie, je volerai de mes propres ailes et je me ferai une joie de te revoir où que tu sois. Mais dès demain, après ton départ, ce sera la fin de ton cauchemar, Gilbert. Tu seras heureux loin d'elle, j'en suis certaine. Dès demain, tu vivras…

– Comme tu peux être sérieuse pour une fille de ton âge. Ça me dépasse, Geneviève. Mais sans vouloir te blesser, il vaudrait mieux que je parte ce soir, que je couche à l'hôtel. Les chiens, les chats couchent sur les divans, pas moi.

– Tous tes effets sont dans sa chambre, Gilbert. Je t'en prie, fais un effort, reste, prends ma chambre si tu veux, mais reste jusqu'à demain. Tu peux la quitter brusquement, elle, tu l'aurais fait, mais pas moi, Gilbert. Je veux avoir au moins la joie de te voir partir avec un sourire. Je n'ai pas de cours demain, je serai là.

– Bon, ça va, mais garde ta chambre, je vais prendre le divan. Ce qui m'inquiète, cependant, c'est qu'au réveil, les excuses, les pleurs, les regrets…

– Non, pas cette fois, je connais trop ma mère. Pas cette fois, de peur que tu la quittes et qu'elle perde la face. Je sens que c'est fini entre elle et toi. De part et d'autre, Gilbert. Et elle va en trouver un autre, je ne suis pas inquiète. Reste, Gilbert, mais fais mine de dormir lorsqu'elle partira demain matin. N'ouvre même pas les yeux, ne la regarde pas.

Gilbert, face à la résignation de Geneviève, face à son sang-froid devant «l'habitude» de perdre, s'endormit soulagé d'un fardeau. Soulagé des frasques, délivré d'un bien mauvais rêve même si, en fermant les yeux, il avait le cœur lourd à l'idée de ne plus revoir Geneviève. Geneviève qui lui rappelait sans cesse Mathilde. Le sommeil le gagna, mais avec le même mal de l'âme que la dernière nuit de septembre, naguère, avec «sa douce», rue Georges-Baril.

Il se rendit compte du départ de Lucie. Elle fit tout pour qu'il se réveille, qu'il l'implore à genoux, qu'il demande pardon. Elle claquait les portes des armoires, mais il feignait de dormir, suivant le précieux conseil de Geneviève. Lucie, exaspérée, sortit en refermant avec fracas la porte derrière elle. Du coin de la fenêtre, il la vit monter dans sa voiture et disparaître dans l'allée principale. Geneviève, n'attendant que ce moment, se leva quelques minutes après lui. Il prenait sa douche, elle préparait le café. Gilbert sortit de la chambre attenante à la salle de bain, vêtu, rasé, coiffé, sourire aux lèvres. Geneviève, heureuse et triste à la fois, lui rendit son sourire en détournant les yeux. Ce dernier jour, aussi forte était-elle, lui faisait mal. Elle en avait vu d'autres… Mais Gilbert, c'était l'ami, le confident, le presque «père».

– J'ai préparé le petit déjeuner, lui dit-elle sans le regarder.

– Ce n'était pas nécessaire, j'ai peu d'appétit, j'ai assez mal dormi.

– Ce qui se comprend, sur le divan... Où vas-tu aller, Gilbert?

– Je ne sais pas, sans doute à l'hôtel jusqu'à ce que je trouve un appartement.

– Tu sais, ça me fend le cœur... On dirait un chien dont on décide de se débarrasser! Je ne m'y habituerai jamais! J'ai beau m'être fait une carapace avec le temps, je ne comprends pas... Ma mère est dure, Gilbert, elle n'a pas de cœur!

– Ne la juge pas, Geneviève. De toute façon, tôt ou tard, je serais parti. Tu le sais, tu l'avais même prédit. Que veux-tu? Après tous ces essais, je me demande si ta mère cherche vraiment à meubler sa vie. Elle a besoin d'un compagnon, tout simplement, d'une présence temporaire. Après, ça se gâte. Que je la quitte ou que ce soit elle qui le fasse pour ne pas perdre la face, ça ne change rien à son comportement. Ce dont elle ne se rend pas compte, c'est le mal qu'elle cause aux autres. À ces hommes dont elle se lasse et à celles qu'ils ont quittées pour elle.

– Tu parles de ta femme, n'est-ce pas?

– Oui, de Mathilde, et sans doute de plusieurs autres. Dans mon cas, c'est impardonnable. J'avais tout pour être heureux. Lucie m'a séduit, je me suis laissé prendre au jeu et... Bah! À quoi bon remuer les cendres. J'ai joué, j'ai perdu, j'en paye le prix. Là, si tu me le permets, je vais ramasser mes affaires et tenter de rapiécer ma vie. Elle est en morceaux, Geneviève. Depuis que je suis ici. Heureusement que tu étais là, car sans toi...

– Vous en payez tous le prix, mais n'empêche que chaque fois, c'est moi qui me retrouve seule avec elle. Et j'en ai pour des jours à absorber le choc de son dépit, sa rage, sa «pauvre» convalescence. C'est un enfer à chaque fois, Gilbert! Mais je te jure que c'est la dernière fois! Dès ma majorité...

– Si tu savais comme je suis désolé, Geneviève, lui murmura-t-il en la serrant dans ses bras.

La jeune fille fondit en larmes, se moucha, s'essuya les yeux et marmonna:

– Ça passera, Gilbert. Plus difficilement cette fois, mais ça passera.

Puis, retrouvant un ton plus normal, plus ferme, elle ajouta:

– Tu es le seul dont je garderai un bon souvenir. Le seul que je vois partir avec regret. Et tu as été plus que patient, crois-moi. À cause de moi, sans doute, et je t'en remercie. Mais là, je vais enfin sentir la délivrance. Ta délivrance, Gilbert, car quelques mois de plus et elle t'aurait brisé à tout jamais.

– Je sais, je le sentais, j'étais de plus en plus mal dans ma peau.

– L'aimais-tu, Gilbert? L'as-tu seulement aimée, ma mère?

– Je… je ne sais pas, Geneviève. J'ai cru, j'ai espéré, mais je ne sais plus.

Il se dégagea de l'étreinte de la jeune fille pour éviter d'autres questions et se dirigea vers sa chambre afin de faire ses valises. Il voulait partir au plus vite de peur que Lucie, dans un dernier élan, ne revienne sur ses pas. Il se sentait tel un oiseau, la porte de cage ouverte, l'infini devant lui, et il craignait qu'elle surgisse du néant et qu'elle le supplie de regagner… son perchoir. Geneviève l'aperçut, valises à ses pieds, imperméable sous le bras, et quelques larmes roulèrent sur ses joues. Remué, fort ému, Gilbert la serra dans ses bras.

– Ne me rends pas la tâche plus difficile, Geneviève. Je voudrais tant que l'on se quitte sur un sourire. Et puis, comme tu le disais hier, on se reverra, toi et moi.

– Peut-être, excuse-moi, Gilbert, c'est l'émotion. J'ai beau avoir une carapace, je suis une fille sensible, tu sais. Je ne suis pas ma mère! Bon, voilà que je recommence… Va, Gilbert, pars et sois heureux. Regarde, j'ai un sourire pour toi, un doux sourire, Gilbert.

Il la prit dans ses bras, l'embrassa sur le front, lui sourit et passa vite la porte avec ses affaires de peur qu'elle éclate en sanglots. Restée seule, plus forte, plus coriace face à tous ces déboires, Geneviève se dirigea vers la chambre de sa mère et, tel un rituel, elle posa à plat sur la commode la photo de Lucie dans les bras de Gilbert, deux visages devenus effacés. Le même geste qu'elle avait fait tant de fois. Avec de la peine pour eux, de la haine envers elle. Gilbert, au volant de sa voiture, regarda une dernière fois l'immeuble de l'Île-des-Sœurs et laissa échapper un soupir de soulagement. Non sans ressentir en plein cœur la peine de laisser derrière lui celle qu'il avait considérée comme sa fille. Il ferma les yeux, les rouvrit, et démarra pour emprunter l'allée. Sans savoir encore qu'il ne reverrait jamais plus Geneviève. Jamais. Même si elle lui avait promis qu'un jour… Même si, selon elle, le monde était petit. Geneviève, malgré lui, n'allait revivre que dans ses souvenirs.

Délivré mais dérouté, Gilbert ne savait guère où aller. Seul avec sa vie dans le coffre de la voiture, il n'osait se rendre au bureau de peur de l'affronter, de la revoir, de sentir dans ses yeux la haine et le mépris. Il songea même quelques instants à tout quitter, à se rendre à Toronto et à demander un poste au bureau-chef Rainbow. Mais il ne pouvait faire cet affront à son directeur qui lui faisait confiance depuis tant d'années. Il laissa la matinée s'écouler, prit un repas dans un restaurant d'un centre commercial et, vers quatorze heures, se décida à composer le numéro des Immeubles Arc-en-Ciel. Tout en masquant sa voix, il demanda si Marc Derouet était là. La réceptionniste, ne l'ayant pas reconnu, lui demanda: «Qui dois-je annoncer, Monsieur?» Pris au dépourvu, il répondit: «Un cousin. Un cousin de la Gaspésie.» Marc, fort surpris d'avoir un cousin dans cette région, prit l'appareil tout en continuant de rédiger un contrat.

– Marc Derouet, bonjour.

– Marc, c'est toi? Dieu merci, c'est Gilbert!

– Toi? Tu…

– N'ajoute rien. Tu es seul? La porte de ton bureau est fermée?

– Oui, oui, ne crains rien. Je suis le seul de retour du dîner.

– Écoute, Marc, tu sais peut-être déjà…

– Oui, je sais, tout le monde l'a su, Gilbert. Et elle ne s'est pas gênée pour déblatérer sur ton compte, crois-moi! Plus folle que ça… De toute façon, elle n'est plus là, Gilbert, ton calvaire est terminé.

– Que veux-tu dire?

– Elle a remis sa démission ce matin. Elle s'en va chez un concurrent. Elle repart à neuf, a-t-elle dit au directeur. Tu peux revenir quand tu voudras, tu ne la verras pas. Elle a déjà pris ses affaires, Gilbert; ça s'est fait comme l'irruption d'un volcan, et ce n'est pas moi qui la regretterai.

Gilbert n'osait en croire ses oreilles.

– Partie? Définitivement partie? À cause de moi, sans doute. Le directeur…

– T'en fais pas pour lui, ça ne l'a pas désarmé. Si j'étais toi, je l'appellerais dès cet après-midi. Tu vas voir que le départ de Lucie, ce n'est pas ce qui a dérangé Marois. Elle avait beau rapporter, il ne l'aimait pas. Mais toi, Gilbert, où es-tu? Où vas-tu aller à présent?

– Je ne sais pas, à l'hôtel, sans doute, jusqu'à ce que je trouve un appartement. J'ai toutes mes affaires dans le coffre de ma voiture. Un vrai bordel, tu devrais voir! Que mon ordinateur et mes valises avec mon linge pêle-mêle! Je suis parti si vite…

— Écoute, pourquoi ne viens-tu pas chez moi? Du moins, pour quelques jours?

— Voyons, Marc, tu n'as qu'un tout petit appartement à ce que tu dis…

— Qu'est-ce que ça change? Je n'ai pas dit pour la vie, Gilbert, mais pour quelques jours. Et je t'aiderai à chercher un appartement. Arrive, que je te dis! Tu verras, ce ne sera pas pire qu'avec Lucie.

Il éclata de rire, Gilbert en fit autant, mais ce dernier se refusait à incommoder de sa présence son meilleur ami.

— Écoute, Gilbert, appelle Marois dès cet après-midi, prends congé demain, c'est vendredi, et on aura la fin de semaine pour te dénicher un endroit. Tue ton après-midi, va au cinéma, va où tu voudras. À dix-huit heures pile, après mes deux visites pour des maisons, je te rejoins où tu voudras. On soupera ensemble, on causera et, après, on se rendra chez moi. Pourquoi l'hôtel quand on a un ami? Et ce n'est pas le fait d'être à l'étroit pour une nuit ou deux qui va te faire mourir, Gilbert.

— Bon, d'accord, c'est entendu, j'accepte. Je laisse passer une heure et j'appelle monsieur Marois. Pour le souper, que dirais-tu du restaurant chinois où nous allions de temps en temps? Tu sais, celui du Plateau, non loin de chez toi?

— Bon, ça m'arrange. J'y serai, Gilbert, compte sur moi. Si je retarde un peu à cause du second client, prends une bière ou deux, mais attends-moi pour la troisième!

— Comme ça, Lucie…

— Oui, mais gardons ça pour ce soir, veux-tu? Je te raconterai. J'entends les autres qui reviennent. À ce soir, le cousin de la Gaspésie!

Gilbert éclata d'un rire franc et raccrocha le récepteur. C'était la première fois qu'il riait de bon cœur depuis des mois. Et son rire quasi dément traduisait aussi le fait qu'il n'aurait plus jamais à rentrer le dos courbé… à l'Île-des-Sœurs.

Une heure plus tard, après avoir consommé une bière légère au même restaurant, il recomposa le numéro de la même cabine téléphonique, mais sans déguiser sa voix cette fois. La réceptionniste, femme d'un certain âge très affable, lui répondit: «Restez en ligne, Gilbert, monsieur Marois vient d'arriver.» Au bout de quelques secondes, le directeur prit l'appareil et l'accueillit par ces mots:

– Salut, Gilbert! Heureux de t'avoir au bout du fil, toi!

Quelque peu saisi par le ton, Gilbert répliqua, inquiet:

– Je suis navré, Monsieur Marois, jamais je n'aurais pensé…

– Qu'elle te quitterait? Tu croyais que c'était pour la vie, Lucie Chénart?

– Non, pas moi, mais son emploi. Je me sens responsable…

– Ne va pas plus loin, Gilbert. Lucie Chénart est partie? Bon débarras! Tu sais, ce n'est pas parce qu'elle avait une fiche dans les trois A qu'elle était indispensable. Dans un milieu comme le nôtre, et tu le sais, on arrive et on repart. C'est la règle du jeu. Tu es avec moi depuis assez longtemps pour le savoir, Gilbert. Tu es le doyen de mes représentants. Lucie, avec son caractère, ce n'était pas de tout repos. Tout le monde se taisait, mais personne ne l'aimait. Pas même les clients! Elle m'a souvent menacé avec ce concurrent et je lui ai toujours répondu qu'elle était libre, mais, orgueilleuse comme un paon, elle ne le répétait pas. Même à toi, Gilbert, j'en suis sûr! De toute façon, j'ai déjà deux candidats pour la remplacer. Avec ou sans elle, Arc-en-Ciel se porte bien malgré la baisse des ventes de maisons. En ce qui te concerne, ce n'est sûrement pas de mes affaires, mais être sorti de sa vie, c'est une bénédiction pour toi, Gilbert! Je n'ai jamais compris ce qu'un homme comme toi faisait avec elle! Ce matin, après sa démission, je lui ai donné deux heures pour quitter les lieux! Moi, quelqu'un qui étale sa vie intime en public, qui vide son sac sur le plancher, je prends le balai et je secoue ça vite dehors!

– Vous me rassurez, Monsieur Marois, je croyais, j'avais peur...

– Tu n'as rien à craindre, Gilbert. Les courtiers de ton calibre, je tiens à les garder. Depuis le temps... Écoute, prends congé, prends le temps qu'il faudra pour te remettre, pour t'installer ailleurs. Tu as des congés accumulés comme ça ne se peut pas! Profites-en, Gilbert, prends ça au ralenti, retrouve ton énergie et puis, après, reviens, ton bureau t'attend!

– Je ne sais comment vous remercier. J'ai vécu de durs moments...

– Oui, je sais! Remets-toi, Gilbert, reprends ton souffle et reviens-moi en forme. Là, il faut que je te laisse, j'ai un candidat qui m'attend pour son entrevue. Prends soin de toi, mon vieux, sors de tout ça, rentre au boulot après.

– Merci, Monsieur Marois. Je vais suivre vos conseils. Merci!

– De rien, Gilbert, salut et décompresse! À bientôt, mon vieux!

Et Marois avait raccroché. Ce cher Marois que Gilbert avait toujours considéré comme un père. Un homme de soixante ans qui lui avait appris, jadis, les rudiments de ce métier stressant. Un homme qu'il respectait infiniment.

Soulagé, heureux de la tournure des événements, Gilbert commanda une autre bière et la dégusta lentement tout en se détendant. Il tuerait la fin de l'après-midi au cinéma. N'importe lequel, le plus près, quitte à voir Dracula sur un écran géant. Libre, libéré de Lucie, libre comme le vent, il souriait d'aise, et une assez jolie femme qui passait prit ce sourire pour un flirt. Au point qu'elle baissa les yeux pour ensuite se retourner et lui rendre son sourire. Un si bel homme, seul, en plein après-midi, se voulait certes denrée rare pour toute femme à la recherche de l'âme sœur. Gilbert quitta les lieux, roula en voiture, s'arrêta quelques coins de rue plus loin, et rentra dans le premier cinéma aperçu. Mais sa tête ne prêtait aucune attention à ce film minable. Les yeux ailleurs, il revoyait Lucie, il entendait encore ses cris; il revoyait Geneviève, sa peine, ses larmes; il imaginait sa mère lorsqu'elle apprendrait que son fils n'était plus avec «l'autre». Puis il revit le doux visage de Mathilde, sa fleur sur l'épaule gauche, le dé au doigt, ses feuilles de musique. Il la revit dans ses pensées tout en sachant qu'un autre s'était immiscé dans sa vie. Il ferma les yeux et la petite maison de la rue Georges-Baril refit surface. Se secouant comme pour chasser ces images d'hier, il regarda sa montre et sortit du cinéma avant la fin du film. Un petit restaurant, un café, une ou deux cigarettes, et il emprunta lentement les rues le conduisant au restaurant du Plateau Mont-Royal. Fin juillet, jour chaud mais sans humidité, Gilbert avait vu passer, quelques jours plus tôt, l'anniversaire de son mariage sans en souffler un mot. Avec une pensée pour Mathilde et un sourire de commande pour Lucie. Mais là, délivré de cette femme qui était cause de son angoisse, seul dans sa liberté retrouvée, il se sentait rajeunir de dix ans. Il se sentait si bien; il se sentait renaître, revivre. Avec un soupir qui dépassait le soulagement. Il arriva au restaurant avant l'heure prévue afin d'obtenir la table ronde du coin que Marc et lui avaient tant partagée. Il commanda une bière pour tuer le temps mais, ô surprise, Marc arriva plus tôt qu'anticipé. Marc, fier, altier, souriant d'aise à son meilleur ami. Marc qu'il considérait et qui lui dit: «Je me suis libéré plus vite que je ne le pensais, mon second client s'est décommandé, sa femme était malade. Alors, me voilà! Tiens! Pourquoi pas une bière? J'ai soif, il fait si chaud!»

Assis l'un en face de l'autre, Gilbert allait questionner Marc lorsque ce dernier le devança:

– On prend le riz frit et le *Chicken Soo Guy* à deux, Gilbert?

– Dis donc, tu n'as rien oublié de nos repas traditionnels, toi!

– Bien sûr que non! Avec un peu de vin?

– Non, pas vraiment, je préfère continuer avec la bière.

Ils commandèrent et, cette fois, Marc ne put éviter les questions de Gilbert.

– Comment ça s'est passé ce matin? Qu'a-t-elle dit au juste?

– Heu… rien de bien important sauf qu'elle et toi, c'était fini.

– Non, Marc, va plus loin. Ce n'est pas que pour avoir annoncé notre rupture que Marois lui a donné deux heures pour débarrasser le plancher.

– Bon, Marois a parlé, à ce que je vois. Alors, je vais être franc, mais ce n'est pas à moi qu'elle s'adressait. C'est à peine si elle me regardait. Mais elle savait que j'écoutais et le ton était élevé, crois-moi. C'est à la réceptionniste et à la comptable qu'elle parlait. Plus facile de vider son sac entre femmes, tu comprends?

– Oui, oui, mais qu'est-ce qu'elle a dit?

– Que c'était fini entre vous deux, qu'elle t'avait mis à la porte, qu'elle en avait assez de te faire vivre et que…

– Que quoi? Ne te retiens pas! Ne la protège surtout pas!

– C'est toi que je veux épargner, Gilbert, pas elle!

– Je ne suis pas venu ici pour entendre que des bribes, Marc. Continue!

– Bien, elle a dit que tu étais un piètre amant, que tu ne valais rien dans un lit, que tu avais été l'homme le plus terne de sa vie. Elle a même dit: «Je me demande s'il sait quoi faire avec une femme!» Puis elle a ajouté…

– Ajouté quoi?

– Elle a dit: «Pas surprenant que sa femme n'ait pas eu d'enfants!»

Gilbert était blême de rage, rouge de honte, il regardait partout, se contenait, puis, regardant Marc, il lui dit en prenant son verre:

– Si tu savais tous les mots qui me passent par la tête! Je me retiens, Marc, ce serait indigne de mon vocabulaire. Mais jamais je n'aurais cru qu'elle puisse inclure Mathilde dans sa rage. Ça, je ne le lui pardonnerai jamais! Pour ce qui est du reste…

– Plus maudite qu'elle! s'exclama Marc.

– Non, ça ne vaut pas la peine de s'emporter pour elle, Marc. Laisse faire, le pire est passé. Lucie, c'est derrière moi, et s'il m'a fallu être invectivé de la sorte pour sortir de ses griffes, c'est mieux que d'être encore avec elle.

– Elle avait remis sa démission, elle avait le beau jeu, mais c'est là que Marois est intervenu pour lui donner deux heures pour quitter les lieux.

– Sans qu'elle l'envoie promener?

– Tu penses? Narquoise, elle lui a dit qu'il était trop généreux et qu'une heure lui suffirait pour quitter cet endroit qui lui donnait la nausée.

– Les collègues étaient là?

– Tout le monde était là, Gilbert, mais personne n'a trouvé ça drôle. Elle a tenté de te tourner en ridicule, mais elle est devenue le dindon de ses propres farces. Même la comptable et la réceptionniste l'ont trouvée infâme. Tu sais combien elles te respectent, n'est-ce pas? Et la réceptionniste, qui a vu neiger avec les ans, s'est écriée, lorsque Lucie est partie: «Il n'y a rien de plus sale qu'une langue qui veut se venger.» Mais juste avant de partir, elle m'a regardé; elle a failli me dire quelque chose, mais je pense que mon regard lui a fait peur. Si elle avait osé te démolir devant moi, Gilbert, je pense que je lui aurais sauté à la gorge. Tu sais, moi, les garces…

– Oui, je sais, mais ne parle pas si fort, on nous regarde. De plus, Marc, c'est vrai qu'elle m'a foutu à la porte, mais elle l'a fait juste au moment où elle a senti que j'allais lui dire que je la quittais. Sa fille s'en est rendu compte. Elle a griffé avant d'être mordue, si tu comprends ce que je veux dire. Elle me savait au bout du rouleau… Et puis, au diable! C'est fini, je respire, je reprends ma vie.

– L'as-tu vraiment aimée, Gilbert? Même quand tu as quitté…

– À toi, je vais le dire: non! Je n'ai jamais aimé d'amour Lucie Chénart. Je m'étais entiché d'elle, je l'admirais, j'étais en extase devant son savoir-faire, mais je ne l'ai jamais aimée. Pas surprenant que je n'aie pas été à la hauteur de ses atten-tes. Pas surprenant que je n'aie pas été «chaud lapin» comme elle le disait. Je n'ai jamais rien éprouvé pour elle. Du moins, sur le plan charnel… J'ai essayé, j'ai tenté, j'ai fini par simu-ler, je ne sais si tu comprends…

– Oui, je comprends, murmura Marc sans regarder Gilbert.

– J'aimais beaucoup sa fille, cependant. Geneviève, encore enfant, à seize ans, était plus femme qu'elle. Elle avait une tête sur les épaules, elle. Et c'est Geneviève que j'ai eu du mal à quitter, Marc. J'étais devenu son grand frère, son confident, son complice, presque son père.

– T'en fais pas, elle oubliera. Tout passe quand on a la vie devant soi.

– Sans doute, mais elle était très chagrinée. Enfin, comme je ne suis pas le premier à quitter le toit de sa mère… C'est sûr qu'elle s'en remettra, qu'elle m'oubliera avec le temps, mais moi aussi je m'étais attaché, tu comprends?

Marc acquiesça de la tête et, détournant la conversation de ce sujet qui l'ennuyait, il demanda:

– Et là, un appartement, le travail, le célibat… C'est ça?

– Quoi d'autre? Tu ne penses tout de même pas que je vais chercher ailleurs…

– Non, ce n'est pas ce que je voulais dire. Ce serait trop bête…

– Trop bête, non, mais j'ai de l'amour-propre, je ne suis pas un loup en quête… Et puis, laisse faire. Au fait, Mathilde t'a-t-elle déjà donné de ses nouvelles, Marc?

– Pour être honnête, une fois ou deux, je ne sais plus. Peu après votre rupture, Gilbert. Au bout du fil… Mais j'ai compris qu'elle ne tenait pas à entretenir de relation avec le passé. D'autant plus que la plaie était vive…

– Tu savais qu'elle fréquentait un médecin? Que c'était même très sérieux?

– Sans blague! Non, je n'en savais rien, tu me l'apprends! Je savais qu'elle travaillait dans une clinique, je te l'ai même appris, mais sans plus. Elle a donc fini par s'en remettre, par aller de l'avant…

– Oui, et je suis fier d'elle. Je savais que Mathilde ne se laisserait pas abattre. Et comme j'ai eu ma chance, à son tour d'avoir la sienne. Vivre et laisser vivre, Marc. Tout ce que je souhaite, c'est qu'elle soit heureuse.

– Comme c'est curieux, tu répètes exactement ce qu'elle m'a dit lorsque tu l'as quittée pour Lucie. Quel renversement! Quelle drôle de vie! Mais es-tu sincère, Gilbert, en affichant ne pas être… blessé?

– Heu… bien sûr, quelle question! De quel droit pourrais-je… Ah! changeons de sujet, veux-tu? J'ai déjà une dure journée dans le corps… Et sans parler d'hier… Si tu savais ce que j'ai traversé…

– Je sais, je m'en doute, n'en parlons plus. Tu as besoin de repos, Gilbert. On ne va pas moisir ici, non? Allons, prends ta voiture, suis-moi, on est à quelques rues de chez moi. Et là, avec un digestif, tu oublieras. Du moins, je vais m'efforcer de te changer les idées.

– Tu es sûr que ça ne t'embête pas? Je peux aller à l'hôtel…

– Ne recommence pas, Gilbert! J'ai de la place, je te l'ai dit! Et ça va me faire du bien d'avoir quelqu'un avec moi pour quelques jours. La solitude, tu sais…

– Oui, je sais, et je t'avoue qu'avoir été seul ce soir…

– Tu vois? Alors, plus un mot, suis-moi, le cognac nous attend!

C'était la première fois que Gilbert pénétrait à l'intérieur des murs de son ami Marc. Ils s'étaient toujours vus au restaurant ou chez Gilbert, où Mathilde l'invitait à souper. L'appartement de Marc n'était pas spacieux, mais fort propre et chaleureux malgré son décor insolite. Un salon muni d'un bar et de tabourets, une salle de bain, une cuisine et une chambre avec une commode, un placard et un lit à deux places. Gilbert prit place sur une chaise en rotin avec de moelleux coussins et Marc se fit une joie de verser le cognac dans des petits verres de simili-cristal noir.

– Sois à l'aise, Gilbert, dénoue ta cravate, enlève tes souliers, fais comme chez toi! Fais même le tour du propriétaire
sans moi! J'en profiterai pour te libérer une partie du placard
pour tes chemises et tes habits.

Pendant que Marc s'affairait afin que son invité jouisse
d'un confort appréciable, Gilbert, verre à la main, visitait les
lieux en jetant un regard qui se voulait discret. Par terre, un
chien de plâtre grandeur nature et une énorme potiche remplie
de fleurs séchées et de monnaie-du-pape. Aucun tapis, mais
un parquet vernis. Une causeuse, des chaises et une table de
rotin, des bibelots africains, une petite lampe et des revues
américaines. Sur les murs du salon, des cadres dont l'un ren-
fermait la photo du poète Jean Cocteau. Un autre affichait un
beau jeune homme, torse nu, sourire moqueur. C'était Marc,
au temps de ses vingt ans. Puis, au-dessus du bar, des affiches
laminées de films des années du noir et blanc. Une de Greta
Garbo dans le film *Susan Lenox*, une autre de Jean Harlow
dans les bras de Clark Gable et une troisième de Gary Cooper
et Lili Damita dans le western *Fighting Caravans* tourné en
1931. Rien que Gilbert connaissait, mais tout était inscrit sur
les affiches. Puis, plus petites que les précédentes, deux autres
affiches sur le mur derrière lui. Une de Mae West personni-
fiant la statue de la Liberté et l'autre de Marlene Dietrich
jouant les vamps dans le film *Arizona*. Sur une petite table, *Le
Penseur* de Rodin tournait le dos au *David* de Michel-Ange.
Un buste en plâtre de Louis II de Bavière, un autre de
Tchaïkovski, des fleurs de soie dans un vase, de l'encens, une
horloge avec une vieille réclame de Coca-Cola, des tapisse-
ries égyptiennes, bref, un méli-mélo d'objets d'art de tous les
continents, d'hier à aujourd'hui. Dans une petite bibliothèque, des livres épars, debout, couchés, mêlés les uns aux
autres. Des œuvres de Jean-Paul Sartre, un roman d'Anne

Hébert, un autre de Françoise Sagan, l'une des nombreuses biographies de Marilyn Monroe et un livre de recettes juste à côté des poèmes de Rimbaud. Un téléviseur, un magnéto-scope et, bien rangées, des cassettes vidéo titrées à la main, que Gilbert ne pouvait lire de loin. Une étrange atmosphère, mais chaleureuse tout de même. Un appartement de céliba-taire, quoi! Avec des goûts, des objets et des couleurs qu'il n'avait pas à partager avec qui que ce soit. Dans la salle de bain, un rideau de douche avec des hippocampes rouges, et sur les murs, des petits cadres japonais, un autre avec un chat dans une cuvette d'eau, et la photo la plus superbe de Bette Midler dans un cadre à bordures dorées incrustées de fleurs avec une vitre sans reflet. C'était on ne peut plus… époustou-flant! Mais Gilbert ne passa pas la moindre remarque. Tout en l'aidant à placer ses bas dans un tiroir de la commode de la chambre, Gilbert aperçut, au-dessus du lit, un homme musclé du temps de De Vinci avec une femme nue agrippée à son mollet. Sur l'autre mur, une toile abstraite aux teintes vives juste à côté d'une affiche couleur de John Travolta dans *Saturday Night Fever*. Sur sa vaste commode, la photo d'une vieille dame, sans doute celle de sa défunte mère, et une sta-tue de la Vierge tenant son enfant dans ses bras. Sans comp-ter de multiples brosses à cheveux, des eaux de toilette de Givenchy, des peignes et des sous noirs dans un cendrier en forme de scorpion.

– C'est un peu à l'envers, excuse-moi, je n'ai même pas fait mon lit ce matin, mais tout sera en ordre ce soir. Si j'avais su…

– Allons, ne t'excuse pas, c'est déjà gentil à toi de m'ac-cueillir.

– Tu veux grignoter quelque chose? J'ai des croustilles, du fromage, des biscottes, du chocolat belge…

– Non, rien, ça ira. On sort à peine de table, Marc.

– Tu aimerais voir un bon film? Je suis un collectionneur. J'ai tous ceux de James Dean, j'ai des comédies musicales…

– Non, je te remercie, je suis brûlé, épuisé. J'ai dormi sur un divan… Je ne me coucherai pas tard si tu n'y vois pas d'objection. Je suis encore en état de choc, et avec la bière et le cognac…

– Comme tu voudras, Gilbert. Le temps de changer les draps et je te laisse te reposer. Moi, si ça ne te dérange pas, je vais écouter Liza Minnelli en sourdine et me replonger dans mon livre sur les animaux préhistoriques.

– Rien ne pourra me réveiller, je te l'assure. Je dors debout, Marc! Et si je ronfle un peu, pousse-moi du pied. Ça m'arrive rarement, mais là, après avoir mangé et avoir bu, ça pourrait bien se produire!

– Arrête! Fais comme chez toi, Gilbert! Je suis si heureux de pouvoir te rendre service. Arrête d'être à la gêne! On est de vieux amis, toi et moi.

Marc s'empressa de rendre la chambre comme si c'était celle d'un hôtel. Abattu, épuisé, aux prises avec un vague à l'âme dans cette ambiance quelque peu sordide, Gilbert enfila le bas du pyjama que son ami lui avait prêté et, repu, s'endormit comme un loir dans le lit à deux places de Marc. Et ce n'est que plus tard, beaucoup plus tard, que Marc se glissa discrètement sur le côté qui lui était réservé. Sans faire de bruit, de peur de réveiller celui qui dormait à poings fermés. Il regarda Gilbert et fut pris d'une vive sympathie. L'ami de toujours avait, dans les traits, l'angoisse de l'homme qui avait souffert. Marc, habitué de prendre tout l'espace, se recroquevilla sur le côté qui n'était pas, de coutume, le sien. Et la nuit vint dissiper, dans le cœur de Gilbert, le stress des derniers jours, les virulents esclandres de Lucie et le doux souvenir de Mathilde qui lui torturait l'âme, au moment où il s'était endormi.

257

Lorsque Gilbert se réveilla, frais et reposé, Marc, levé plus tôt, avait déjà préparé le café et disposé deux couverts sur la table de la cuisine.

— Tu as bien dormi? demanda Marc à son ami qui s'étirait en souriant.

— Comme une marmotte! Ça faisait longtemps que je n'avais pas dormi comme ça. Je n'ai pas trop ronflé? Je n'ai pas trop rué du pied, j'espère?

— Absolument pas, tu n'as pas bougé, Gilbert. Je le sais, j'ai eu peine à fermer l'œil de la nuit…

— Ah vraiment? Habitué à dormir seul… Je savais que je dérangerais…

— Mais non, ce n'est pas ça… Je n'avais pas sommeil, j'étais… Mais ne va pas penser que tu me déranges, Gilbert. Au contraire…

— D'accord! trancha l'autre. Tu sais faire cuire un œuf au miroir sans crever le jaune?

Marc éclata de rire et prépara le déjeuner de son ami qui sauta vite sous la douche. Puis, après rasage, vêtu d'un peignoir de ratine que Marc lui avait prêté, il prit place à la table et se régala du déjeuner bien préparé.

— Sais-tu que tu n'es pas mal dans l'art de recevoir, Marc? Tu devrais ouvrir un *Bed and Breakfast* pour les touristes de passage.

— Va pour le *breakfast*, mais pour le *bed*, il n'y a que le mien, lui rétorqua son ami en riant.

— Bon, aujourd'hui, pas de temps à perdre. Il faut que je me trouve un appartement.

— Qu'est-ce qui presse? lui demanda Marc. Tu n'es pas bien à te faire servir comme à l'hôtel? Tu sais, moi, une semaine ou deux…

– Voyons! Tu es fou ou quoi? Tu es assez généreux comme cela, Marc. Mes affaires sont pêle-mêle dans mes valises, je ne retrouve rien… J'ai entendu dire que sur le boulevard Saint-Joseph, on louait des meublés.

– Comme tu voudras, Gilbert, mais je t'aurais gardé plus longtemps, tu sais. J'admets que ce n'est pas le paradis ici, mais ça t'aurait permis de prendre ton temps, d'être plus sélectif.

– Trop aimable, Marc, mais je vais quand même faire un tour de ville.

– Tu veux que je t'accompagne? Tu sais, à deux, on discerne beaucoup mieux.

– Heu… non, je préfère y aller seul. Je n'aime pas être influencé. Non pas que je doute de tes bonnes intentions, mais je sais déjà ce dont j'ai besoin pour un bout de temps. Plus tard, je verrai, j'achèterai peut-être un condo à Brossard ou à Longueuil. J'en ai tellement vendu dans ce coin-là.

Gilbert se rendit boulevard Saint-Joseph où il ne trouva rien qui vaille. Puis, d'un détour à l'autre, il se retrouva devant un luxueux immeuble d'Outremont où on lui fit visiter un superbe appartement du quinzième étage avec vue sur le Mont-Royal. C'était passablement cher, mais si huppé que Gilbert en fut impressionné. Tout était fourni, même la literie. Une suite d'un grand hôtel n'eût guère été plus belle. Gilbert parlementa quelque peu avec le surintendant qui préférait lui faire signer un long bail. Gilbert voulait régler au mois, ne sachant trop, dit-il, si on n'allait pas le muter à Toronto. Comme l'appartement était vacant depuis longtemps, il obtint gain de cause. Il finit par remporter la manche, sans bail, en réglant rubis sur l'ongle trois mois d'avance. On lui promit qu'il pourrait s'y installer dès le lendemain soir, le temps de rafraîchir un peu l'endroit, de refaire le lit, de dégager les meubles de la poussière. De toute façon, une femme de ménage était à son service une fois la semaine, moyennant cent dollars de plus, ce que Gilbert accepta sur-le-champ. De retour chez Marc en fin d'après-midi, il rendit compte de sa trouvaille, décrivant les lieux, le confort, le service, et son ami s'exclama:

– Dis donc! Tu n'y es pas allé avec le dos de la cuiller à ce que je vois! C'est un appartement de luxe que tu me décris là! À côté de mon réduit... J'ai presque honte de t'héberger encore une nuit.

– Ne sois pas ridicule, Marc, c'est très bien chez toi, c'est chaleureux, ça te convient...

– Ce n'est pas avec ce que je gagne que je pourrais m'offrir mieux!

– Voyons, Marc! Depuis le temps, tu aurais pu t'acheter un condo, non? Ce n'est pas de mes affaires, mais ton train de vie, les boîtes branchées de la rue Saint-Denis, les restaurants...

– Je n'abuse pas, Gilbert, je vis! Quand on est seul, quand on ne veut pas moisir entre ses murs...

– Je ne te le reproche pas, Marc, mais avoue que c'est un choix. Être agent immobilier et habiter encore à loyer, c'est assez inusité, tu ne trouves pas?

– Peut-être, sans doute même, mais ça m'arrange. Pas de responsabilités... Au fait, tu veux qu'on mange à la maison ce soir? Je sais faire cuire un steak, Gilbert! Pas seulement des œufs au miroir! ajouta Marc en riant de bon cœur.

– Je t'avoue que j'en ai marre des restaurants, mais je ne veux pas que tu prépares quoi que ce soit. Si ça te convient, on commande une grosse pizza, de la poutine et une caisse de bière. Après, si tu as un bon film que je n'ai pas vu, on le regarde. J'ai besoin de me détendre, Marc. Après ce que j'ai vécu avec Lucie… Quand je pense qu'il m'a fallu tout ce temps…

– Oublie-la, n'y pense pas, Gilbert, ne gâche pas ta soirée. Ton idée m'emballe et tu auras le choix du film. Tu n'auras qu'à fouiller, moi, je les ai tous vus.

– Quel est l'intérêt si tu les as tous vus? Dans ce cas-là, choisis-le, toi.

Heureux de se retrouver temporairement avec un autre «célibataire», Marc Derouet mit la main sur un film de sa section noir et blanc et s'écria:

– Je suis certain que tu n'as jamais vu *The Outlaw* avec Jack Beutel et Jane Russell. C'est l'un des premiers films de Howard Hugues. Tu sais, celui qui, devenu fou, avait peur des microbes? C'est lui qui a découvert Robert Mitchum…

– Bon, ça va, Marc. Non, je n'ai jamais vu ce film et ça ira, répondit Gilbert qui se rappelait à peine du nom de Jane Russell, sans même être capable de lui coller un visage.

Ils mangèrent tout ce qu'ils avaient commandé et vidèrent chacun au moins cinq bières tout en regardant le film ennuyant que Marc avait choisi. Délivré du «navet» cinématographique de Howard Hugues, Gilbert regarda le bulletin de nouvelles en acceptant le digestif que Marc lui offrait pour faire passer en douce le *junk food*. Il était tout près de minuit lorsque Gilbert, bâillant au nez de son ami, manifesta le désir d'aller se coucher. Marc, mal à l'aise, lui dit:

– Tu sais, le bas de pyjama d'hier, je l'ai lavé, j'ai oublié de le faire sécher, il est encore humide…

– Pas d'importance, lui répondit Gilbert, j'ai un sous-vêtement propre dans ma valise, ça ira. Je m'excuse, mais j'ai sommeil, Marc. À vrai dire, je me sens un peu éméché après toutes ces bières.

– Fais comme chez toi, Gilbert, je te l'ai dit, hier. Couche-toi, moi, je prends juste un dernier verre et je vais regarder le début d'un *late movie* à la télé. Ça ne te dérange pas, au moins?

– Fatigué comme je le suis, ce n'est pas le son de la télévision qui va m'empêcher de dormir.

Gilbert se coucha et n'eut pas à compter de moutons pour sombrer dans un sommeil profond. Buvant une dernière bière, Marc regarda le film le temps des trente premières minutes. Ça l'ennuyait terriblement. Un film de guerre avec John Wayne. Le genre de film qu'il n'aimait pas, l'acteur non plus.

Il devait être aux environs de deux heures du matin lorsque Gilbert, sortant momentanément d'un sommeil pourtant lourd, sentit une main sur sa poitrine velue, un pied qui se glissait sur son mollet. Se réveillant avec peine sans pour autant bouger d'un pouce, il sentit que la main se faisait plus pressante, plus audacieuse sur sa poitrine, son ventre, pour lentement descendre… Ce faisant, il sentit le souffle de Marc dans son cou. Un souffle haletant, haleine de bière et de tabac s'y mêlant. Se dégageant, il se leva d'un bond et, figé, demanda à Marc qui le regardait les yeux grands ouverts:

– Que fais-tu là, Marc? Dis-moi que je rêve, que ce n'est pas vrai?

L'autre, cachant son visage dans l'oreiller, recouvrît vite du drap froissé son long corps dénudé. Puis, enfoui dans la plume, sons à peine perceptibles, il murmura:

– Excuse-moi, Gilbert, je ne voulais pas… C'était plus fort que moi.

Gilbert enfila vite son pantalon puis, ouvrant la lumière, demanda de nouveau:

– Plus fort que… Donc, je ne rêvais pas? Marc, es-tu… Serais-tu?…

Son ami, dégageant son visage de l'oreiller qui le couvrait, lui répondit de sang-froid:

– Oui, Gilbert, je suis… Je suis ce que tu sais maintenant. J'ai tenté de résister, mais ça fait des années que tu… Et je n'ai pas dormi de la nuit dernière parce que je me retenais tout en cherchant à voir… Et j'ai vu… Ça m'a mis dans tous mes états, j'avais des palpitations, j'ai fini par m'endormir de peur… Et puis, à quoi bon! Reprends le lit, Gilbert, je coucherai sur le divan. On ne va pas en faire un drame…

– Peut-être, Marc, mais j'aimerais qu'on vide la question. Jamais je ne me serais douté… Je ne peux pas le croire, Marc! Tu es… Tu as toujours été…

– Bon, tant qu'à jouer avec les mots, tant qu'à avoir peur de les prononcer, va au salon, j'enfile ma robe de chambre et je te vide mon sac, Gilbert! J'ai gardé ça pour moi pendant trop longtemps. Je suis navré que tu l'aies appris d'une telle façon, je m'en excuse encore, mais je n'y pouvais rien, je n'en pouvais plus… Avec la bière, le cognac, je… je… Je ne suis qu'un être humain, Gilbert. Ah! bon Dieu! Qu'est-ce que j'ai fait?…

– Rien de grave, Marc, lui répondit Gilbert pour le rassurer, le sortir de son embarras. Je suis un ami, non? Je ne suis pas offensé, Marc, juste surpris. Toi, tu as besoin de te confier, je le sens. On fait du café, on chasse les derniers effets de l'alcool, puis on parle, toi et moi. Je sens que tu en éprouves le besoin.

– Un jour de plus et je n'aurais rien eu à t'expliquer, Gilbert. Si tu savais comme je m'en veux… Mais là, c'est fait, le chat est sorti du sac, tant pis pour moi. Tout ce que je te demande, Gilbert, c'est de chercher à me comprendre. J'aurais préféré…

– Ne dis rien de plus pour l'instant, je prépare le café, on s'assoit à la table et là, j'écouterai ce que tu voudras bien me dire. Mais arrête de t'excuser, arrête de serrer les poings, arrête de t'en vouloir, Marc.

En pleine nuit, assis dans le salon, passablement dégrisés, la cafetière à côté d'eux, aucun des deux n'osait parler; c'est Gilbert qui se permit de rompre la glace:

— Je ne comprends pas encore que tu aies pu penser un instant que moi, un ami de longue date, j'aurais pu… Voyons, Marc, tu me connais pourtant!

— Oui, mais tu es si introverti, Gilbert. Tu as toujours évité les propos intimes…

— Bien sûr! L'intimité des gens ne regarde personne. Je suis pudique sur ce sujet, Marc, mais ce n'est sûrement pas la raison qui t'a poussé…

— Tu veux savoir ce qui m'a poussé, Gilbert? Eh bien, je vais te le dire! Lorsque j'ai entendu tout ce que Lucie a dit de toi en tant que mâle, lorsqu'elle a presque crié que tu n'étais pas «chaud lapin», que tu ne savais pas quoi faire avec une femme, j'ai pensé… Non, j'ai espéré de tout mon cœur que mon cas soit le tien! J'ai cru, malgré les apparences, que tu étais peut-être de ceux qui, tout comme moi… Bref, j'ai souhaité et j'ai osé…

— Marc! J'ai été marié durant vingt ans! Tu es venu chez moi si souvent!

— Oui, je sais, mais encore là, Mathilde et toi étiez si distants… Jamais je ne t'ai vu l'embrasser devant moi… Et comme vous n'aviez pas d'enfants…

— Tu as cru que parce que nous étions réservés, que nous n'avions pas d'enfants… C'est incroyable, Marc! Finalement tu t'es laissé influencer par les propos négatifs de Lucie, à ce que je vois! De ta part, ça me déçoit, ça me déçoit terriblement, Marc! J'étais marié, Marc! J'étais heureux!

– Marié, marié… Puis-je te faire une confidence, Gilbert?

– Vas-y, je ne demande pas mieux!

– Ça va te surprendre, mais qu'ai-je à perdre maintenant? À l'âge de dix-neuf ans, j'ai été l'amant d'un homme marié qui avait trente ans de plus que moi. Un homme avec des enfants, Gilbert! Un homme qui était mon patron et qui m'entretenait de cadeaux et de belles promesses. Des cadeaux que je remboursais dans un motel ou une chambre d'hôtel. Notre relation n'a duré qu'un an, pas plus. Je n'en pouvais plus d'avoir à le partager avec sa femme et sa famille. Alors, marié, divorcé, séparé, ce n'est pas une référence, tu sais. Ne l'ai-je pas été, moi?

– Marc, je ne t'ai jamais fait aucune allusion, moi! répondit Gilbert plus indigné par la suspicion que par les avances qu'il venait de subir.

– Oui, tu as raison, mais comme tu as toujours été secret… Et puis, permets-moi d'être franc, Gilbert, mais je t'aimais. Je t'ai toujours aimé…

Gilbert, face à cet aveu qui lui causa un choc, ne savait plus quoi dire. Mais, passant outre à ce cri du cœur, ne pensant qu'à lui sans s'arrêter sur le drame de son ami, il poursuivit sur le même ton:

– Tu me déçois beaucoup, Marc! Et ce n'est pas parce que Lucie a déblatéré sur mon compte qu'il fallait déduire… Désolé, mais je ne mange pas de ce pain-là! Et, ne t'en déplaise, je suis normal, moi!

Marc avait détourné la tête et Gilbert se rendit compte qu'il l'avait offensé.

– Excuse-moi, ce n'est pas ce que je voulais dire. Je n'ai pas à te juger, mais avoue que ta conduite…

– Que toi, Gilbert! Que ton indignation, que ton mépris face au soupçon… Depuis le début de notre conversation, tu n'as même pas cherché à savoir ce que je ressentais, moi, dans cette peau qui m'a toujours rendu malheureux. Que toi, Gilbert, que ton jugement même si tu t'en défends. Qu'importe que je sois mal à l'aise, que je sois dans une impasse. Que toi, Gilbert!

– Tu as tort, Marc. Si seulement, depuis toutes ces années, tu avais eu le courage de te dévoiler, de m'avouer qui tu étais… Je t'en veux de n'avoir pas été franc avec moi, Marc. Voilà ma déception la plus amère. Tu connais ma discrétion, pourtant? Jamais je n'aurais révélé ce secret à qui que ce soit, pas même à Mathilde, Marc! Et tu serais resté mon ami quand même!

– J'en doute, Gilbert, je ne suis pas sûr que tu aurais compris.

– Si telle est ton opinion de moi, alors, permets-moi d'être en rogne, de m'élever un peu contre toi. Comment peut-on oser, avec un fidèle ami, se permettre un tel geste sans lui demander son avis? C'est un manque flagrant de respect, Marc, et si tu t'étais servi de ta tête au lieu de ta main… T'ai-je seulement donné l'impression au cours de toutes ces années d'avoir de telles tendances? Ça se passe comme ça chez les gars comme toi, on empoigne, on prend une chance, la marchandise est là?

Marc avait baissé la tête. Délaissant son café pour une bière, il marmonna:

– Je ne sais plus quoi dire, Gilbert, je t'aimais, j'ai perdu la tête…

– Tu m'aimais, tu m'aimais… Allons, Marc! Je ne suis quand même pas dingue! Dans ce milieu, c'est physique, c'est purement charnel, c'est un corps que l'on veut, pas un cœur! Tu me désirais, Marc, que ça! Aimer, c'est ressentir ce que je ressens encore pour Mathilde, tu comprends?

Marc, entièrement démoli, cherchant à s'enivrer dans la bière, regardait par terre et n'osait plus rien dire. Constatant son malaise, Gilbert enchaîna:

– Bon, ça va, oublions l'incident et parlons sérieusement, Marc. Parle-moi de ton mariage à vingt ans avec Barbara, ton Anglaise. Est-ce pour ça…

– Ne va pas plus loin, tu as tout deviné. J'ai épousé Barbara parce que je pensais qu'avec elle, j'aurais pu m'en sortir. C'est bête, mais c'est comme ça. Nous n'avions jamais fait l'amour ensemble. Ce fut une courte fréquentation et je l'ai épousée sur les instances de ma mère. Que Dieu ait son âme, mais je suis sûr, Gilbert, que ma mère était au courant de mes attirances. Toutes ces nuits à l'extérieur avec mon patron… Mais pour la famille, pour la maudite famille, pour éviter la honte, elle m'a presque jeté de force dans les bras de cette fille!

– Ce qui n'était guère honnête de ta part, laisse-moi te le dire…

– Pas de réprimandes, surtout! Pas sur le passé, Gilbert, je n'étais qu'un enfant! Un gars de vingt ans, tourmenté, déboussolé, mêlé, *fucké*! Parce que je savais que j'avais des préférences, tu comprends? J'avais déjà vécu…

– Et tu as quand même cru que Barbara serait une bouée?

– Peut-être, mais pas un paravent, du moins… J'étais le premier homme de sa vie. J'ai pensé, idiot que j'étais, que je pourrais être à la hauteur, lui faire un enfant… Parce que j'aimais les enfants, Gilbert! Je pensais même qu'il me serait possible de mener une double vie sans la blesser, sans qu'elle le sache. J'ai pensé, à vingt ans, qu'on pouvait être bisexuel si on s'en donnait la peine. Fallait être naïf, n'est-ce pas? Mais avec ma mère à mes trousses… Le hic, c'est que je n'ai jamais été capable de faire l'amour avec elle. Je n'avais pas d'érection,

Gilbert! J'avais beau me concentrer, elle avait beau m'aider, peine perdue! Et crois-moi, lorsque nous nous sommes quittés, Barbara a cru dur comme fer que j'avais un problème de «santé» de ce côté. Sa famille ne m'a pas blâmé, elle non plus. Sans enfants, on redevient vite des étrangers, tu sais. Quatre mois et c'était fini. Elle voulait persister, mais j'ai fait mine d'être déprimé, à deux pas du suicide, et elle m'a quitté pour me sauver la vie. Je ne l'ai jamais revue. J'ai appris plus tard qu'elle s'était remariée, qu'elle avait eu des enfants et j'étais soulagé pour elle. Mais moi, deux semaines après notre divorce, j'ai payé le médecin qui avait déclaré que j'avais un trouble de «santé»… en nature. C'était ça ou j'étais dénoncé. Le médecin, un vieux bouc, savait, lui, ce qui n'allait pas dans mes relations. Il le savait si bien qu'il m'a prouvé que je n'avais aucun problème d'érection lors de ma toute première visite. Un cauchemar que je n'ai jamais oublié, Gilbert! Et à partir de là, bouche cousue, retenue totale, jusqu'à ce que ma mère ferme les yeux à tout jamais deux ans plus tard. La mère partie, j'ai enfin repris ma vie là où je l'avais laissée avant mon mariage. Que des aventures, Gilbert, que des passions d'un soir… Je n'ai jamais voulu d'un engagement à long terme.

– Je ne comprends pas, Marc. Et les deux autres, les filles dont tu parlais?

– Maryse et Johanne? Elles n'ont jamais existé, Gilbert. C'étaient des alibis, des noms fictifs appris par cœur pour que mon statut n'entrave pas ma carrière.

– Voyons, Marc! Nous n'étions plus en 1950! Plusieurs… plusieurs s'affirmaient.

– Pas moi, Gilbert! Pas moi, parce que je ne l'acceptais pas. Je ne m'acceptais pas et je ne m'accepte pas encore. À cause de ma mère, je ne m'accepterai jamais, je crois. Et Dieu merci que mon père n'était plus de ce monde! Comme j'étais fils unique, la famille, comme elle disait, c'étaient les oncles, les tantes, les cousins, les cousines. Imagine, Gilbert! De la parenté que je n'ai jamais revue après le décès de ma mère. Mais, pour revenir à moi, malgré ma mère et la parenté, je n'acceptais pas d'être marginal. Et je me disais que les homosexuels ne pouvaient s'immiscer dans le monde dit «normal». Et comme je n'étais pas du genre à me joindre aux ghettos ou au «milieu» comme on dit, j'ai introduit «Maryse» et «Johanne» dans ma vie fictive. J'avais encore en tête les yeux de ma mère qui refusait que son fils ne soit pas un homme. J'ai joué la comédie, je suis passé à côté de belles histoires et j'ai préféré les rencontres d'un soir dans un milieu *straight*. Et crois-moi, on en trouve partout des types comme moi, mariés ou pas.

Défait, perplexe, Gilbert ne savait plus quoi dire. Il plaignait Marc de tout son cœur, mais, malgré lui, il lui en voulait d'avoir pensé que d'un geste... Il lui en voulait d'avoir osé songer qu'il eût pu être comme lui. Et il lui répugnait d'avoir été aimé d'un homme à son insu. Son orgueil de mâle, quoi! Son meilleur ami qu'il invitait à sa table au temps de Mathilde. Gilbert était en furie d'avoir été invité pour une nuit ou deux dans le seul but d'être sa cible. Lui qui croyait en sa générosité. Peu «chaud lapin» quoique normal, il ne pouvait composer avec ce qui, pour lui, était désordonné.

– Tu ne dis plus rien, n'est-ce pas? Tu me méprises, franchise ou pas, non?

– Je ne te méprise pas, Marc, mais je t'avoue que si j'avais eu le moindre doute sur tes intentions, je serais allé coucher à l'hôtel. Je ne serais pas venu ici...

– Ce qui revient à dire que tu ne me pardonnes pas cette faiblesse.

– Te pardonner, oui, te comprendre, non. Avec moi, Marc? Éméché? N'était-ce pas voulu pour profiter de la situation?

Tu ne m'as pas souillé, Marc, tu as tout simplement trahi notre amitié. Tu n'as même pas eu le courage de me l'avouer pendant toutes ces années. Pourquoi, Marc?

– Parce que tu n'aurais pas compris, Gilbert. Pas plus que ma mère!

– Bon, puisque c'est ce que tu penses, n'en parlons plus, Marc. Retourne te coucher. Moi, je vais boire du café et dès le lever du jour, je partirai.

– C'est ça! Avec la rage au cœur! Avec un dépit, avec du fiel sur la langue!

– C'est mal me connaître, Marc. Je partirai pour que tu comprennes que tu t'es royalement trompé sur mon compte! Le seul fait que tu aies pu croire…

– Si je t'ai offensé à ce point, Gilbert, je ne te retiens pas! Je sais que je me suis trompé, je me suis excusé, je t'ai raconté ma vie, je ne peux rien faire de plus! De toute façon, discret ou pas, je m'en moque, Gilbert! Tu veux savoir pourquoi j'ai toujours été à loyer? Je vais te le dire! C'est parce que je savais qu'un jour viendrait où j'aurais à partir. Ça fait longtemps que je songe à m'exiler et ce faux pas m'en donne enfin la chance. Lundi, je démissionne, je quitte la compagnie, je déménage, je m'en vais vivre à Vancouver!

– Ne prends pas le mors aux dents, Marc. Je t'assure de ma discrétion la plus totale. On est des amis, oui ou non? Je te jure sur mon honneur que je vais toujours agir comme si rien ne s'était passé. Ça te rassure?

– Ça pourrait certes me rassurer, mais mon idée est faite, Gilbert. J'ai un ami à Vancouver qui me téléphone depuis des mois pour que je joigne les rangs de la compagnie où il travaille. C'est en informatique et comme j'ai quelques notions de base… Je ne pars pas de peur, Gilbert, mais je veux poursuivre ma vie ailleurs.

– Libre à toi, mais avec un ami qui t'attend, je me demande pourquoi tu te mets martel en tête... Pourquoi cette tentative avec moi?

– C'est bien simple, Gilbert, je ne l'aime pas, lui! Mais là-bas, loin de tout, dans un monde où il me sera permis d'être enfin plus ouvert... Puis j'ai trente-neuf ans, Gilbert! Le temps se fait précieux pour les emplois de calibre. Je n'ai jamais aimé l'immobilier, j'y restais faute de mieux, j'y restais pour... Bah! Oublie ça... Ça n'a plus d'importance. Je pars, je démissionne, j'ai tout à gagner, rien à perdre. Ici, dès demain, c'est la mort lente si je reste.

Gilbert, pas trop psychologue, encore en état de choc, se contenta de répondre:

– Bien, comme c'est là, je pourrai dire que j'ai traversé une maudite semaine! Lucie, la fin de mes ennuis, toi, mon meilleur ami, ma mère qui ne sait rien...

En quelques secondes, malgré l'aveu plus que troublant, il venait d'oublier Marc, ses déboires, son état d'âme et la vie sans ressources, sans issue qui l'attendait. Puis, se reprenant, comme si Marc Derouet ne partait qu'en voyage, il demanda:

– Tu vas m'écrire de temps en temps, j'espère? Vancouver, ce n'est pas le bout du monde.

– Sans doute, lui murmura l'ami qui s'attendait, certes, à un peu plus d'appui.

Le jour se leva et Gilbert quitta l'appartement de Marc en lui disant:

– On se reverra lundi et pas un mot sur ce malentendu. Tu le jures, toi aussi?

Marc venait de comprendre que Gilbert craignait beaucoup plus pour sa réputation que la sienne, dans ce serment qu'il quémandait. Prenant ses affaires sans même tendre la main à son ami, Gilbert se réfugia dans un hôtel pour la journée et emménagea dans son luxueux appartement le soir venu.

Le lundi, ayant fait la grasse matinée, ce n'est que vers treize heures que Gilbert se présenta au bureau où monsieur Marois l'attendait. Sombre, les traits un peu crispés, le directeur lui dit:

– Marc Derouet a remis sa démission ce matin. Il a une offre à Vancouver.

– Marc? Pour quelle raison? lui demanda Gilbert, inquiet.

– Pour un meilleur salaire de base, m'a-t-il dit. Il est déjà parti, Gilbert. Tu savais qu'il allait nous quitter?

– Heu… non. J'en suis surpris… Je ne comprends pas…

– Moi non plus, mais avec Lucie et lui, c'est deux courtiers que je perds coup sur coup. Heureusement que j'ai d'autres candidats. Marc Derouet ne sera pas une grosse perte. Il n'avait pas la bosse des affaires. Mais tout de même! Et ne viens pas me dire que tu t'en vas, toi aussi, Gilbert!

– Voyons, Monsieur Marois! Comme si j'étais du genre à vous quitter de but en blanc!

Gilbert était embarrassé. Il se demandait si, à son départ, Marc ne l'avait pas ravalé comme l'avait fait Lucie. Mais il fut soulagé lorsque la réceptionniste lui dit: «Il doit y avoir une histoire de femme dans cette affaire. Je le lui ai murmuré et il a souri, le célibataire! Il a même rougi! Ah! ce que l'amour peut faire!» L'après-midi même, alors qu'il était seul dans son bureau, Gilbert téléphona chez Marc et se buta à un répondeur. Il insista dans son message, allant jusqu'à lui dire: «Rappelle-moi, Marc, je sais que tu es là!» Le lendemain, il essaya une seconde fois, mais une voix lui répondit qu'il n'y avait plus de service au numéro qu'il avait composé. Il attendit un jour de plus et, voulant tirer les choses au clair avant de regagner Outremont, il fit un détour par le Plateau et se trouva face à un appartement vide. Le concierge l'avisa même que les lieux étaient à louer. En quatre jours, démission incluse, Marc Derouet avait quitté, tout emporté, affiches laminées et bustes de plâtre compris. Un départ précipité en deux temps, trois mouvements! Ce qui avait certes grugé toutes ses économies! Gilbert n'en revenait pas et, regagnant son appartement, il se disait: «Bah! Je suis sûr qu'il m'écrira dès qu'il sera à Vancouver.» Et Gilbert, oubliant Marc et ses malheurs, songea qu'il était temps qu'il prévienne sa mère de sa rupture avec Lucie. Il se demandait quelle attitude adopter, quels mots employer pour qu'elle ne le sente pas trop seul. Il craignait que la rupture devienne la risée de son frère, le point d'interrogation de sa mère. Avouer un échec, perdre la face, c'était presque avouer… ses torts. Ce soir-là, couché dans ce grand lit duquel il voyait le Mont-Royal, Gilbert était songeur. Non pas pour lui, mais pour Marc et son désarroi. «Bah! on verra bien quand il m'écrira» marmonna-t-il. Mais, sans s'en douter, sans le savoir encore, Gilbert n'allait plus jamais avoir de nouvelles de son meilleur ami. Pas une seule lettre! À l'instar de Geneviève, Marc n'allait plus lui donner signe de vie. Parce que Gilbert Authier, introverti quoique gentil, faisait partie de ces hommes qui passent… et que le cœur oublie.

Que d'imprévus, que d'événements étaient survenus en cette fin d'été sans que Mathilde en sache rien. En ce jour de septembre, celui où Gilbert l'avait quittée l'an dernier, Mathilde était songeuse. Daniel occupait certes sa «nouvelle vie», elle ébauchait des plans d'avenir avec lui, mais le passé, toutes ces années avec Gilbert refaisaient surface sans qu'elle puisse en chasser les images. Et ce, malgré sa mère qui lui disait encore: «Quand je pense à ce bon à rien! Et quand je vois d'ici ma fille chérie au bras d'un médecin… Le bon Dieu est bon pour toi, Mathilde, tu devrais le remercier à genoux!» Mais même dans les bras de Daniel, il lui était impossible de tout oublier et de ne pas apercevoir, parfois, le visage de «l'autre». Gilbert qui, avec le temps, était devenu «l'autre», après avoir été «celui»… à qui elle avait consacré sa vie. «L'autre», tout comme cette femme qu'elle appelait encore «l'autre» et qui le lui avait ravi. Journée morose, journée mélancolique, mais, heureusement, les lendemains semblaient toujours un peu plus souriants. Mathilde, retrouvant sa gaieté, sa fraîcheur, se rendit en toute quiétude offrir un tour de chant dans une résidence pour personnes âgées. Car c'était dans le chant, dans ces petits récitals intimes, qu'elle vivait ses plus doux instants. Elle avait même réussi à apprivoiser *Le temps qu'il nous reste*, chanson fétiche de ces cœurs qui battaient encore à deux et que les esseulés n'avaient pas oubliée. Chantant, souriant à l'une comme à l'autre, Mathilde les étreignait, les embrassait en les serrant sur sa poitrine. Ces êtres du début du siècle qui réclamaient sans cesse des refrains de leur jeunesse. Mais Mathilde sentit son cœur se rompre en deux lorsque la plus jeune d'entre ces vieilles lui demanda, avec une larme de tristesse: «Vous connaissez *Tombe la neige*, Madame Authier?»

Deux jours plus tard, était-ce le fait qu'on l'ait appelée «Madame Authier», le téléphone sonna et c'était sa belle-mère, la doyenne de ce nom qui, prenant de ses nouvelles, lui apprit sans le moindre détour:

— Tu sais, Mathilde, c'est fini entre Gilbert et elle. Il l'a quittée.

Mathilde fut secouée et, ne sachant que dire, elle rétorqua impulsivement:

– Pour une autre, Madame Authier?

– Voyons, Mathilde! Tu devrais connaître Gilbert, depuis le temps... Mon fils n'est pas un coureur de jupons. Non, Mathilde, pour personne d'autre. Gilbert vit seul en appartement. Il tente de ramasser sa vie, du moins, ce qu'il en reste. Mais je sens qu'il n'est pas heureux, qu'il se cherche. Si tu savais comme ça me brise le cœur. Il y a de ces ravages que seule une mère...

Et madame Authier avait éclaté en sanglots. Puis, retrouvant son calme:

– Mais tu n'y es pour rien, Mathilde, c'était son choix, son... son erreur.

Mathilde avait peine à contenir l'émotion qui lui fendait le cœur.

– Je suis certaine qu'il s'en remettra. Gilbert a une force... Dites donc, Pierre-Paul et Rachel sont au courant de cet échec?

– Bien sûr, Mathilde, et ils en bavent de joie. Ah! ces deux-là! Si Pierre-Paul n'était pas mon fils... Quant à elle, c'est toujours le couteau dans la plaie. Elle me parlait de Gilbert comme s'il s'agissait d'un étranger. Elle ne se rendait même pas compte qu'elle s'adressait à sa mère. Plus inconsciente que Rachel... Et quelque peu méchante, tu sais! On ne parle pas du frère de son mari comme s'il s'agissait d'un vaurien!

– Je vous comprends, Madame Authier, mais comme vous dites, son inconscience...

– Je suis surprise qu'elle ne t'ait pas appelée avant moi. Tu n'en savais rien, Mathilde?

– Non. Vous savez, Rachel et moi, c'est le silence le plus total depuis un différend. Je l'ai rappelée à l'ordre un certain jour et, depuis, elle ne m'a jamais rappelée. À vrai dire, c'est aussi bien comme ça, Madame Authier!

— C'est dommage, je n'aime pas voir la famille se dissoudre ainsi, mais je me dois de t'approuver, Mathilde. Rachel et Pierre-Paul ont tendance à vouloir tout gérer. Même Sophie ne leur donne plus signe de vie.

— Au fait, comment va-t-elle?

— Elle m'écrit, elle me dit que tout va bien, mais elle semble vouloir s'en tenir qu'à son divorcé et sa marmaille. Aucune invitation de sa part et, fait curieux, elle ne s'informe de personne ni de rien, sauf de ma santé. Bah! En autant qu'elle soit heureuse... Et toi, Mathilde? Toujours en voie de refaire ta vie avec le docteur Primard?

— Heu... oui, ça va bien, nous y pensons, mais rien de précis avant l'an prochain. Pour l'instant, c'est une belle fréquentation.

— Très heureuse pour toi, lui répondit madame Authier, sans la moindre conviction dans la voix. Bon, je te quitte, Mathilde, et prends bien soin de toi. Si l'envie te prend, ne te gêne pas pour me rendre visite. Jusqu'à nouvel ordre, je suis toujours ta belle-mère, tu sais.

Après les politesses d'usage, Mathilde avait raccroché. Perplexe, plus songeuse que jamais, la nouvelle de la rupture de Gilbert l'avait surprise et chagrinée. Elle était désolée d'apprendre que celui qu'elle avait aimé n'avait pas trouvé le bonheur avec «l'autre». Celui qui, songeait-elle, «étouffait» avec elle. Mais faisant contre mauvaise fortune bon cœur, elle se disait que Gilbert, libre, trouverait certes la femme qui, enfin, lui conviendrait. Pensive, avec le visage de Gilbert imprégné dans le cœur, elle dut faire un effort pour se soustraire à une douce mélancolie. Et c'est un second coup de fil qui la sortit de ce cafard momentané.

— Mathilde, c'est Daniel. J'espère que tu vas bien, mon ange. Au fait, l'automne est à deux pas... Tu disais, tu m'avais laissé savoir que le moment viendrait...

– Oui, je sais ce que tu veux dire, Daniel. Tu as été plus que patient et respectueux de ce contretemps. Tu peux… Nous pouvons entamer les procédures de divorce.

– C'est vrai? Je ne rêve pas? Si tu savais comme tu me rends heureux, mon ange. On pourra donc, d'ores et déjà, envisager une date pour notre mariage?

– Oui, sans doute, mais une chose à la fois, Daniel. Un divorce, ça peut prendre du temps.

– Ne t'en fais pas, Mathilde, pas avec l'avocat dont j'ai retenu les services.

– Au fait, Daniel, je n'osais pas t'en parler mais, tu sais, travailler ensemble à longueur de journée, se revoir le soir… Je me demandais s'il ne serait pas préférable que je quitte la clinique.

– Ah bien là, quel hasard! Je suis heureux que ça vienne de toi, Mathilde, parce que la préposée que tu as remplacée compte revenir plus tôt que prévu.

– C'est vrai? Voilà qui m'arrange! Se voir en amoureux, sans blouse blanche, j'ai l'impression que ce sera fort différent et certes plus pertinent.

– Tu as raison, Mathilde, un amour à l'insu de tous. Un amour sans témoins. Juste entre toi et moi, mon ange. Mais que vas-tu faire? Tu ne comptes pas te dénicher un autre emploi, j'espère?

– Non, Daniel, je vais reprendre la couture, mais pas à m'en rendre malade. Je vais rappeler certaines de mes clientes, pas davantage. J'ai encore des messages d'elles dans ma boîte vocale. Et puis, la chorale, les récitals…

– Quel bonheur! Quel beau jour, mon ange! C'est Sébastien qui va être fier d'apprendre que tout s'arrange. Mon fils t'aime déjà comme une mère, Mathilde.

Fatiguée, épuisée par ces deux conversations qui lui tenaillaient le cœur, Mathilde ouvrit la cage de sa perruche et cette dernière, enjouée, vint se poser sur son épaule. Elle alluma le téléviseur, s'empara de la télécommande et fit le tour des chaînes avant de s'arrêter sur une station américaine où l'on présentait un film avec Sophia Loren. Elle le regarda sans plus, car ses pensées étaient ailleurs. Heureuse de quitter la clinique, elle retrouverait son sous-sol, sa machine à coudre, son dé, sa musique, mais... sans lui. Puis, elle revoyait Daniel, pimpant, heureux et enivré à l'idée que, bientôt, dans un dernier tournant, la femme qu'il aimait serait à lui. Lui... et lui. Deux êtres qui chaviraient sa raison d'être. Lui qui l'avait trahie... et lui qui se mourait d'envie. Daniel qu'elle aimait et «l'autre» qu'elle ne parvenait pas à oublier. Mais le discernement se devait d'anéantir ce léger conflit intérieur. Le discernement? Avait-elle seulement pesé ce qui traversait sa pensée? «Que l'amour!» reprit-elle, du fond de sa méditation. Daniel! Celui qui allait faire d'elle une femme entière et accomplie. Celui qui lui ferait visiter le monde pour que, loin de son existence passée, elle savoure sa vie. Daniel qui, selon sa mère, était un envoyé du ciel. Daniel avec qui elle avait fait l'amour sans retenue, éprise, sous sa plus caressante emprise. Daniel qui n'avait pas l'odeur de la peau de «l'autre»... Et Gilbert refit surface dans le tourbillon de ses pensées. Gilbert qu'elle chassa vite de son esprit pour s'endormir tout doucement dans son fauteuil, avec sa perruche sur son épaule plus basse que l'autre. Au moment même où Sophia Loren gravissait la colline à la toute fin du film. Et Mathilde, dans un rêve, chantait, alors que, non loin, dans le noir, Gilbert... dépérissait.

Chapitre 11

Seul dans son luxueux appartement d'Outremont, Gilbert tentait d'apprivoiser cette solitude dans laquelle la vie le confinait. Lui qui ne sortait guère jadis, qui pouvait passer de longues fins de semaine à la maison. En ce temps, il y avait Mathilde qui l'encadrait de sa présence, de son amour. Mais seul, complètement seul, après le tumulte de Lucie et le départ de son ami Marc, il se rendit compte que son univers était vide et qu'il n'avait, pour toute confidente, que sa mère qui venait le visiter de temps en temps. Sa mère qui lui reprochait de ne pas sortir, qui voulait à tout prix l'empêcher de dépérir. Parce qu'elle s'était rendu compte que Gilbert buvait seul, lui qui n'avait jamais pris un verre sans un ami ou sans une occasion, comme un souper familial. Sa mère qui, lors de ses visites, n'oubliait pas de lui parler de Mathilde, de son «docteur», de leur vie à deux plus que probable. Gilbert faisait mine d'être bon joueur, de comprendre, dans le seul but de rassurer sa mère. Car, délaissé, se retrouvant seul comme Mathilde l'avait été, Gilbert se torturait. C'était comme si la blessure qui avait meurtri Mathilde lui revenait tel un boomerang pour le faire souffrir à son tour.

Il gagnait bien sa vie, les nouveaux collègues étaient aimables, mais comme ils étaient mariés et pères de famille, c'était seul qu'il rentrait chez lui chaque soir. Pas même un compagnon de travail avec qui aller prendre une bière. Personne à qui parler après que, Marois, le directeur, lui eut souhaité une bonne soirée. À tel point que, pour combler le vide, Gilbert étirait ses rencontres tardives avec ses clients. Il lui arrivait même de les inviter au restaurant, mais ceux-ci, craignant une pression, voyant dans cette invitation une stratégie de vendeur, se désistaient pour ne pas se sentir obligés. Les relations avec son frère et sa belle-sœur étant coupées, ce n'était certes pas Sophie qui allait lui donner signe de vie. La sœurette qu'il avait passablement négligée coulait des jours heureux dans les bras du divorcé qu'elle venait d'épouser. Et Gilbert, le frère aîné, était perdu très loin dans ses pensées. Dans un dernier effort, avant de s'emmurer et de crever d'angoisse à petit feu, il se mit à sortir et à fréquenter un bar-rencontre dont il avait lu la réclame dans un journal en buvant son café matinal. Un bar-rencontre de la rue Saint-Denis où les célibataires, les âmes en peine, se retrouvaient pour apaiser un tant soit peu leur solitude. Des hommes et des femmes de son âge, des plus jeunes au mitan de la trentaine. Des divorcés pour la plupart et, parmi la gent féminine, des filles qui avaient bamboché durant leur vingtaine et qui, en peine à la fin de leur trentaine, étaient en quête d'un parti. Après les années de disco, celles des voyages, soudain, la fibre maternelle avant qu'il ne soit trop tard pour elles. Le genre de fille que Gilbert fuyait comme la peste dès le premier échange. Il se rendit plusieurs fois à ce bar, réputé pour sa distinguée clientèle, mais il constata que d'un soir à l'autre, c'étaient toujours les mêmes têtes qu'il revoyait. Gilbert n'y allait pas pour la musique et encore moins pour la danse, il s'y rendait pour boire. Pour ne pas boire… seul. Et il écoutait les déboires de l'un, de l'autre, sans raconter les siens. Tout ce qu'on savait de lui, c'est qu'il était séparé, qu'il n'avait pas d'enfants et qu'il venait d'avoir quarante et un ans. Bel homme, il plaisait aux femmes qui, mine de rien, se le disputaient. Toujours bien vêtu, l'œil vif et analytique, les cheveux garnis de quelques sillons d'argent, Gilbert n'était pas comme les autres. On se demandait même pourquoi un si bel homme, tout en muscles, sans ventre ni bourrelets, avait besoin d'un bar-rencontre. Plus souvent assis au tabouret à déguster un gin tonic qu'à pivoter sur le plancher de danse, c'étaient les femmes qui venaient prendre place auprès de lui. Et, parfois, certains hommes, désireux de se confier à «un ami», mais que Gilbert soupçonnait être de la trempe de Marc. Des hommes qui auraient eu plus de succès rue Sainte-Catherine Est, mais qui s'en abstenaient ayant été mariés et délaissés. Des hommes qui croyaient dur comme fer au dicton: «Qui se ressemble, s'assemble», même dans un bar-rencontre dit *straight*. Juste au cas où l'un d'eux, dépité des femmes, aurait pu jeter un coup d'œil intéressé sur un divorcé, mortifié par sa femme. Mais Gilbert, plus méfiant que jamais depuis l'incident avec Marc, discernait fort bien les recruteurs du sexe fort quand l'un d'entre eux, gentiment, tentait de lui offrir… le verre de l'amitié.

Un drôle de bar-rencontre. Un bar avec des types de toutes les nationalités, des chercheurs d'aventure d'un soir, des plus intéressés, et des femmes de trente à cinquante ans, ces dernières avouant toujours… quarante-sept ans. Des femmes qui, pour la plupart, cherchaient l'âme sœur… ou un palliatif à ce dont elles étaient en manque certains soirs. Gilbert détestait cet endroit. L'ambiance était plus propice à la drague qu'aux discussions profondes. Mais peu importe puisque Gilbert Authier, qui ne donnait que son prénom quand on cherchait à découvrir son identité, n'y venait que pour boire. Pour boire et noyer dans l'alcool la peine de ses déboires. Il y venait pour oublier ses échecs, ses erreurs et… Mathilde. Un certain soir, une jolie blonde d'environ vingt-cinq ans, une brebis égarée, le fixait de ses yeux lumineux, accoudée au bar avec une compagne dans la trentaine. Subjugué par sa beauté, il se leva, l'invita à danser un slow et engagea la conversation. Elle était secrétaire, elle s'appelait Manon, elle était venue avec une compagne de travail… par curiosité. Mais, la sentant intéressée, sachant qu'il n'avait qu'un geste à faire pour qu'elle le suive dans un endroit plus discret, il s'excusa auprès d'elle pour quelques minutes seulement. Puis, se frayant un chemin dans cette foule dense, il fila à l'anglaise par une sortie de côté. La jeune femme l'attendit en vain, Gilbert était déjà au volant de sa voiture. Quelque peu ivre, la cravate dénouée, il avait préféré à cet audacieux appel de la chair son doux refuge de solitaire. Et ce fut la fin de ces périples nocturnes. Gilbert Authier savait qu'aucune évasion n'allait l'éloigner du cœur de… sa douce moitié.

Un soir, début octobre, désabusé, les traits tirés, alors qu'il voyait les feuilles mortes joncher le parterre de l'immeuble qu'il habitait, il se servit un verre, puis deux. Et là, moment de détresse, cafard en plein cœur, il décida d'écrire une lettre à Mathilde. Une lettre qu'il recommença quatre fois. Non pas pour enfreindre le destin de «sa douce», mais pour lui donner signe de vie, lui qui ne s'était pas manifesté depuis son départ sauf par l'entremise de sa mère. Une lettre qu'il recommença quatre fois parce que, peu habile avec la plume, introverti de nature, il ne voulait à aucun prix que Mathilde perçoive, entre les lignes, le moindre signe d'affliction. Il ne voulait que lui dire qu'il existait, qu'il espérait qu'elle trouve enfin le bonheur qu'il n'avait pu lui donner et que, de tout cœur, il partageait. Il écrivit toute la nuit, biffant une phrase, rayant un mot de trop, recommençant sur une feuille vierge, puis sur une autre, le gribouillage de ses essais froissés. Puis, ravi, content de lui, sûr et certain que sa missive ne serait pas mal interprétée, il prit un dernier verre et, à quatre heures du matin, décoiffé, chemise enfilée et ouverte sur son pantalon déboutonné, il emprunta l'ascenseur et déposa la lettre dans la boîte postale située à l'entrée de l'immeuble. Heureux, soulagé, il revint se coucher et trouva en peu de temps le sommeil du juste. Parce que, toute la nuit, sans être interrompu, il avait pu, en quelque sorte, s'entretenir avec Mathilde.

Depuis la semaine qui s'était achevée sur une bonne note, Mathilde ne travaillait plus à la clinique médicale. La préposée à l'accueil, dont le congé de maternité prenait fin, regagnerait son poste dès le lundi suivant. Et ce, au grand soulagement de Mathilde qui n'était plus à l'aise à ce poste, sachant que les autres médecins ainsi que les infirmières étaient au courant de sa liaison plus que sérieuse avec le directeur. Non pas qu'ils n'étaient pas gentils avec elle mais, malgré l'harmonie qui régnait au sein du groupe, Mathilde sentait qu'une infirmière ou deux aurait certes été ravie d'être l'heureuse élue du docteur Primard. D'ailleurs, Mathilde se demandait encore pourquoi c'était sur elle que Daniel avait jeté son dévolu, elle qui était sans instruction. Elle, la couturière, la chanteuse de chorale, à qui l'on avait enseigné comment faire fonctionner un ordinateur. Elle, petite, jolie peut-être, mais avec une épaule plus basse que l'autre. Un handicap que tous avaient sans doute remarqué, étant plus difficile à camoufler sous la blouse blanche rudimentaire. Tous lui avaient souhaité la meilleure des chances, tous s'étaient dits navrés de la voir les quitter, mais Mathilde se demandait si ces égards plus qu'éloquents étaient vraiment pour elle et non par respect pour Daniel. Et ce, sans savoir que l'infirmière à la langue plus déliée que les autres avait murmuré à ses consœurs: «Je me demande comment elle a pu mettre le grappin sur lui! Le docteur cherchait sans doute une femme qui n'était pas de son acabit!»

Mathilde et Daniel avaient convenu de ne pas se voir de la fin de semaine, histoire de respirer tous deux, bonheur de se revoir après une si «longue» absence. Et c'était elle qui en avait eu l'idée, non lui. Daniel, quant à lui, aurait tout donné pour que Mathilde soit sienne dès le lendemain. Aussi, s'était-il empressé de lui téléphoner dès le lundi pour lui annoncer avec de la joie plein le cœur:

— Ça y est, mon ange, mon avocat a accéléré les choses et Gilbert recevra la demande en divorce dès demain!

Mathilde resta bouche bée.

— Si vite? Fallait-il vraiment se précipiter de la sorte, Daniel?

— Écoute, Mathilde, les procédures peuvent être longues. Tu m'avais donné le feu vert, lui répondit-il d'un ton qui avait perdu de son assurance.

Constatant que sa joie faisait place à la déception, Mathilde renchérit:

— Non, ça va, Daniel. C'est juste la surprise. Je viens à peine de me lever. Mais de qui donc as-tu obtenu son adresse? Pas de sa mère, j'espère?

— Bien sûr que non! Jamais je n'aurais fait une demande pareille à sa mère! Non, c'est Pierre-Paul qui me l'a donnée. Il la tenait de sa mère. Tu sais, sans être mêlé à la cause, Pierre-Paul demeure mon avocat.

Mathilde était mécontente mais se contint pour que Daniel ne soit pas la cible d'une soudaine mauvaise humeur. Sur un ton frisant le reproche, elle rétorqua à celui qui l'aimait:

— Ce qui me désole, Daniel, c'est que Pierre-Paul soit au courant de ma demande en divorce. Sa femme surtout! Et de là, madame Authier saura...

— Mathilde! Qu'y pouvons-nous? Crois-tu que Gilbert ne sera pas le premier à en avertir sa mère? Et de sa mère à la famille... Voyons, Mathilde, dans un cas comme dans l'autre, il est sûr que l'affaire s'ébruitera. On ne divorce pas sans que ça devienne public, Mathilde.

— Tu as sans doute raison et je me demande pourquoi j'angoisse devant la question. Sans doute parce que je ne pensais jamais... Puis, pour devenir ta femme, il me faut bien me libérer, non? Ah! si seulement j'avais plus de cran, Daniel! Devant ces choses-là, moi, devant ce que j'appelle la justice, j'ai toujours eu peur...

— Ne crains rien, mon ange, je serai là pour apaiser tes craintes. Lorsque tu seras ma femme et que nous serons heureux, toi et moi, tu souriras en pensant à ce moment qui te gêne. C'est normal, Mathilde, tu n'as jamais fait face à ces choses-là. Mais ne t'en fais pas, laisse, c'est l'avocat qui est à l'œuvre, pas nous, Mathilde. À chacun sa profession, non? Tout se fera en douce, tu verras.

— Bon, puisque tu le dis... Heureusement que tu es là pour me rassurer, Daniel. Moi, les débats, les problèmes... Advienne que pourra!

— Heureux de te l'entendre dire, mon ange. Tu... tu me manques, tu sais.

— À moi aussi, Daniel, mais mercredi, ce n'est pas si loin, je me ferai belle...

– Tu l'es, Mathilde! Sans le moindre effort! Et je t'aime, mon ange, je t'aime éperdument.

Il avait raccroché et Mathilde était restée pensive. Quelle tête ferait Gilbert en recevant les documents? Impossible de ne pas songer au dur coup qu'un tel avis lui infligerait. Elle aurait tant voulu lui éviter cette peine, tant souhaité ne jamais le heurter, elle qui était passée par toute la gamme des émotions lorsqu'il l'avait brusquement délaissée. Elle qui, dans sa bonté, dans sa peur de faire mal, oubliait qu'elle avait été blessée jusqu'au plus profond de son âme, sans que Gilbert songe à panser sa douleur. Il s'était esquivé, la laissant choir dans ses déboires sans la moindre bouée. Seule, complètement seule, alors qu'il était dans les bras de «l'autre». Mais, n'était-ce pas ainsi, livrée à elle-même, que Mathilde avait regagné la rive en s'accrochant désespérément à la vie? Gilbert, déçu ou pas, n'aurait qu'à trouver sa bouée, lui aussi.

Vêtue d'un pantalon, chaussée d'espadrilles, un chandail sur le dos, Mathilde sortit de la maison afin de ratisser les feuilles tombées de son érable argenté. D'une fenêtre laissée ouverte, elle pouvait entendre Coquette qui, de sa cage, répondait d'un son rauque aux chants des oiseaux. C'était frais, mais le soleil, déjà levé, la réchauffait de ses rayons. Mathilde était à remplir un sac des feuilles empilées lorsqu'elle perçut le pas du facteur qui s'avançait vers elle.

– Bonjour, Madame Authier! Belle journée pour ramasser les feuilles tombées, n'est-ce pas?

– En effet, mieux vaut en profiter. La pluie peut venir sans avertir. Et de nos jours, il ne faut pas se fier aux prévisions météo! Ils se trompent si souvent!

– Et comment donc! Moi, c'est en me levant que je sais si je dois prendre mon imperméable ou non. Tenez! Vous permettez que je sauve quelques pas? J'ai deux lettres pour vous, mais autant vous le dire, l'une est un compte de Bell Canada, ajouta-t-il en riant.

Il reprit sa route et Mathilde, tenant le compte de téléphone dans une main, posa les yeux sur l'autre lettre. Son cœur ne fit qu'un bond. Sans adresse de retour, elle venait de reconnaître l'écriture de Gilbert. Pétrifiée, figée sur place, une angoisse la secoua de tout son être. Cette lettre ne pouvait être une réponse à la requête, Gilbert ne la recevrait que le lendemain. Laissant tomber le râteau, oubliant le sac vert à moitié rempli, elle s'empressa de regagner sa cuisine par la porte de derrière. N'osant ouvrir la missive, elle préféra la déposer sur la table et se faire couler un café, histoire de retrouver son calme. Puis, installée à la lueur du jour, elle décacheta minutieusement l'enveloppe qui semblait lourde entre ses mains. Trois feuilles de papier blanc s'en dégagèrent. Elle les déplia et, après avoir lu *Chère Mathilde*, elle posa les feuilles sur la table et but quelques gorgées de son café. Sa main tremblait, son cœur palpitait. En vingt ans, c'était la seconde lettre qu'elle allait lire de son mari. La première lui avait annoncé son départ et celle-là… Mathilde retrouva peu à peu son calme et reprit la lettre entre ses mains. Sans savoir ce qu'elle y trouverait, elle n'était ni inquiète, ni troublée. Cette lettre ne pouvait rien contenir qui puisse la jeter par terre comme… la première.

Lundi 2 octobre 1995

Chère Mathilde,

Au moment où je signe cette lettre, il est quatre heures du matin. Et je la déposerai dans la boîte avant que le soleil se lève. Inutile de te dire que j'ai passé la nuit à chercher les mots, à reconstruire mes phrases, à déchirer les brouillons. Bref, tu le sais, je n'ai jamais été un maître dans l'art de m'exprimer sur papier. Avant de la lire jusqu'au bout, je veux que tu saches que cette lettre n'exige aucune réponse de ta part. J'ai eu envie de te parler, Mathilde, de te dire ce qu'était ma vie sans trop savoir ce qu'est la tienne après tout ce temps. J'avais, bien sûr, des nouvelles par ma mère, mais je regrette profondément de n'avoir pas eu le courage de les quérir moi-même. J'aurais pu téléphoner, t'écrire, te donner signe de vie, mais je ne l'ai pas fait, Mathilde, pour ne pas entraver la pente que tu remontais... Ou, peut-être, étais-je trop lâche pour le faire?

Ma mère t'a appris, je le sais, que je m'étais libéré. Je ne te parlerai pas de celle qui a gâché ma vie, ce serait revenir sur ce que je n'ai pas envie de revivre, ne serait-ce que par écrit. Ce que j'ai vécu, crois-moi, n'a été qu'une égratignure comparé à la douleur que je ressens encore de t'avoir quittée. Jour et nuit, par la suite, je n'ai jamais pu m'endormir sans voir, dans le noir, ton doux visage qui revenait sans cesse. Ce geste irréfléchi pour lequel je ne trouve pas d'excuse, je m'en repentirai toute ma vie, Mathilde. Il y a de ces erreurs que rien ne rachète, pas même le temps. Et le prix à payer se veut d'une éternité, ma douce. Tiens! Ce n'était pas voulu, c'est sorti tout seul de ma plume, mais tu as toujours été et tu seras toujours pour moi «ma douce». Je m'en veux, Mathilde, tu ne peux savoir à quel point. Pas de t'avoir forcée à respecter un pacte même si c'était abuser de ta générosité, mais je m'en veux pour ce qui a suivi, Mathilde, pour ces jours où, seule, tu as eu à surmonter la pire offense qu'un homme puisse faire à sa femme. Je m'en veux et je m'en voudrai toujours de t'avoir abandonnée à ton sort, sans appui, sans réconfort, en te laissant nager seule en eaux troubles. Par ma mère, j'ai su que tu avais survécu à un dur naufrage. Je m'en veux, je m'en veux, mais à quoi bon… Le mal est fait et c'est du fond du cœur, Mathilde, que je te demande pardon. Que cela, Mathilde, pour que mon âme, à défaut de mon cœur, puisse un jour reposer en paix.

Mais je ne veux rien bouleverser par ces propos, Mathilde. Le passé est derrière, l'avenir, devant. Surtout pour toi qui, je le sais, as enfin trouvé le bonheur. Ce que j'espère, Mathilde, c'est que ton nouveau sentier, contrairement au mien, soit parsemé de roses… sans la moindre épine. De loin ou de près, avant comme après, ton bonheur m'importe et je serais l'homme le plus malheureux de la terre si j'apprenais que tu n'es pas heureuse. Tu mérites tant de l'être, Mathilde. Beaucoup plus que moi qui, ayant fait le mal, ne méritais pas un bien-être. Je sais que tu fréquentes un médecin qui t'aime et que tu aimes et j'en suis heureux pour vous deux.

J'ai posé la plume quelques instants, je ne savais plus quoi ajouter. Conscient de ta fragilité, je ne voudrais pas que ma lettre vienne perturber ce doux élan que t'offre la vie. Mais ce que j'espère, Mathilde, ce que je souhaite de tout mon cœur, c'est que ta vie à deux ne vienne jamais t'enlever le nom que tu portes. Je ne te le demande pas, Mathilde, je ne l'implore pas, je l'espère du plus profond de mon âme. Car, même séparés, tu seras toujours pour moi Mathilde Authier. Et, crois-moi, quel que soit mon destin, jamais une autre femme ne portera mon nom, Mathilde. Je ne l'ai donné qu'une fois à celle que j'aimais et… Que puis-je dire de plus, Mathilde? C'est à mon tour de vivre dans la solitude, d'être seul et d'en souffrir. Mais ce qui me console, c'est de savoir que tu es là, rue Georges-Baril, dans cette petite maison que nous avions choisie. Même avec lui, Mathilde, qu'importe! Et si jamais la vie contrecarrait cette joie, avise-moi, je t'en prie. Cette maison qui a abrité nos plus beaux jours ne doit *pas tomber dans des mains étrangères. Que ça, Mathilde, quitte à la reprendre et à y loger ma mère si tu décidais d'aller vivre avec lui.*

Je suis seul, mais je vais faire en sorte d'apprivoiser la solitude. Comme tu l'as fait, Mathilde! Même si c'est long et même si ça fait mal! Car, en vivant à mon tour la blessure, j'aurai l'impression de faire un acte de contrition. Je sais que tu chantes toujours, que tu donnes des récitals, que tu poursuis ta route au gré des jours, et ça me console quelque peu de t'avoir perdue par ma faute. Parce que je sais que le bon Dieu prend soin de ceux qui chantent en regardant le ciel.

Je suis seul, je le redis, je n'écoute plus les sports, j'écoute les œuvres de Mozart. Marc Derouet, mon seul ami, notre ami, est parti vivre à Vancouver. Pierre-Paul et Rachel, c'est fini. Ma sœur Sophie, Dieu seul sait ce qu'elle fait de sa vie. Mais, heureusement, j'ai ma mère. Ma mère qui, je le sais, a versé bien des larmes à cause de moi. J'arrête, Mathilde, je sens l'alcool qui me monte à la tête. Et moi qui ne voulais que te donner signe de vie...

Sois heureuse, ma douce, sois heureuse après avoir été malheureuse. Et pardonne-moi d'avoir été lâche... Pardonne-moi, Mathilde.

Gilbert

Des larmes coulaient sur les joues de Mathilde. Émue, traversée de part en part par cet écrit intense, elle sentit ses jambes trembler à la cadence de ses mains. Jamais Gilbert ne l'avait remuée comme il venait de le faire. Au point d'oublier qu'elle avait pleuré, souffert et vécu des nuits blanches naguère. Au point d'oublier qu'il avait été odieux, monstrueux, sans merci. Parce que Mathilde ne pouvait souffrir de le sentir à ce point... malheureux. Cet alcool qui lui montait à la tête! Déjà, elle s'imaginait le pire. Gilbert, seul, sans personne sauf sa mère, avec le cœur en lambeaux, la plume chancelante malgré ses efforts pour la faire sentir forte. Mathilde qui, entre les lignes, lisait davantage le désespoir de celui qu'elle avait aimé. Et cette demande, non, ce désir de la voir sans cesse porter son nom. Au moment même, ou presque, où il apprendrait par un bref de signification... C'était brutal, c'était tragique, c'était insupportable pour celle qui en aimait un autre et qui peut-être... l'aimait encore. Désemparée, laissant la lettre ouverte sur la table, elle se rendit à sa chambre, se jeta sur son lit et pleura à chaudes larmes. À cet instant, comme si elle devinait sa peine, la perruche s'était tue. Un coup de téléphone, deux, trois, Mathilde ne répondit pas. Pour elle, plus rien n'existait à part cet écrit qui s'était imprimé dans son âme. Daniel, de son bureau, rappela deux fois sans obtenir de réponse. Mathilde, ébranlée, tentait de se remettre de la lettre qui l'avait bouleversée. Pourquoi? Pourquoi fallait-il? Pourquoi avait-il fallu que Gilbert lui donne signe de vie?

Seule, sans amie intime à qui se confier, Mathilde ne savait plus vers qui se tourner pour partager cette lettre qui l'avait accablée. Certes pas Rachel, qu'elle n'avait pas revue depuis belle lurette, pas plus que Paule, son amie de la chorale avec qui elle avait pris quelques cafés après la messe, mais qui ne connaissait rien ou presque de sa vie privée. Et surtout pas Daniel, à qui elle voulait éviter une telle contrariété. Ce n'est qu'à ce moment que Mathilde comprit que, durant vingt ans, elle n'avait eu personne d'autre dans son entourage que son mari et sa famille. Il lui fallait pourtant partager ce désarroi, car elle savait qu'elle ne vaincrait pas cet état d'âme... seule. Sa mère! Oui, il ne restait que sa mère à qui ouvrir son cœur, même si cette dernière avait toujours été hostile à Gilbert depuis leur mariage. Elle espérait que, pour une fois, elle puisse discerner le vrai du faux, et ce, en son âme et conscience. Mais, la main sur le récepteur, elle hésitait. Elle avait peur que sa mère condamne Gilbert sans prendre la peine d'analyser tout ce que révélait cette réalité. Avec sa mère, elle sentait que Gilbert était perdu d'avance. Mais mieux valait un faux pas que de rester immobile.

– Maman? C'est Mathilde. Dis, tu es libre ce soir?

– Bien sûr, ma petite, pour toi, je suis toujours libre.

– Dans ce cas, attends-moi, j'arrive pour souper. J'ai besoin de ton aide.

– Rien de trop sérieux, j'espère? Quelle drôle de voix tu as! Arrive, Mathilde, ta mère est là!

Aux alentours de dix-huit heures, la lettre dans son sac à main, Mathilde roulait à vive allure en direction du quartier où vivait sa mère. Cette dernière, bien habillée, parée de ses plus beaux bijoux, attendait sa fille avec une salade César, des pâtes dans une sauce rosée, des petits pains de blé entier, un bon vin rouge et des desserts du pâtissier. Le tout déjà en vue sur la table montée alors que Mathilde, désemparée, n'avait guère d'appétit pour un tel repas.

– Maman, c'est trop, je mange à peine.

– Mange ce que tu peux, Mathilde, les restes, ça se garde au réfrigérateur.

Mathilde se servit un peu de salade, une légère portion de pâtes, et se versa un demi-verre de vin.

– Bon, qu'est-ce qui t'amène, ma fille? Pour que tu t'adresses à ta mère, toi, c'est que tu ne peux le faire à personne d'autre.

– En effet, maman, c'est délicat et toi seule peux partager mon désarroi.

Mathilde sortit l'enveloppe de son sac à main, la déposa sur la table et dit à sa mère:

— C'est une lettre de Gilbert, maman.

— Quoi? Lui? Ne me dis pas qu'il revient à la charge, celui-là!

Avant de lui remettre la lettre, Mathilde la regarda droit dans les yeux.

— Écoute, maman, je te demande de lire cette lettre et de tenter d'être impartiale pour une fois. Je sais que tu ne portes pas Gilbert dans ton cœur...

— Mathilde! Ce n'est pas ça, mais après ce qu'il t'a fait...

— Non, maman, tu ne l'as jamais aimé, tu ne l'as jamais apprécié et je n'ai jamais su pourquoi. Sans doute parce qu'il t'avait ravi ta fille... Mais, là, je ne suis plus une enfant, je compte même refaire ma vie. Tout ce que je te demande, maman, c'est de lire cette lettre et de m'aider à comprendre, rien de plus. Lis-la avec ton cœur, dis-moi ce que tu en penses, mais sois franche, maman. De toute façon, la demande en divorce est faite, mais au moment où Gilbert m'écrivait, il n'en savait rien. L'huissier sera chez lui avec les papiers demain. Alors, lis, donne-moi ton opinion et, surtout, sois honnête, maman.

Florence s'empara de la lettre, anxieuse de la lire, avec en tête une idée déjà faite. Mais elle n'en laissa rien paraître et lut jusqu'au bout sans s'interrompre, pendant que Mathilde, la regardant, buvant quelques gorgées de vin, remarquait de temps à autre un sourcil qui se fronçait, les lèvres qui se pinçaient. Mais, tel que promis, Florence Courcy n'émit aucun son, aucun cri, même si, à certains passages, elle aurait voulu assommer son gendre. Lecture terminée, madame Courcy remit la lettre sur la table puis, regardant sa fille, lui demanda:

— Tu veux vraiment que je sois franche, que ça te plaise ou non?

– Oui, maman.

– Alors, laisse-moi te dire que ton mari est un beau salaud, ma fille!

– Je savais que tu allais t'emporter… Je n'aurais pas dû…

– Non, Mathilde, je ne vais pas m'emporter, je vais juste te dire ce que j'en pense. Comme tu me l'as demandé! Mais là, c'est toi qui vas te taire et m'écouter sans m'interrompre. Et point par point, je vais te dire ce qu'il tente de faire, Gilbert Authier! Tu sais, je ne suis pas née de la dernière pluie, moi! Et Dieu merci, je ne suis pas sensible comme toi. Je vois clair, moi! J'ai tout vu d'un seul trait! Ah! celui-là…

– Je t'écoute, maman, je t'écoute, mais tâche de t'expliquer clairement.

– C'est bien simple, Mathilde, il tente de t'amadouer, de revenir dans tes bonnes grâces. Tu veux savoir pourquoi, ma fille? Parce qu'il est seul, que ça n'a pas marché avec l'autre et qu'il ne sait plus où se garrocher! Sûrement pas dans les bras de sa mère! Et comme son frère ne lui parle plus, que sa sœur est une momie… Ah! Quelle famille que la sienne! Mais ce qu'il ne dit pas et que je me demande, c'est si c'est lui qui l'a quittée ou elle qui l'a foutu à la porte! Trop orgueilleux pour l'admettre si tel est le cas. Et, entre toi et moi, Mathilde, aurais-tu reçu une lettre si ça avait marché avec elle, s'il était encore dans ses bras?

– Non, je ne crois pas…

– Bien sûr que tu ne crois pas… As-tu reçu une seule lettre de lui depuis qu'il est parti comme un sauvage après vingt ans de mariage? T'a-t-il écrit pour te réconforter, pour t'épauler, Mathilde, alors que tu étais à deux pas de l'abîme? T'a-t-il demandé une seule fois de lui pardonner pendant qu'il partageait son lit avec elle? Non, Mathilde! Il t'a laissée tomber comme on le fait d'un torchon! Avec sa bonne conscience de ne pas te laisser dans la misère, de payer tous les comptes par l'intermédiaire de sa mère. Pas un seul coup de téléphone en un an, Mathilde! Pas un seul mot, pas même une lettre à moi, ta mère, pour s'excuser de t'avoir abandonnée après toutes ces années! Un égoïste de la pire espèce, Mathilde!

– Maman, tout de même…

– Tout de même? Tu as la mémoire courte, ma fille! Il n'a même pas tenté de te faire un enfant, Mathilde!

– Maman! Je ne pouvais pas en avoir!

– C'est ce que tu dis, mais j'ai fini par en avoir un, moi. Il n'a jamais consulté, il ne t'a même pas invitée à le faire! Qui sait si, avec le progrès… Tu ne te rends pas compte qu'il n'en voulait pas, Mathilde? Je suis même surprise que cette clause n'ait pas fait partie de «son» pacte! Son pacte! Comme si on faisait un pacte en se mariant! Comme si ton père et moi…

– Maman, laisse le passé… Tu t'éloignes de sa lettre… Ne reviens pas en…

– C'est ce que je fais, Mathilde! Parce que son égoïsme d'antan se reflète encore dans cette lettre. Il ne voudrait pas qu'une autre porte son nom! Il veut, il espère que tu le porteras jusqu'à la fin de tes jours! Comme si son nom valait le tien, Mathilde! Comme si Authier valait Courcy! Comme si le nom de Daniel Primard n'était pas aussi digne que le sien. Écoute, laisse-moi revenir sur certains passages.

Florence reprit la lettre, la parcourut des yeux et s'écria:

– Regarde! Là, Mathilde! Il te dit ce qu'est sa vie sans rien savoir de la tienne. Que sa vie, Mathilde, parce qu'il se fout éperdument de la tienne! Et puis, sachant qu'il y a un autre homme dont sa mère lui a parlé, comment peut-il dire qu'il ne sait rien de la tienne? Et là! Que de beaux mots! Sa vie avec l'autre n'a été qu'une égratignure comparée à la douleur qu'il ressent de t'avoir quittée. Depuis quand, Mathilde?

Où était-elle, sa douleur, alors que tu te morfondais, que tu pleurais, que tu étais encore sous le choc? Où était-elle, sa douleur, alors que, blessée, tu rampais dans tes larmes pour te guérir seule comme une chatte? Ah, le sacripant! Et là, il parle de geste irréfléchi alors qu'il te trompait déjà avec elle depuis des mois! Il ajoute qu'il n'a pas d'excuses. Bien sûr, parce que ce qu'il a fait est inexcusable, Mathilde! Et il le sait! Quel chantage émotif! Il ne manque que les violons, ma fille! Il ajoute, comme s'il était un poète, que le prix à payer se veut d'une éternité. Il a dû lire ça dans un livre, Mathilde, il avoue avoir recommencé sa lettre quatre fois! Et le pire, Mathilde, le pire, sachant qu'il touchera les cordes de ta sensibilité, c'est d'avoir ajouté «ma douce» après sa trouvaille! Et c'est sorti tout seul! Sans y penser! Plus renard que lui, Mathilde… Laisse-moi reprendre mon souffle.

– Maman, ne t'agite pas ainsi, essaie de rester calme, je ne veux pas te rendre malade.

– Ne t'en fais pas, ma fille, j'ai la couenne dure, comme disait ton père. Et ce n'est pas toi qui me rends malade, mais lui, Mathilde! Malade à en crever de rire avec une lettre aussi absurde! L'imposteur, va! Il n'a même jamais été capable d'ajouter un mot de sa main dans une carte de souhaits!

Florence Courcy avala une gorgée de vin et poursuivit avant que la trame ne lui échappe.

– Il parle de ton nouveau sentier parsemé de roses… J'ai déjà lu ça quelque part. Dans un magazine, un recueil de pensées, mais ça ne vient pas de lui, des mots comme ça. Tu le connais, Mathilde? Les fleurs, c'était pour son jardin, jamais pour t'en remettre entre les mains! Et il ose écrire qu'il ne veut rien bouleverser, sachant très bien que, sensible comme tu l'es, tu seras secouée, démunie… De la provocation, ma fille! Ce qui est pire que du chantage! Tu vois? Il te dit même que tu es fragile! Et là, il a déposé la plume parce qu'il ne savait plus quoi dire. Pas surprenant, il n'a jamais su quoi dire! Il lui a fallu toute la nuit pour venir à bout de cette lettre. Avec, sans doute, des livres à côté de lui où il pigeait des phrases! Ah, Mathilde! Pourquoi faut-il que ce soit moi qui découvre tout ça! Tu n'es pourtant pas sotte, pas gourde? Tu l'as eu sous les yeux pendant vingt ans, cet abruti!

– Maman, je t'en prie…

– Cesse de me rappeler à l'ordre! Tu m'as demandé d'être franche, je le suis! Il ose te dire que c'est à son tour d'apprivoiser la solitude. Une solitude sans doute moins odieuse que la tienne, Mathilde, quand il a pris la porte! Ce n'est pas toi qui lui causes ce malaise, ce n'est pas toi qui l'as rendu là! Il s'est pendu lui-même avec sa propre corde! Et là, doucereusement, il tente, sans le laisser paraître, de t'en faire partager le blâme. Ouvre les yeux, ma fille! Relis deux fois, cent fois, mais rends-toi compte qu'il joue avec toi comme on le fait avec une marionnette! Ce n'est pas toi qu'il veut, Mathilde, c'est sa maison! Sa chère petite maison qu'il a lui-même choisie sans te demander ton avis. Il t'a toujours manipulée, Mathilde! Et là, et là, j'arrête, je n'en peux plus! Plus ça va, pire c'est! Et il te demande pardon tout en insistant sur le fait que sa lettre ne demande pas de réponse. Tu vas lui pardonner comment? Par l'intermédiaire de sa mère, je suppose? Quel idiot! Et il t'appelle encore «ma douce» à la fin, sans que ça parte tout seul cette fois…

– Bon, n'allons pas plus loin, maman, j'ai compris.

– Je l'espère, Mathilde. Il a tout détruit, il a tout perdu et sa fierté refuse de l'admettre. Il n'ose pas te dire qu'il veut revenir, il préfère que ce soit toi, au cas où… Au cas où l'idée de repartir avec une autre lui reprendrait! Et il cherche à contrecarrer tes plans, Mathilde. Il sait très bien par sa mère que

Daniel et toi, c'est sérieux. Il a peur, Mathilde, il a peur que tu sois plus heureuse avec un autre qu'avec lui. Ce qui ne sera pas difficile, si tu veux mon avis! Il a peur parce qu'il a échoué, lui! Mais souviens-toi de tes larmes, Mathilde, souviens-toi du moment, de son silence... Il s'est lavé les mains de ta souffrance, il a fermé les yeux sur ta blessure, parce qu'il en avait une autre dans les bras, Mathilde! Et si cette femme était encore là...

– N'en dis pas plus, maman, j'ai compris. J'avais besoin d'être convaincue et tu viens de le faire. Il est vrai que je suis vulnérable, sensible... Comme j'aimerais avoir ton flair et ta force, maman. Mais on est comme on est... Je ne suis pourtant pas sotte. Pourquoi faut-il que l'on abuse toujours de ma fragilité? Je n'ai sans doute pas assez vécu, maman. J'ai pourtant lu la lettre, je n'ai rien vu, j'ai presque cru... Et toi, d'un seul regard, tu as tout vu. Pourquoi ai-je toujours tendance à oublier, à pardonner? J'étais en morceaux et c'est toi qui m'as ramassée, maman. Puis Daniel...

– Tu ne vas pas lui faire lire cette lettre, j'espère?

– Bien sûr que non, maman, pas au moment où lui et moi...

– Alors, c'est vrai cette fois? Fini Gilbert? Les procédures sont engagées?

– Tout est fait, maman, grâce à Daniel et à l'avocat qui s'occupe de la cause.

– Et Daniel et toi, c'est... c'est...

– Pour bientôt, maman... Je l'épouserai dès que je serai libre.

Florence Courcy avait les larmes aux yeux. Enfin! Mathilde, sa fille chérie, allait vivre de beaux jours en devenant l'épouse d'un... médecin. Versant le café dans les tasses, elle savourait déjà le bonheur de sa «toujours» petite fille.

– Dis, Mathilde, juste entre mère et fille, tu l'aimes au moins?

– Oui, maman.

Florence Courcy étreignit sa fille sur son cœur, heureuse de son bonheur, ravie d'apprendre qu'elle serait la belle-mère d'un «docteur», mais plus heureuse encore d'avoir fait avorter dans un virulent cri d'alarme toute tentative de la part de Gilbert.

Mathilde était revenue chez elle persuadée que la lettre de Gilbert cachait une certaine manigance. Elle y avait certes songé en relisant la lettre une seconde fois; elle n'était pas naïve au point de se laisser leurrer par des mots tendres qui n'étaient peut-être pas de lui, et comme il ne s'était jamais exprimé avec autant d'ardeur et de sentiments en vingt ans… Il était vrai aussi que les roses n'avaient toujours été que pour le jardin, jamais pour elle. En prenant sa mère à témoin, Mathilde voulait tout simplement que quelqu'un d'autre endosse ses décisions. Son divorce tout comme son remariage. Elle n'avait jamais pu, jamais su, en vingt ans, prendre une décision sans consulter Gilbert. Elle avait certes pleuré en lisant et en relisant la lettre. La moindre émotion lui mettait la larme à l'œil. Mathilde avait toujours pleuré devant la plus minime joie, tout comme face à la peine. Elle aurait voulu croire, espérer que les mots de Gilbert soient de lui, de son cœur, de son âme, mais sa mère venait de la convaincre du contraire. Ballon crevé! Mathilde rangea la lettre dans un tiroir même si elle avait dit à sa mère en la quittant: «Dès ce soir, je vais la brûler.» Il était évident qu'elle n'allait pas répondre, la lettre ne l'exigeait pas. Pour ce qui était du pardon, Mathilde aurait voulu le lui accorder à deux pas d'un nouveau bonheur, mais son cœur s'y refusait. Comment lui pardonner d'avoir eu si mal alors qu'il se prélassait dans les bras de sa maîtresse? Comment pardonner quand le cœur s'obstinait à ne pas oublier? Ce cœur blessé dont le temps n'avait pas cicatrisé la plaie.

Le lendemain matin, avant qu'il ne quitte son appartement, Gilbert reçut la visite de l'huissier qui lui signifiait la demande en divorce. Il crut défaillir et son sang ne fit qu'un tour dans ses veines lorsqu'il signa l'accusé de réception. Figé, chemise encore déboutonnée, il ne pouvait en croire ses yeux. Comment Mathilde avait-elle pu, après une si ardente lettre? À moins que la demande et la missive ne se soient croisées. Encore là, comment sa femme avait-elle pu oublier le passé, leur douce histoire, sachant qu'il était seul et qu'il agonisait loin du domicile conjugal? Sa mère avait pourtant prévenu Mathilde que le lien s'était rompu, qu'il avait quitté Lucie, qu'il était libre. Se pouvait-il que Mathilde, qui l'avait tant aimé, ne l'aime plus? Certes oui, puisqu'elle en aimait un autre, mais de là à divorcer? Avec sa signature à titre de demanderesse? Et sans raison invoquée puisqu'ils étaient séparés de corps depuis plus d'un an. Un divorce tout simplement, pour épouser l'autre, évidemment! Et il était signifié que la maison serait vendue et divisée à parts égales à moins que le défendeur rachète la part de la… demanderesse. Que de titres inélégants pour celui qui aurait préféré lire… Mathilde et Gilbert. Quelle gifle retentissante après avoir tout perdu. Mathilde aimait donc ce médecin au point de devenir sa femme? Elle qui, sans lui, selon lui, n'allait se nourrir que de son souvenir jusqu'à…

Gilbert était atterré, déconfit, meurtri. Parce que «sa lettre» avait été écrite avec les mots du cœur. Sans l'aide de citations ou de quelque poète, comme le croyait Florence Courcy. Qu'avec son cœur et sa sueur, lui qui n'avait jamais écrit une telle lettre de sa vie. Qu'avec son cœur, au gré des heures de la nuit. Ce que Mathilde ne savait pas, ce que Mathilde ne pouvait s'imaginer et que sa mère avait si bien détérioré. Oui, avec son cœur malgré les quelques bévues dont il ne se rendit pas compte en les commettant. En marchant sur son orgueil tout en s'accrochant égoïstement à une parcelle de fierté. Machinalement. Pour que Mathilde ne le sente pas faible après avoir été si lâche. Gilbert relisait la copie de la lettre qu'il avait conservée et il ne pouvait croire que Mathilde, sa douce, n'en fût pas chavirée. Mais, tel qu'entendu, il se devait de respecter le «pacte». Ce fameux pacte, son édit, sa condition verbale qui, hélas, se tournait contre lui. Non, Mathilde ne pouvait rester insensible à sa missive, au pardon qu'il lui réclamait. À ce pardon qui l'aiderait à vivre, à remonter la pente. Elle allait certes l'appeler, fondre en larmes, lui dire que la lettre lui était parvenue avant que l'huissier... Paralysé de stupeur, puni plus qu'il ne le méritait selon lui, il téléphona à Marois et lui dit qu'il ne pouvait pas rentrer, qu'il avait une fièvre, qu'il suait. Puis, contrats en vue remis à plus tard, il appela sa mère pour lui dire sans la ménager:

– Maman, c'est moi. Mathilde demande le divorce. L'huissier vient de partir.

– Quoi? Tu es sérieux, Gilbert? Je savais, j'avais entendu dire...

– Entendu quoi?

– Que le docteur Primard l'avait demandée en mariage. Pierre-Paul, tu sais... Mais je ne croyais pas que Mathilde allait réagir si vite. J'étais sûre qu'elle attendrait, qu'elle souhaiterait... Ah! Gilbert! Voilà qui ne va pas t'aider à te remettre sur

pied. Juste au moment où tu commençais à peine à te relever…
Juste au moment où…

Gilbert, retrouvant sa fierté, y puisa la force nécessaire
pour répondre à sa mère:

– Bah! Ne t'en fais pas pour moi! Je suis déjà sur pied,
maman, j'ai des contrats en vue, je pars justement pour le
bureau. Et puis, qu'elle soit heureuse, maman. Tout ce que je
désire, c'est son bonheur, sa joie de vivre. Puis, après de
brèves salutations, un «Je t'embrasse, maman», il raccrocha.
Calé dans son fauteuil, sa cravate sur le divan, sa mallette
encore ouverte, Gilbert sentit une larme perler au coin de
l'œil. Une larme qui venait de se libérer du nœud qu'il avait
dans la gorge. Miné par la solitude, sans soleil en ce jour de
pluie, il se leva avec peine et inséra dans le lecteur une cassette de Schubert. Une mélodie que Mathilde avait répétée
tant de fois devant lui. Pas l'*Ave Maria*, mais quelque chose
de triste qu'elle chantait dans les enterrements. Gilbert
appuya sur l'interrupteur et, dans le silence de la matinée, il
se servit un jus d'orange qu'il noya de vodka en guise de petit
déjeuner.

Mercredi soir, Mathilde était pimpante en attendant l'arrivée de Daniel qui devait passer la prendre. Dans l'après-midi,
il lui avait téléphoné pour lui demander: «Ça te dérangerait
que mon fils se joigne à nous, Mathilde? Sébastien en a
exprimé le désir pour partager ce moment de bonheur.»
Mathilde accepta de bon cœur. Sébastien était un jeune
homme charmant, un futur médecin dont la distinction s'éta-
lait déjà. Elle sentait qu'elle allait être pour lui une grande
amie à défaut d'être une mère. À vingt ans, le jeune homme
n'avait certes pas besoin d'une «belle-maman» pour lui
apprendre à lacer ses souliers. Et puis, dans peu de temps, il

volerait de ses propres ailes, il aurait son appartement. Il n'attendait, en fait, que le moment où son père trouverait une femme qui puisse le rendre heureux. Et Mathilde avait tout, entièrement tout de celle qu'il avait espérée pour son père.

Daniel arriva rue Georges-Baril au volant de sa luxueuse Mercedes. Mathilde prit place à ses côtés et Daniel lui demanda, après l'avoir discrètement embrassée:

– Quel merveilleux parfum portes-tu? Celui des grandes occasions?

– Non, c'est *Vol de nuit* de Guerlain, celui que ma mère m'achète depuis je ne sais combien d'années. C'est son préféré. Mais où va-t-on ce soir? Tu t'engages vers le nord, vers le pont.

– J'ai pensé que la salle à manger de l'Hôtel Président de Laval conviendrait pour l'occasion. J'ai donné les indications à suivre à mon fils qui devrait être là en même temps que nous. Du moins, je l'espère. Sébastien préférait prendre sa voiture. Il rentrera sans doute plus tôt, il doit étudier une partie de la nuit. Il adore étudier la nuit, quitte à se lever amoché, les yeux cernés. Il prétend que ses résultats sont meilleurs quand il garde ses neurones éveillés.

Mathilde était ravissante dans sa robe de velours vert ornée d'une boucle à l'épaule et rehaussée d'une broche de perles sur le nœud de la boucle. Daniel devinait bien que c'était là un camouflage et que ce n'était pas demain la veille où il lui ferait perdre cette habitude. Tout en cachant son complexe, Mathilde, habile couturière, faisait des envieuses avec son savoir-faire. La toilette qu'elle portait était une copie d'une création de Valentino, la boucle en plus, bien entendu.

– Tes clientes te reviennent, mon ange? Tu as repris le dé et la couture?

– Oui, mais tout doucement. Je ne tiens pas à réveiller mes courbatures. J'accepte des retouches pour l'instant, aucune robe de mariée, rien de trop extravagant.

– Dieu que tu es belle! Dis-moi, c'est l'éclairage ou tu as changé la teinte de tes cheveux?

– Quelques mèches blondes ci et là suggérées par mon coiffeur. Ça te plaît?

– C'est adorable, Mathilde. Tu n'en es que plus belle, plus douce, plus, plus…

– N'exagère pas, Daniel. Ce n'est qu'un caprice du moment, mais j'avoue que ça me plaît. Mon coiffeur m'a dit qu'avec ces mèches, je pourrais désormais porter toutes les couleurs qui me plaisaient. Même les tons rutilants que j'évitais à cause des reflets roux de ma brune crinière. Un petit changement, quoi!

– Nous voilà presque rendus, Mathilde, mais juste avant que je stationne, pendant que nous sommes seuls… Gilbert a reçu la demande en divorce, tu sais?

– Oui, je m'en doutais, mais n'en parlons pas trop ce soir, veux-tu? Je ne voudrais pas que Sébastien soit incommodé par de tels propos. Nous sommes là pour toi et moi, Daniel, et pour ton fils. Et comme tu avais carte blanche pour les procédures…

Mathilde entra, suivie de Daniel, et quelle ne fut pas leur surprise d'apercevoir dans un fauteuil du hall d'entrée Sébastien qui les attendait.

– Déjà là, toi? Et moi qui craignais que tu ne sois pas ponctuel!

– Voyons, papa, je sais vivre. Jamais je ne me serais permis de faire attendre Mathilde.

Cette dernière lui fit l'accolade tout en lui disant:

– Si tu savais comme je suis heureuse que tu aies pu te joindre à nous, Sébastien!

– En autant que je ne dérange pas. Moi, le roman de mon père… Non pas que je ne le partage pas, Mathilde, mais je n'ai pas l'habitude de m'immiscer dans ses affaires.

– Allons, il le faudra bien puisque je partagerai un jour votre toit. N'est-il pas sage d'apprendre à connaître celle qui deviendra la femme de ton père?

Le jeune homme souriait. Il aimait Mathilde. Depuis toujours, c'était une telle femme qu'il avait souhaitée pour son père. Le maître d'hôtel les dirigea vers une table où trois couverts étaient en place. La salle à manger, sans être comble, laissait voir une assistance de gens distingués. Ils commandèrent, Daniel exigea un champagne de qualité, un vin de prix, et tous trois se régalèrent en riant, en plaisantant, en s'amusant, sans qu'un propos sérieux vienne faire obstacle à cette soirée à trois mémorable. Daniel parla quelque peu de la clinique, Sébastien entretint Mathilde de ses études exigeantes, et cette dernière, ravie d'avoir conquis le cœur de son futur beau-fils, lui parla de sa couture, de ses clientes capricieuses, de la chorale et des sautes d'humeur… de sa perruche! Le champagne et le vin aidant, le joyeux trio s'amusa gaiement au gré des cinq services de la table d'hôte.

– Dis donc, Mathilde, tu chantes en fin de semaine? lui demanda Daniel.

Troquant le sourire contre la mine sombre, elle répondit:

– Je devais chanter à des funérailles samedi, mais je me suis désistée.

– Ah! oui? Pourquoi? lui demanda Sébastien, retrouvant un air sérieux.

– Parce que c'est une enfant qu'on enterre, Sébastien. Une enfant de onze ans morte de la leucémie. Et, croyez-le ou non, le grand-père de la petite tenait à ce que je chante après l'*Ave Maria*, la chanson *Ferme tes jolis yeux*. Vous vous rendez compte? Me demander une telle chanson alors que la petite les a fermés à tout jamais. C'était, selon le brave homme, la chanson qu'il lui chantait depuis qu'elle était toute petite. Et davantage en la berçant, alors qu'elle était malade. J'ai tenté de leur expliquer que l'émotion serait trop vive, que la maman risquait de perdre connaissance, mais cette dernière, appuyant son père, m'a dit: «Vous savez, c'était la chanson préférée de la petite.» Et le grand-père a ajouté: «Je veux qu'elle l'emporte dans sa tombe avec elle…» Ils avaient déjà les larmes aux yeux, le papa et la grand-mère aussi. J'avais déjà le cœur à l'envers et je me suis désistée, Daniel. J'ai demandé à Serge, le directeur de la chorale, de me remplacer pour cette messe. Et c'est Paule qui, plus forte que moi, a accepté. De toute façon, j'ai toujours été incapable de chanter pour l'enterrement d'un enfant. J'ai toujours trouvé anormal et injuste qu'on puisse partir avant même d'avoir eu la joie de cueillir des fleurs. Ça me prend déjà tout mon courage de chanter pour un vieillard qu'on porte en terre, quand je vois sa veuve, cheveux blancs, anéantie dans les bras de ses enfants…

Constatant que Daniel et Sébastien étaient sidérés par ces tristes propos, Mathilde leva son verre, but une gorgée de vin et ajouta en souriant:

– Changeons de sujet, je sens que ça va gâcher la soirée. Nous ne sommes pas ici pour que je vous fasse pleurer.

Daniel, la regardant, baissant la tête, lui murmura, sans vouloir l'offenser:

– Je parlais d'un petit récital intime, Mathilde, ceux que tu donnes le soir…

Mal à l'aise, se rendant compte qu'elle avait été fautive en brisant, de son récit troublant, l'atmosphère joyeuse qui régnait, elle se reprit en disant:

– Oui, j'en ai un, Daniel! Je l'oubliais! Mais voilà qui risque d'ennuyer Sébastien, si l'on parle de mes récitals avec mes petites bandes musicales!

– Au contraire! Tu devrais l'entendre chanter, Sébastien! Un vrai rossignol!

– Daniel! Tu ne vas tout de même pas inviter ton fils pour une telle soirée?

– Ça me plairait! Je te l'assure, Mathilde! répondit le garçon d'un ton sincère.

– Sébastien! Voyons! Ce sont des chansons d'autrefois qu'on me demande, rien que tu connais, presque toujours les mêmes! Rien de ton âge, tu sais…

– Et puis après? Ne serait-ce que pour entendre ta voix, Mathilde…

– Bon, si tu tiens vraiment à évaluer mes cordes vocales, je préférerais que ce soit lors d'un office religieux, avec la chorale, l'organiste, mais pas dans une résidence, je t'en prie! Je le fais pour leur plaire, pour leur apporter un peu de joie! Et j'espère que la prochaine fois, un vieux monsieur ne me demandera pas de chanter *Ma pomme* de Maurice Chevalier!

– Et pourquoi pas? de renchérir Daniel.

– Te rends-tu compte du ridicule, pour une soprano, d'interpréter une chanson que Chevalier rendait d'une voix rauque et cassée? Imagine!

Daniel riait de bon cœur et Sébastien, qui ne connaissait ni la chanson ni Chevalier, souriait pour appuyer son père. Et le café arriva suivi de succulents desserts flambés.

La soirée s'écoula, la joie de vivre fit place aux confidences et, soudain, Daniel Primard, prenant son fils à témoin, demanda à Mathilde:

– Ce n'est peut-être pas le moment, mon ange, mais comme tu seras libre prochainement, tu as une idée du moment où toi et moi…

Mathilde était bouche bée. Ne sachant trop quoi répondre, Daniel insista:

– C'est pour Sébastien que je te le demande, Mathilde. Afin qu'il entende de ta voix le jour où son père nouera son nœud papillon. Mais, si tu n'y as pas encore songé…

– Papa! Tu la gênes! Ne te sers pas de moi, laisse Mathilde…

– Non, ça va, répondit Mathilde. Je suis contente que ton père me pose la question devant toi. J'y ai songé, j'ai regardé toutes les pages du calendrier et si tout se déroule tel que prévu, j'ai pensé qu'au printemps, au mois de mai…

– Ce serait merveilleux, Mathilde! de s'écrier Daniel. Mais pourquoi ce mois précis?

– Parce que c'est la saison des fleurs, celle des lilas dont j'aime le parfum, celle de la renaissance de la nature. Aussi, c'est peut-être un caprice d'enfant, mais j'aimerais porter une robe de la couleur des lilas. Qu'en penses-tu, Sébastien?

– Moi? Je… je pense que ce serait très bien. Je trouve que tu es très romanesque, Mathilde! J'espère trouver une fille comme toi lorsque viendra mon tour. Mais je me demande si ça existe de nos jours…

– Bien sûr, Sébastien. Les filles d'aujourd'hui, sans l'avouer, sont aussi romanesques que celles d'il y a vingt ans. Les romans Harlequin se vendent encore, tu sais!

– Oui, mais en médecine, ce genre de fille…

– Alors, tu n'auras qu'à épouser une fleuriste! Ça existe, tu sais!

Ils s'esclaffèrent de bon cœur et Daniel, ravi d'apprendre qu'elle avait choisi «le mois», osa:

– Un mariage intime, Mathilde? Un mariage somptueux?

– Non, Daniel, très intime si tu n'y vois pas d'objection. Ma mère, ton fils, quelques collègues à toi, mes amis de la chorale, personne de plus. Et surtout pas Pierre-Paul!

– Mathilde! Crois-tu que je te ferais cet affront?

– Qui est Pierre-Paul? demanda naïvement Sébastien.

– Le frère de mon mari, l'avocat de ton père, un conflit d'intérêts si je puis m'exprimer ainsi…

– Ne t'en fais pas, mon ange, un mariage intime, des lilas, la chorale… Je suis le plus heureux des hommes ce soir. Ton père est au septième ciel, Sébastien!

– Et c'est là que je te laisse, papa, avec Mathilde. Il se fait tard, je dois rentrer, j'ai des études…

– Pas même un digestif? insista Mathilde.

– Non, prenez-le en tête-à-tête, à ma santé et à votre bonheur, répondit le jeune homme en se levant de son fauteuil.

Mathilde l'embrassa, Daniel lui tendit la main et, en bon père, lui demanda:

– Tu es en état de conduire, au moins? Avec le champagne, le vin…

– Papa! répondit fièrement le «fiston». Tu me parles comme si j'étais un enfant! Rappelle-le à l'ordre, Mathilde! Dis-lui que son fils connaît la force de ses deux jambes!

Sébastien était parti et Mathilde, restée seule avec Daniel, sirotait sa crème de menthe lorsque ce dernier lui demanda:

– Je ne sais trop si l'idée aura l'heur de te plaire, Mathilde, mais j'ai pensé que, pour célébrer notre engagement, il serait agréable de passer la nuit ici, toi et moi. Ils ont des chambres luxueuses…

Mathilde, surprise de cette invitation, malgré son désir de ne plus se donner à lui avant le mariage, hésitait quelque peu.

Puis, lisant dans les yeux de Daniel tout son amour et sa sincérité, elle répondit évasivement:

– Bien… pourquoi pas… Puisque bientôt… Oui, pourquoi pas, Daniel?

– Si tu savais comme tu me fais plaisir, mon ange. Tu sais, je t'aime et pour moi, attendre tel un gamin… Non pas que je ne tienne pas à respecter…

Elle lui mit un doigt sur les lèvres et lui murmura avec tendresse:

– N'ajoute rien, va louer la chambre, mon chéri, je t'aime et il ne serait pas normal de se priver plus longuement. Entre adultes consentants…

Daniel était fou de joie. Il entraîna Mathilde par la main, se rendit à la réception et loua, pour une nuit, la plus somptueuse chambre de l'hôtel. Mathilde prit une douche, il en fit autant, et quelque quinze minutes plus tard, ils se retrouvaient sous les draps, enlacés, s'embrassant passionnément. Amoureux de «son ange» comme il ne l'avait été d'aucune autre femme depuis qu'il était veuf, Daniel, déterminé, s'apprêtait à lui faire l'amour avec tendresse, délicatesse. Avec son crâne quelque peu dégarni, ses joues émaciées, sa forte moustache, son corps long, mince, un peu trop long selon ses critères, il était évident que Daniel n'était pas aussi beau que… Mais Mathilde se retint de toute comparaison, même en pensée, et nue sous ce corps solide, les yeux fermés, elle se laissa prendre tout en humant cette peau qui ne lui était pas encore tout à fait familière. Après cet acte d'amour décent, elle resta blottie dans ses bras alors qu'il murmurait des mots qu'elle percevait à peine. La tête lourde, le champagne, le vin, le copieux repas, la divine soirée et ce prologue sur l'oreiller eurent raison de sa résistance. Daniel lui murmurait encore des mots tendres, lui promettait mer et monde, mais Mathilde, épuisée, s'était endormie sur sa poitrine.

Depuis la demande en divorce reçue des mains de l'huissier, Gilbert, de son côté, avait espéré, attendu, puis espéré encore que Mathilde se manifeste. En vain! Il finit par en déduire que Mathilde avait mûri sa décision et que rien ne viendrait l'entraver. Pas même une lettre d'amour écrite de sa main, la durée d'une nuit. Il avait soupiré, il avait repris le boulot, mais le cœur n'y était pas. Et c'était sa mère qui, chaque soir, lui remontait le moral, allant jusqu'à lui suggérer de revenir vivre avec elle si la solitude le rendait malade. Mais Gilbert avait refusé. Un homme, un vrai, ne retourne pas chez sa mère à quarante et un ans. Surtout pas après avoir échoué sur tous les plans sauf sur celui des affaires. Il se devait d'oublier Mathilde, de s'y efforcer au point d'en arriver non pas à la haïr, mais à la considérer comme perdue. Comme elle avait dû le faire avec lui, avec le temps. Un matin, alors qu'il prenait son café au bureau en lisant son journal, un vieux collègue, au courant de son histoire, lui murmura:

— Tu sais, j'ai eu des nouvelles de Lucie Chénart, Gilbert.

Feignant l'indifférence, il n'avait même pas levé les yeux pour lui demander:

— Ah oui? Et après? Que… que devient-elle? ajouta t il, inquiet.

Il craignait tellement que Lucie revienne à la charge, qu'elle lui cause des ennuis ou qu'elle tente de le reconquérir dans un ultime effort.

— Elle vit maintenant à Ottawa. Le concurrent chez qui elle opère lui a proposé un transfert et elle l'a accepté.

— D'où tiens-tu ça, toi? demanda-t-il, un tantinet soulagé.

— D'une amie qui m'est restée fidèle et qui travaille avec elle. De plus, elle a un nouvel homme dans sa vie. Un divorcé de cinquante-trois ans avec de grands enfants. Il paraîtrait qu'elle l'a rencontré en lui faisant visiter un condo en banlieue d'Ottawa. Et, crois-le ou pas, le type s'est entiché d'elle et l'a invitée à venir s'établir avec lui. Ce qu'elle a fait sans hésiter. Un homme à l'aise, bien entendu.

Gilbert souriait. Lucie avait mis le grappin sur une autre proie d'occasion. Un homme d'affaires. Un homme plus âgé, cette fois. Puis, soudainement peiné, il demanda à son collègue:

– Tu as des nouvelles de sa fille, Geneviève? Encore un nouveau «père» pour elle...

– Oui, mais qu'elle n'aura pas à subir puisqu'elle a demandé à être pensionnaire à longueur d'année dans un collège privé d'Ottawa. Je ne connais pas sa fille, mais de «père» en «père», tu comprends...

– Une charmante jeune fille. Une fille qui fera son chemin, je te l'assure.

Le collègue s'éloigna et Gilbert resta pensif. Il songeait à Geneviève. Elle qui lui avait promis de ne jamais l'effacer de sa vie. Elle qui aurait pu l'atteindre au bureau en tout temps et qui n'en avait rien fait depuis son départ. Malgré ses larmes. Il était donc vrai qu'on oubliait vite à cet âge-là? Somme toute, malgré tout l'attachement qu'elle disait avoir pour lui, Gilbert Authier n'avait été qu'un «mâle» de plus dans la vie de sa mère. Et Marc Derouet, donc! Lui qui avait promis d'écrire dès qu'il arriverait à Vancouver et qui n'en avait rien fait. Pas même un coup de fil ou une télécopie. Marc, son meilleur ami. Mais dans son cas, Marc et son impudence... Marc qui préférait sans doute se faire oublier de Gilbert depuis la nuit... du monde à l'envers. Et Gilbert, tout en rédigeant un contrat, tenta de se convaincre que Mathilde et lui, c'était chose du passé aussi. Ce matin-là, il se promit de mettre un terme aux verres qui noyaient son ennui. Il n'allait rien résoudre à se laisser dominer par l'alcool et à courir par-fois les bars, dans le seul but de vérifier si, à quarante et un ans, un homme plaisait encore. Seul, il allait se faire de nou-veaux amis, relever des défis et espérer qu'un jour le destin place sur son chemin une femme à qui sourire. Qu'importe si cette femme n'allait pas avoir le sourire de «sa douce». Qu'importe... parce que Gilbert savait que d'un rubis à un saphir, il ne croiserait plus jamais, dans sa vie, une perle comme Mathilde.

Chapitre 12

L undi 9 octobre 1995, Action de grâce, jour de congé pour la plupart. Mathilde s'était levée tôt même si rien ne l'y obligeait. Après avoir nourri Coquette qui s'agitait dans sa cage, elle fit jouer, tour à tour, les nombreuses plages de la collection des *Chansons Immortelles* dont elle avait fait l'acquisition chez Archambault sous forme de disques compacts. Il lui fallait apprendre certaines de ces chansons d'autrefois qu'on lui réclamait dans les résidences. Son répertoire était restreint et ça lui crevait le cœur de dire à une vieille dame qui lui réclamait une chanson de sa jeunesse: «Je suis désolée, Madame, je ne la connais pas.» Il lui fallait aussi une nouvelle bande musicale des chansons qu'elle apprendrait, mais comme Martin Vanel ne faisait plus partie du décor, elle songea à Carole, la conjointe de Serge, une organiste hors pair, une musicienne accomplie, qui ne lui refuserait sûrement pas ce service. Elle s'empressa de lui téléphoner et, curieux hasard, cette dernière s'apprêtait, elle aussi, à demander un service à Mathilde. Elle souhaitait de tout cœur que Mathilde accepte de chanter dans une résidence où logeait sa grand-mère. Une soirée où elle l'accompagnerait au piano si Mathilde acceptait de s'y rendre avec elle. La différence avec ses récitals intimes, cette fois, c'est que la soirée réunirait deux résidences et, qu'avec la parenté de ces pensionnaires, il y aurait au moins deux cents personnes réunies pour l'entendre. Mathilde ressentait un certain trac, mais Carole l'assura qu'il en était de même pour elle, et qu'ensemble, elles allaient faire un succès de cette soirée. Quitte à offrir un cachet à Mathilde vu le nombre de personnes. Ce que Mathilde refusa, bénévolat ancré au fond du cœur et toujours ravie de rendre les personnes du troisième âge heureuses. En retour, Carole se chargeait de lui enregistrer à l'orgue la musique des chansons choisies par Mathilde. Serge, le conjoint de Carole, n'allait pas être de la partie, car il dirigeait, le même soir, un orchestre de taille dans une représentation spéciale. Carole, plaisantant, avait ajouté: «Il est bon pour des conjoints de ne pas être toujours ensemble, tu sais. C'est de cette façon que l'on s'apprécie davantage lorsqu'on se retrouve le soir.» Mathilde savait certes de quoi elle parlait puisqu'elle avait quitté la clinique dans l'intention de ne pas être avec Daniel à longueur de journée. Carole en profita pour s'informer de sa relation avec le docteur et Mathilde lui répondit que c'était de plus en plus sérieux, lui disant même qu'ils en étaient à parler mariage et que tous les membres de la chorale seraient invités. Ce qui ravit Carole qui allait certes en avertir son conjoint, Paule et tous les autres. Carole, comme la plupart de ses collègues, avait entrevu Daniel alors qu'il était venu surprendre Mathilde à l'église, mais sans plus. Et Mathilde de lui dire: «Un de ces jours, je te le présenterai officiellement. Tu verras, c'est un homme charmant.» Elles parlèrent, elles discutèrent de la soirée que Carole planifiait et quelle ne fut pas la surprise de Mathilde d'apprendre que c'était pour le dimanche suivant. Nerveuse, elle lui dit: «Si vite? J'ai un tas de chansons à apprendre! Et j'ai un petit récital à offrir samedi soir.

Rien de grandiose, quelques personnes, douze à quinze, je crois, et ma bande sonore actuelle me suffira, mais dimanche, tant de monde...» Carole la rassura en lui disant qu'en quelques jours, elles répéteraient toutes deux les nouvelles chansons de Mathilde et qu'une dame de ses connaissances possédait des feuilles de musique qui remontaient aux chansons de... Fernandel! Elles en rirent de bon cœur et Mathilde, rassurée sur le talent de Carole, cette dernière sur celui de Mathilde, il était évident que la soirée qui réunissait deux cents personnes allait être des plus réussies. Mais Mathilde, ravie d'être à ce point appréciée, n'en avait pas moins le trac jusque dans les jambes. Jamais elle ne s'était produite devant un auditoire aussi vaste.

Ayant raccroché, sans perdre de temps, Mathilde partit à la découverte de ses *Chansons Immortelles* et sélectionna parmi elles *Le chaland qui passe*, un succès de Lys Gauty, *Le temps des fauvettes* de Berthe Sylva, celle dont elle entendait enfin la voix, *La java bleue*, *Je vous ai reconnue*... Puis, sur un autre album, *Je sais que vous êtes jolie*, un succès de Jean Sablon, et *Amapola* chanté par Jean Lumière, le chanteur préféré d'une octogénaire. Mathilde se souvenait même d'avoir été sceptique en entendant le nom de ce chanteur, mais il avait bien existé. Elle avait le son de sa voix dans cette reprise de l'un de ses succès. Sans s'y attendre, elle tomba également sur une chanson intitulée *Mon ange*, interprétée par Léo Marjane. Elle songea à Daniel qui l'avait toujours appelée «mon ange» et décida de l'apprendre pour le surprendre en la lui dédiant devant la foule. En outre, elle était certaine que Daniel, moins féru qu'elle des interprètes d'autrefois, allait sûrement penser que Léo Marjane était un homme et non une femme. Ce qui l'amusait d'avance.

Alors que Mathilde s'imprégnait de toutes ces chansons qu'elle devait apprendre avec l'aide de Carole, Daniel, heureux de l'entendre parfois chanter au bout du fil, s'était plié de bonne grâce à une semaine de… relâche. Il était si fier de «son ange», il voulait tant que le récital d'importance soit un succès pour elle, qu'il avait accepté de mettre son cœur en veilleuse, sachant qu'il allait la serrer dans ses bras après ce triomphe auprès des gens de l'âge d'or et de leurs proches. Il l'aimait. Il l'aimait au point de ne rien lui refuser, quitte à compter les jours, les heures et les secondes avant de poser de nouveau ses lèvres sur les siennes. De toute façon, comme les rhumes étaient multiples en ce début d'automne, beaucoup de travail l'attendait. La clinique ne dérougissait pas de patients qui, mouchoirs de papier à la main, toussaient jusqu'à ce que la science les soulage d'un sirop ou d'un antibiotique. Bonheur pour elle, déception pour d'autres, partie remise, Mathilde fut fort soulagée d'apprendre que le mini-récital prévu pour le samedi venait d'être annulé. Sept des douze pensionnaires de cette petite maison de retraite étaient aux prises avec… la grippe!

Pendant que Mathilde chantait pour le plus grand bonheur de sa perruche, qu'elle apprenait les mots de certains refrains anciens, Gilbert, seul, emmuré dans son appartement d'Outremont… déprimait. Espoirs anéantis face aux faits, solitude de plus en plus lourde, il lui arrivait de pleurer. La rançon, selon lui, était trop élevée pour un départ qu'il qualifiait… d'involontaire. Sans se soucier que Mathilde avait souffert plus qu'il ne souffrirait jamais. Et sans songer qu'elle avait payé le prix, plus que lui, d'un abandon qui, tel un dard, était venu de lui. Que de lui! Mathilde avait payé très cher un acte dont elle n'était pas coupable. Tandis que lui… Gilbert dépérissait dès qu'il retrouvait ses murs où pas âme qui vive ne rendait le moindre souffle. Au travail, c'était au ralenti qu'il vaquait à quelques occupations de bureau. Au grand détriment du directeur qui lui dit, un certain matin:

— Gilbert, je ne comprends pas, tu ne vends rien, tu refiles les clients aux collègues, tu rates de belles occasions. On dirait que tu te désintéresses de l'immobilier. Quelque chose te tracasse?

— Non, Monsieur Marois, mais la vente des maisons, ces temps-ci, ce n'est pas ce qu'il y a de plus rentable. On perd son temps avec les clients. Ils n'ont pas le capital requis. Je perds patience, quoi!

— Pourtant, Gilbert, tes collègues encaissent de bons pourcentages.

— Tant mieux pour eux, moi… Disons que je n'ai pas le cœur à l'ouvrage présentement.

— Qu'est-ce qui ne va pas, Gilbert? Je sais que tu parles peu, que tu gardes tout pour toi, mais face à celui que tu considères comme un père…

Gilbert baissa la tête, la releva, regarda son patron dans les yeux et murmura:

— Je suis en instance de divorce, Monsieur Marois. Ma femme l'a demandé, elle veut refaire sa vie. Bref, je traverse un dur moment…

— Gilbert, écoute-moi, ce n'est peut-être pas facile pour toi, mais il ne faudrait pas oublier que c'est toi qui l'as quittée. Tu ne t'attendais tout de même pas à ce qu'elle patiente jusqu'à ce que tu en aies fini avec Lucie Chénart?

— Non, mais je ne m'attendais pas à ce qu'elle demande le divorce. Elle n'a guère perdu de temps… À peine un an et un autre a déjà pris la place.

— Gilbert! Sois honnête, parle comme un homme, parle avec ta tête! Je suis navré d'avoir à te le dire, mais tu lui as laissé le chemin libre. Ce n'est pas parce que ta femme t'aimait qu'elle allait passer sa vie à te pleurer. Croyais-tu vraiment que Mathilde ne pourrait plaire à quelqu'un d'autre? Je l'ai rencontrée à quelques reprises dans nos soirées, et laisse-moi te dire que je l'ai trouvée jolie et très intelligente. Une telle femme de nos jours…

— Oui, je sais, mais de là à demander un divorce des mains d'un huissier… Si au moins elle m'avait prévenu… Le choc a été dur à encaisser…

— Sans doute, Gilbert, mais pense au choc qu'elle a encaissé lorsque, du jour au lendemain, tu l'as plaquée là pour une autre! Pense à elle, Gilbert, à ce qu'elle a vécu et non seulement à toi. Tu récoltes ce que tu as semé, Gilbert, tandis que Mathilde… Je ne te l'ai jamais dit par crainte de te déplaire, mais ne va pas croire que j'ai été fier de toi lorsque j'ai appris que Lucie et toi… Et lorsque j'ai appris, Gilbert, que ta femme souffrait énormément de cette brusque rupture. Marc Derouet suivait l'affaire de près, tu sais. Tu as peut-être été inconscient, mais elle, livrée à elle-même…

— Ne tournez pas le fer dans la plaie, Monsieur Marois. Je fais assez de culpabilité sans qu'on ajoute à mon tourment. Mais de là… Et à quoi bon? Ce qui est fait est fait, non? Le voudrais-je que je ne pourrais pas revenir en arrière.

— Effectivement, Gilbert, et c'est pour ça qu'il te faut aller de l'avant. Tu n'as que quarante et un ans, tu as belle apparence, ta situation financière est bonne… Cesse de t'apitoyer sur ton sort et regarde la vie autrement. Viendra le jour où, à ton tour…

— Peut-être, peut-être, mais l'écorchure est encore fraîche, Monsieur Marois.

— As-tu besoin de vacances? Aimerais-tu t'absenter, t'offrir un voyage? Qui sait si ce ne serait pas là une solution?

L'éloignement, tu sais… Chose certaine, Gilbert, ce n'est pas en te morfondant sur ta chaise que tu vas régler ton problème. Ta façon d'agir n'est d'ailleurs guère encourageante pour les autres. On te regarde, on chuchote, on t'évite de peur de te gêner. On se fait discret, Gilbert, comme si tu sortais d'une opération à cœur ouvert. Il te faut changer d'attitude…

– Vous avez sans doute raison. Je sens que je dérange, que j'indispose…

– Alors, si tu le sens, fais quelque chose, Gilbert. Prends un congé, prends sur toi, mais ce n'est pas en te rongeant les sangs que tu vas te libérer de ton désarroi. Réagis, sors de ta torpeur, reprends contact avec la réalité et cesse d'être de garde sur place et de refiler les meilleures ventes à ceux qui viennent d'arriver. Reprends du poil de la bête ou prends des vacances si ton budget te le permet, mais ça ne peut pas continuer ainsi, Gilbert, tu démoralises ton entourage.

– Je m'en excuse, Monsieur Marois. Merci de me le dire aussi ouvertement. Avec votre permission, je vais prendre une semaine de vacances. Je vais la prendre pour faire le point, pour me remettre, pour retrouver mon équilibre. Vous permettez que je prenne ces quelques jours sans que ça dérange?

– Voyons, Gilbert, tu es à commission! Comment pourrais-je m'y opposer? Si, sur le plan pécuniaire, tu es au-dessus de tes affaires, prends-les, ces vacances, fais le vide et reviens-nous avec une meilleure mine. Après toutes ces années, Gilbert, tu devrais savoir que tu n'as pas de permission à demander. Dans une société immobilière, au plus fort la poche! Si les ventes ne viennent pas de toi, Gilbert, tu sais fort bien qu'elles viendront d'un autre. Regarde tous ceux et celles qui sont partis! Quand on appelle chez Arc-en-Ciel, c'est qu'on veut faire affaire avec la maison. Qu'importe le courtier, Gilbert! Et ça, tu le sais! Personne n'est indispensable dans une telle entreprise, pas même moi!

– Est-ce à dire que vous n'auriez aucune objection à ce que je démissionne?

– Non! Parce que tu es avec nous depuis le commencement et parce que je tiens à toi, Gilbert! Je n'aurais aucun droit de m'objecter, mais ça me peinerait énormément. Parce que je tiens à toi! Parce que je t'aime, toi! Alors, va, repose-toi, retrouve la forme et reviens-nous dès que le sevrage sera terminé.

Gilbert prit donc congé de l'entreprise pour quelque temps, heureux d'apprendre que Marois tenait à lui et qu'il ne désirait pas le perdre parce qu'il traversait un mauvais moment. Heureux de constater que monsieur Marois le comprenait. Heureux d'avoir trouvé, en ce sexagénaire, le père qu'il n'avait guère connu.

Gilbert rentra chez lui plus désarmé que jamais. Passant outre à ses bonnes résolutions, il se versa un gin tonic sur glace, l'enfila d'un trait, puis s'en servit un autre. Un déplacement n'était certes pas une vilaine idée même s'il n'aimait guère les voyages. Il lui fallait sortir de cette bulle luxueuse dans laquelle il «étouffait». Il en avait marre de se regarder dans la glace, de voir ses cernes autour des yeux et de compter un ou deux cheveux gris de plus chaque jour, conséquence de son angoisse. Et monsieur Marois qui venait de le complimenter sur sa belle apparence! Gilbert Authier, lui, se trouvait plus que quelconque, bien qu'il fût bel homme. Et il se trouvait vieux, bien qu'il fût jeune. Séduisant à souhait, en pleine force de l'âge, il ne remarquait même pas que de très jeunes femmes ne le quittaient pas des yeux lorsqu'il dînait seul dans un restaurant. Des femmes en pâmoison devant sa bouche sensuelle, ses yeux pers et sa mine triste et langoureuse.

Gilbert ne voyait devant lui plus rien de sa vie, plus rien de ce qui en restait. Rien! Rien depuis que l'huissier lui avait signifié la demande de Mathilde. Rien depuis la lettre émouvante restée sans réponse. Et moins que rien depuis qu'il savait que «sa douce» était promise à un médecin qui comptait bien en faire sa femme. Partir en voyage, oui, mais avec qui? Pour aller où? Feuilletant le journal, il scruta les réclames des lignes aériennes et, après avoir noté une destination intéressante, il composa le numéro de sa mère.

— Maman, c'est Gilbert.

— Gilbert! Comment vas-tu? Si tu savais comme je pense à toi.

— Écoute, maman, ça te dirait de partir en voyage avec moi? Pas longtemps, juste une semaine. Le temps de me changer les idées et toi, de te reposer.

— En voyage? Où ça? Pas demain, j'espère! Tu sais, moi, les voyages précipités...

— Pas demain mais samedi, maman. Ce qui te donnera le temps de faire tes valises. Pas loin, maman, juste à Freeport aux Bahamas. Trois heures d'avion...

— Gilbert! Pierre-Paul et Rachel m'attendent pour souper, samedi!

— Est-ce plus important que la quiétude de ton fils aîné, maman? Un souper, ça peut se remettre... Pierre-Paul est-il plus important que moi?

— On ne pose pas une telle question à une mère, Gilbert! Pour moi, tous mes enfants sont importants. Même Sophie que je n'ai pas revue depuis longtemps.

— Maman, il me faut réserver, acheter les billets... Je t'invite, tu sais...

— Gilbert! Ce n'est pas la raison, j'ai les moyens, c'est juste un peu hâtif...

– Rien ne t'y oblige, maman. Si tu n'en éprouves pas le goût…

– Non, ce n'est pas cela, mais pourquoi moi? Tu n'as personne d'autre?

Gilbert, pantois et silencieux, retrouva son souffle pour lui dire:

– C'est de toi que j'ai besoin, maman.

Le samedi 14 octobre, alors qu'un avion d'Air Canada s'envolait pour Freeport avec Gilbert et sa mère à bord, Mathilde faisait des vocalises pour ajuster ses cordes vocales, avant de répéter le *Panis Angelicus* qu'elle devait interpréter lors de funérailles l'après-midi même. Serge l'avait réclamée à la dernière minute, Paule étant malade. Sur place, elle sut que le défunt était un homme de trente-sept ans, père de trois enfants, tué raide lorsque sa voiture avait percuté un arbre de plein fouet. Un fait divers pour les médias, mais quel drame pour la jeune veuve et les trois petits qui lui survivaient. Les enfants, chagrinés par les larmes de leur mère, la suivaient en tenant la main du grand-père, de la grand-mère, d'une tante… Mathilde était émue. La douleur des enfants lui fendait le cœur, la tristesse de la veuve l'atteignit jusqu'à l'âme. Fils d'une famille à l'aise et distinguée, il n'était pas question qu'on lui interprète «sa chanson préférée», Dieu merci! Que le *Panis Angelicus* que Mathilde rendit d'une voix sublime et le deuxième mouvement de la *Sérénade No 13 (K525)* de Mozart que Carole interpréta à l'orgue avec toute la maîtrise qu'elle en avait. Mathilde se joignit également au chœur pour interpréter, sous la direction de Serge, *Le chant d'adieu* qui vint clore la touchante cérémonie. Mathilde s'enfuit par la porte de la sacristie afin d'éviter les larmes de la veuve et le chagrin dans les yeux des enfants. Son cœur, malgré tout ce qu'il avait surmonté, ne supportait pas la douleur des éprouvés.

Le lendemain soir, remise de ses émotions de la veille, elle revêtait une jolie robe de velours bourgogne, ajustait un chou de satin noir à l'épaule gauche, se parait de bijoux sobres et de bon goût et attendait, anxieuse, que Daniel vienne la prendre pour se rendre avec lui à la Résidence du Sourire, où l'attendaient deux cents personnes. Elle parlait peu, elle était nerveuse, elle entendait à peine les compliments de Daniel sur sa jolie toilette. Petite mallette à la main, elle descendit de la voiture et fut prise d'un vertige. Sans qu'il s'en rende compte. Le même vertige ressenti la veille chez Carole alors qu'elle répétait une chanson du répertoire d'Yvonne Printemps accompagnée de l'organiste. «Sans doute l'émotion», se dit-elle. «Je me donne vraiment trop», songea-t-elle. La salle, réunissant les deux annexes de cette résidence bien tenue, était bondée de gens de tous les âges. Il y avait même les petits-enfants de certains grands-parents dans leurs plus beaux costumes. Carole lui présenta sa mère, son père et sa grand-mère, et cette dernière la serra dans ses bras en lui disant: «Merci d'avoir accepté de chanter, Mademoiselle Courcy.» Parce que Mathilde avait insisté auprès de Carole pour être Mathilde Courcy ce soir-là. Et ce, pour une raison précise. Elle présenta officiellement Daniel à Carole et à sa famille et le médecin, timide face à la foule, préféra se retirer à l'écart pour que Mathilde, qu'il sentait nerveuse, retrouve son aplomb. Au moment de se rendre au micro, encouragée par les applaudissements de l'assistance, Mathilde ressentit de nouveau le déséquilibre qui l'inquiétait. Carole, se rendant compte de sa légère défaillance, lui dit: «Le trac, Mathilde, mais ne t'en fais pas, ça passera dès que nous entamerons la première chanson.

Regarde, j'ai aussi la main qui tremble. Devant une foule, on ne s'habitue pas.» Mathilde s'avança, offrit son plus gracieux sourire et, après les présentations d'usage de la part de l'organisatrice de la soirée, elle entama *Un amour comme le nôtre* de sa voix juste et claire. À la fin de la chanson, sous une salve d'applaudissements, elle se tourna vers Carole qui lui lança un clin d'œil qui la rassura. Mathilde soupira d'aise. Après sept ou huit chansons bien rendues et accueillies chaleureusement par les pensionnaires, on passa aux demandes spéciales. Inévitablement, on lui demanda *Le temps qu'il nous reste* et *Les roses blanches*, deux chansons que les artistes connaissaient par cœur. Un vieux monsieur réclama *La chanson des blés d'or*, fort heureusement au nouveau répertoire, et une petite dame âgée, fardée, demanda à Mathilde: «Vous connaissez *J'attendrai* de Rina Ketty?» Mathilde l'avait souvent chantée avec sa bande musicale, mais Carole ne l'avait guère mise à l'essai. Qu'à cela ne tienne, Carole fit signe à Mathilde de commencer et, virtuose de la musique, oreille à toute épreuve, elle accompagna Mathilde comme si elles l'avaient toutes deux répétée la veille.

À ce même moment, à des lieues d'elle, Gilbert et sa mère étaient sur le patio de leur chic hôtel de Freeport où on leur avait servi le repas. Gilbert, vêtu d'un pantalon blanc, d'une chemise verte déboutonnée, pieds nus, regardait la mer tout en ayant la tête ailleurs. Madame Authier, vêtue de sa longue robe de détente, coiffée et maquillée, buvait une eau minérale afin de digérer le poisson peu frais qu'on leur avait servi. Des couples enlacés se promenaient. Des couples de tous les âges et des jeunes mariés. Des couples dans la quarantaine avec un ou deux enfants, et des femmes dans la trentaine qui regardaient Gilbert et qui se demandaient ce qu'un si beau mâle pouvait faire aux Bahamas avec une femme en âge d'être… sa mère. Mais Gilbert ne voyait rien, ne disait rien. Un gin tonic entre les mains, détendu ou faisant mine de l'être, il regardait le ciel s'assombrir peu à peu, et à travers les nuages, un visage se dessinait. Un visage qu'il aurait préféré ne pas distinguer devant sa mère qui l'observait. Un visage qu'il chassa de son regard troublé en fermant les yeux sur le ciel pour les rouvrir sur son verre qui avait failli glisser de sa main.

– Ça va, mon grand? Tu es content? Tu es heureux d'être ici avec ta mère?

Gilbert la regarda, lui sourit et la serra très fort dans ses bras. Et ce, à la vue des passants qui s'interrogeaient davantage sur le curieux couple qu'ils formaient.

Mathilde, loin de la mer, ne sachant pas que Gilbert s'y trouvait et se désolait avec un verre entre les mains, n'avait d'yeux que pour Daniel qui, au dernier rang de ce vaste auditoire, la soutenait de son amour, de sa présence. Après avoir chanté *La java bleue* pour dérider les vieux, elle fit un signe à Carole qui s'approcha du micro pour annoncer: «Mathilde Courcy a une dernière chanson à vous offrir, mais elle tient à la dédier à quelqu'un qui lui est cher.» Devant le micro, Mathilde, d'une voix tremblante, s'adressa aux quelque deux cents personnes en leur disant: «Cette dernière chanson, j'aimerais la dédier à mon fiancé ici présent.» Elle insista pour que Daniel se lève et on l'applaudit chaleureusement. Le silence revint et Mathilde enchaîna. «Pour vous tous, pour toi Daniel, le succès de Léo Marjane intitulé *Mon ange*.» Daniel Primard avait frémi. Jamais il ne s'était attendu à pareil hommage de la part de celle qu'il aimait. Mathilde avait déniché une chanson dont le titre était le plus joli surnom dont il l'affublait. Devant tous, elle l'avait présenté comme son fiancé.

Un terme qu'elle utilisait pour la première fois. De plus, Mathilde Courcy n'était plus Mathilde Authier ce soir-là. Que Courcy! Pour lui! Et dès les premières notes, il sentit une douce chaleur envahir tout son être.

À Freeport, toujours assis sur la terrasse, un troisième verre entre les mains, Gilbert songeait. Bouche cousue! Se rendant compte de son désarroi, sa mère, qui en savait plus que quiconque la cause, se retira pour le laisser aux bons soins du sable doux secoué par les vagues. Seul, sans sa mère pour l'observer, Gilbert buvait, Gilbert pleurait. Et à des milliers de kilomètres de son désespoir, le cœur en fête, Mathilde chantait.

Le récital fut un triomphe. Jamais Mathilde n'avait chanté comme ce soir-là. Pour les invités, bien sûr, mais surtout pour Daniel. Pour celui qu'elle aimait et qui était devenu sa raison d'être. Pour celui qui allait devenir… On l'applaudit à tout rompre et, un à un, les vieux, seuls ou en couple, regagnèrent leurs appartements aux bras de leurs enfants. Carole, ayant tout donné d'elle-même, remercia Mathilde au nom de sa grand-mère. Daniel, venu discrètement la rejoindre, la serra dans ses bras et lui murmura:

— Tu as été magnifique, mon ange! Tiens, voilà que je te rends le titre de ta chanson! Où donc as-tu déniché ce petit bijou que tu m'as dédié?

— Au hasard, parmi les chansons de Léo Marjane.

— Bien, sans savoir qui est ce Léo, tu l'as sûrement chantée mieux que lui!

Mathilde et Carole s'esclaffèrent. La veille, Mathilde avait parié avec la musicienne que Daniel prendrait Marjane pour un homme. Daniel, ne comprenant pas ce qui avait pu provoquer ce rire, resta pantois. Et c'est Mathilde qui le sortit de son embarras en lui disant:

– Léo Marjane est une femme, Daniel! Nous savions que tu te méprendrais!

Daniel éclata de rire à son tour et répliqua:

– Léo, Léo... ce n'est pas pour une femme! Quelle idée! Surtout quand on a un Léo Ferré! Qu'importe! La chanson m'a touché en plein cœur, Mathilde.

Carole s'excusa, elle voulait se rendre auprès de sa grand-mère, rejoindre ses parents et vite se retrouver, la nuit venue, dans les bras de Serge. Mais elle avait dit à Daniel avant de partir: «Heureuse de vous avoir rencontré. Mathilde m'avait tellement parlé de vous.» Mathilde rougit, sourit et pria Daniel de l'attendre, le temps d'aller se rafraîchir avant de partir. Elle allait regagner la salle des dames; Daniel la suivait du regard et, surpris, il vit Mathilde s'appuyer contre le mur et saisir à deux mains le dos d'un fauteuil. Mathilde, discrète mais inquiète, sueur au front, retrouva son aplomb et poussa la porte, encore sous le choc de cet autre vertige.

Tout en la reconduisant chez elle, Daniel lui demanda sans détour:

– Mathilde, que s'est-il passé alors que tu allais te rafraî-chir? Tu t'es agrippée au fauteuil.

– Oh! rien. Un étourdissement. Sans doute le stress de cette soirée, Daniel. J'étais nerveuse de chanter devant autant de monde.

– Allons, Mathilde, tu n'as jamais le trac... Était-ce un malaise?

– Non, non, la nervosité, rien de plus. Tu sais, le trac de récupération, ça existe. Pour plusieurs, c'est après une perfor-mance qu'il se manifeste. Au moment où ils décompressent.

– Mais tu n'as jamais senti cela avant, Mathilde? J'étais souvent présent...

– Oui, mais c'étaient des petits groupes, pas une foule comme ce soir.

– Tu es sûre que tout va bien? Tu ne me caches rien?

– Daniel! C'est l'émotion, la détente après la tension! lui répondit-elle d'un ton impatient. Et il y avait cette chanson pour toi! Je suis très sensible, je suis fragile dans de telles circonstances. Il est normal d'avoir un étourdissement de temps à autre.

– De temps à autre? Ce qui veut dire que ce n'est pas la première fois? Tu es certaine que ce vertige n'est lié qu'à l'émotion? Tu manges bien? Tu n'as pas de douleur du côté du foie?

Inquiète sans le laisser paraître, elle lui répondit en souriant:

– Non, docteur, ni au foie ni à l'estomac. J'ai l'impression d'être dans ton cabinet de consultation...

– Mais je suis médecin, Mathilde, et il ne faut rien prendre à la légère.

– Daniel, regarde-moi, n'ai-je pas l'air bien? S'il faut que tu t'inquiètes au moindre étourdissement, au moindre rhume...

– Tel n'est pas mon désir, Mathilde, je veux être ton mari avant tout, mais il ne faudrait pas négliger de m'en parler si quelque chose n'allait pas.

– Oui, oui, je sais. Mieux vaut prévenir que guérir. J'ai travaillé à la clinique, donc je le sais. Cesse de t'inquiéter pour rien, tout va, j'ai décompressé trop vite et voilà. J'ai beau maîtriser le trac, je n'en ai pas moins des nœuds à l'estomac. Je suis de nature timide, tu sais.

– Tu devrais te reposer, donner moins de récitals, te consacrer à la chorale, réduire tes activités, Mathilde. Tu dis te sentir bien, et moi, je te trouve pâle. Et l'on dirait que tu as maigri depuis quelque temps.

– Là, je te l'accorde, je ne mange pas assez. Et à des heures irrégulières. J'ai à peine soupé tellement j'étais nerveuse. Assez pour défaillir un peu, non?

– Oui, sans doute. Tu veux qu'on aille dans un bon restaurant? Je sais qu'il est tard, mais un repas léger, des biscottes, une tisane…

– Non, pas ce soir, je suis trop fatiguée. Je mangerai un peu à la maison mais j'ai davantage besoin de sommeil que de nourriture ce soir. Demain, je te le promets, je vais reprendre une vie plus normale. Je n'ai rien d'inscrit à mon agenda jusqu'à la fin du mois. Et comme ma semaine a été chargée, Carole s'est arrangée pour me remplacer lors d'un mariage samedi prochain. C'est Paule qui chantera l'*Ave Maria* à ma place.

Ils arrivèrent devant la porte de la maison, rue Georges-Baril, et Daniel lui demanda, tout en lui ouvrant la portière:

– Tu veux que je rentre avec toi? Une tasse de thé, peut-être?

– Si tu étais gentil, tu me laisserais aller me mettre au lit. J'ai eu une dure journée, j'ai besoin de sommeil. Je sais que je ne te gâte pas trop depuis quelques jours; en fait, on ne s'est pas vu de la semaine. Mais je te promets, Daniel, que dès demain, toutes mes soirées te seront consacrées. Je n'accepterai rien, pas même un bord de robe. Je prends congé, je me remets en forme et je ne dépenserai mon énergie qu'avec toi. Tu me pardonnes, dis?

– Te pardonner? Pardonner quoi, Mathilde? Après la belle surprise de ce soir, après cette chanson pour moi, après m'avoir présenté comme ton fiancé, qu'aurais-je donc à te pardonner? Si tu savais comme je t'aime!

Ce disant, il l'attira à lui et l'embrassa passionnément.

– Je t'aime aussi, Daniel. De tout mon être. Quel homme merveilleux tu es.

Fort aise du compliment, il la serra contre lui, l'embrassa sur le front et lui dit:

– Bonne nuit, mon ange, et prends soin de toi. Je t'appelle dès demain.

– Dors bien, toi aussi, et merci d'être celui que tu es. Je suis comblée.

– Oh! Mathilde, une toute petite question. Tu as eu des nouvelles?

– Tu parles de Gilbert, des procédures… Non, Daniel, mais ne dit-on pas: «Pas de nouvelles, bonnes nouvelles»? Il a signé l'accord, n'est-ce pas suffisant?

– Oui, d'habitude, mais il peut revenir avec des exigences…

– Ce qui me surprendrait… Oublie cela, veux-tu? Je rentre, ce n'est pas chaud, l'automne est là…

– Excuse-moi, le moment était mal choisi. Rentre vite, Mathilde, et je repartirai quand je verrai la lumière du salon s'allumer.

Mathilde rentra, alluma vite la lampe du salon et, de sa fenêtre, elle fit un signe de la main à Daniel qui démarra tout doucement. Elle enleva son manteau, ses souliers, et se dirigea vers sa chambre. Soudain, un autre vertige et Mathilde n'eut que le temps de saisir le cadre de la porte. Puis, retrouvant peu à peu son équilibre, elle se laissa choir sur son lit. Que lui arrivait-il donc? Quels étaient ces malaises subits? D'autant plus que, cette fois, elle avait ressenti une légère nausée. Un début de grippe, peut-être? Non, c'était trop bête, aucun des symptômes de la grippe n'accompagnait ces vertiges. Était-ce les prémices de la ménopause? À son âge? Quoique sa mère… Cette fois, plus qu'inquiète, elle n'osa pas se relever pour se déshabiller et s'endormit avec sa robe et ses bijoux. Vers quatre heures du matin, elle se réveilla et se sentit en meilleure forme. Elle se leva, se déshabilla, avala par mesure de prudence un analgésique et se rendormit une heure plus tard, anxieuse, tentant de se convaincre que ce n'était que de la fatigue. Avec du repos, de la musique et un bon livre, tout reviendrait à la normale. Elle en était sûre et se promettait bien, s'appuyant sur cette certitude, de ne rien dire à Daniel de ce malaise quasi constant.

Le lendemain, un seul vertige, moins long, plus minime, ce qui la rassura. Elle se disait: «Bon, ça s'en va, je le sens, j'ai déjà plus d'énergie qu'hier.» Mais par mesure de précaution, elle fit une sieste l'après-midi puis se coiffa et se maquilla pour recevoir Daniel qui lui avait promis de venir chaque soir. Heureux de la retrouver, de la serrer dans ses bras, Daniel avait oublié le léger malaise de la veille. Et Mathilde, pieux mensonge, pour ne pas qu'il revienne à la charge, lui avoua avoir reçu deux clientes l'après-midi même pour des retouches de quelques minutes à peine. Il se versa un soupçon de cognac Prince Hubert de Polignac, une bouteille de Gilbert qui datait de plusieurs années, et elle se prépara une tisane. Ils parlèrent de Sébastien, de ses études, du fils remarquable qu'il était et, par la suite, discutèrent de leur avenir, de leur mariage en mai prochain sans que le jour et l'heure en soient encore fixés. Elle lui décrivit sommairement la robe lilas qu'elle comptait porter après l'avoir garnie de quelques perles. Il l'entretint de sa journée à la clinique, de la réceptionniste qui, quoique gentille et louable, ne lui arrivait pas à la cheville. Ils regardèrent un documentaire à la télévision, elle lui prépara un café, il voulut... Mais Mathilde, craignant que l'effort ne lui cause une rechute, réussit à le convaincre de remettre l'étreinte à un autre soir, prétextant une fatigue soudaine.

— Pas encore un vertige, au moins? questionna Daniel, se rappelant inopinément le malaise de la veille.

— Non, c'est passé, je n'en ai plus. Je suis juste fatiguée, Daniel. Et ce soir, malgré l'amour que j'ai pour toi, je ne me sens pas assez bien pour…

Il l'embrassa tendrement et lui promit de lui passer un coup de fil le lendemain. Il lui demanda s'il pouvait venir souper avec elle et elle répondit:

— Je ne sais pas, Daniel. Non pas que je ne désire te voir, mais serais-tu vexé si je te demandais de sauter une visite?

— Heu… non. Pourquoi?

— Ma mère désire venir me voir. Je l'ai bien négligée ces derniers temps, je n'ai pas pu lui refuser. Je ne trouvais aucune excuse… Elle a appris pour mon récital et elle était fort choquée que je ne l'aie pas invitée.

— Avec raison, si tu me permets cette petite réprimande. Je sais qu'elle t'embête devant les gens, qu'elle te traite comme une enfant, mais elle aurait sans doute apprécié t'entendre chanter et triompher de la sorte.

— Oui, je sais. D'ailleurs, elle est déjà venue. Mais elle est si curieuse. Elle parle aux personnes âgées comme si elle était une jeunesse. Elle leur dit qu'ils se plaignent pour rien quand ils lui confient leurs maladies. C'est gênant…

— Oui, je comprends, mais pour demain, ça va, c'est normal, reçois-la, Mathilde. Ta mère se sent si seule… Ne t'en fais pas pour moi, je passerai la soirée avec mon fils. Lui aussi, je le néglige. Et j'ai tant de choses à lui dire…

— Tiens, j'ai une idée. Qu'importe ce que nous avions planifié. Que dirais-tu si l'on se revoyait jeudi seulement? Nous pourrions aller au restaurant, causer en tête-à-tête. Tu reviendrais chez moi ou j'irais chez toi, et nous pourrions passer une nuit de rêve ensemble.

– Chez toi? Chez moi? Voilà qui me surprend, mais je t'avoue que l'idée m'enchante.

– Écoute, Daniel, au point où nous en sommes… Tu sais, l'hôtel, c'est très impersonnel…

– Mais je ne demande pas mieux, mon ange! Mais pourquoi jeudi et non…

– Parce que ça me donnerait le temps de terminer un ensemble que j'aimerais porter pour l'occasion, se dut-elle de mentir.

– Alors, va pour jeudi, mon ange! Ce que femme veut…

Elle le fit taire d'un baiser. Il la quitta et Mathilde, restée seule, sentit le malaise revenir. Étourdie depuis cinq minutes, elle avait hâte qu'il parte, qu'il ne se rende compte de rien. Elle se rendit à sa chambre, s'étendit sur son lit, ferma les yeux, mais l'oreille gauche lui bourdonnait et une migraine se manifestait. «Que m'arrive-t-il?» s'écria-t-elle. Et malgré elle, figée dans la noirceur, Mathilde, cette fois, eut peur.

Le mercredi, après une nuit quasi blanche, elle se leva de peine et de misère, mais retrouva un certain équilibre pour nourrir sa perruche. Puis, tentant d'ingurgiter un jus d'orange, elle fut prise de nausées. Elle retourna au lit, avala un analgésique et un léger somnifère, et s'endormit afin de reprendre le sommeil perturbé par un mal de tête. Elle dormit jusqu'à quinze heures. Profondément. Sans même entendre la sonnerie du téléphone. C'est donc de sa boîte vocale qu'elle récupéra le message de Daniel qui lui disait: «Bonjour, mon ange, c'est moi. Tu es sans doute avec une cliente à moins que ta machine à coudre étouffe la sonnerie du téléphone. Rien d'important. Je

n'avais envie que du son de ta voix. Je t'aime et je t'embrasse.»
Mathilde sauvegarda l'appel et, robe de chambre sur le dos, elle
se rendit à la cuisine pour avaler des biscuits au gingembre avec
une tisane. Sa migraine avait disparu, elle allait mieux, mais
elle sentait qu'elle faiblissait à force de ne rien manger. Constatant que l'appétit lui revenait, elle opta pour un potage aux
légumes, quelques biscottes, un verre de lait chaud, et retourna
au salon pour s'emmitoufler dans une couverture de laine. Elle
avait froid malgré le chaud potage. Les vertiges de plus en plus
fréquents étaient accompagnés de frissons. Elle fit un effort
pour rappeler Daniel, mais, par un heureux hasard, il était en
ligne. Soulagée, elle lui laissa un chaleureux message dans sa
boîte vocale, prétextant que la cliente attendue était sur le point
d'arriver. «Je te rappellerai demain ou, si tu préfères, fais-le,
toi, je serai levée tôt. Je t'embrasse», lui avait-elle dit en s'efforçant d'avoir la voix la plus normale qui soit.

Dans la soirée, calée dans son fauteuil, une tisane chaude à
sa portée, Mathilde ouvrit le téléviseur. À une chaîne américaine, on présentait un film dans lequel elle reconnut John
Malkovich, l'un de ses acteurs préférés. Elle tenta de suivre
l'histoire dont elle n'avait pas vu le titre, mais la tête lui tournait. La migraine revenait peu à peu, l'oreille gauche lui bourdonnait et pour la première fois, Mathilde ressentit une légère
douleur à la poitrine. Inquiète, apeurée, elle ferma l'appareil,
regagna sa chambre et s'étendit sur le dos en se massant le
front. Les malaises s'atténuaient, revenaient, s'atténuaient
encore et, au moment où elle en eut la force, elle avala un somnifère avec un peu d'eau, qu'elle gardait en permanence sur sa
table de nuit. Elle ne tenait pas, comme la veille, à compter les
heures, à angoisser, à attendre, pétrifiée, que la douleur à la poitrine revienne. Mais, consciente que quelque chose la minait,

que ça n'allait vraiment pas, elle se promit de consulter un médecin dès le lendemain, à l'insu de Daniel, dans une petite clinique non loin de chez elle. Elle ne voulait pas qu'il s'alarme, que le mal qui la tenaillait prenne l'ampleur d'un drame. Elle savait qu'avec lui, ce serait la batterie de tests, l'énervement, l'inquiétude et le stress. Et Mathilde s'endormit tout doucement non sans se rendre compte que sa respiration était saccadée. Un autre son de cloche qui lui mit la larme à l'œil.

Sept heures du matin, jeudi 19 octobre. Florence Courcy, debout depuis une heure, écoutait *Salut, Bonjour* à la télévision comme chaque matin tout en dégustant son café, lorsque la sonnerie du téléphone se fit entendre. Sursautant, elle s'étira le bras en se disant: «Sans doute un mauvais numéro...» Elle décrocha, lança son «Allô?» de sa voix forte, mais c'était à peine si elle pouvait percevoir un son, sinon un souffle entrecoupé, un souffle qui s'intensifiait.

– Oui, allô? Qui est à l'appareil?

Un long moment, un souffle brisé par l'effort puis soudain, un faible cri.

– Maman... Ap... appelle le 911... Fais... fais vite.

– Qui est-ce? Qui êtes-vous? C'est... c'est toi, Mathilde?

– Oui... vite, le 911, c'est urgent... J'ai déverrouillé... la porte.

– Mathilde! Qu'est-ce que tu as? Tu es malade? Que t'arrive-t-il?

Pour toute réponse, un bruit sec. Comme celui d'un récepteur qu'on échappe et qui se heurte contre le mur.

– Mathilde! Mathilde! Réponds-moi! Tu es encore là?

Plus un bruit, pas un son, sauf celui de la perruche qui jacassait dans sa cage. Et comme le récepteur n'avait pas été raccroché, madame Courcy avait peine à établir une autre liaison téléphonique. Elle débrancha, rebrancha, retrouva la tonalité et réussit tant bien que mal à composer le 911 et à dire à la préposée, entre ses sanglots, d'aller vite sur la rue Georges-Baril, qu'un drame était survenu, que c'était chez sa fille. Puis, ayant vite enfilé une jupe, une blouse, son manteau, ses souliers doublés, elle appela un taxi et donna l'adresse de Mathilde, en disant au chauffeur: «Faites vite, un malheur est arrivé!» Lorsque Florence Courcy arriva à la maison de sa fille, Mathilde était déjà sur une civière, un masque à oxygène sur la figure, inconsciente, prête à être installée dans l'ambulance. Quelques voisins étaient sortis, mais Florence ne parla à personne. Elle exigea de monter avec sa fille. Sans même fermer à clef la porte de la maison derrière elle. Elle avait tout juste eu le temps de s'emparer du sac à main de Mathilde. Et c'est avec Mathilde toujours inconsciente, des infirmiers à son chevet, sa mère qui se demandait: «Mon Dieu! Qu'est-ce qui lui arrive?» que l'ambulance d'Urgence Santé partit, sirène hurlante, pour se frayer un chemin jusqu'au premier hôpital accessible. Et c'est de toute urgence qu'on s'occupa d'elle. On tenta de la réanimer, mais en vain. Néanmoins, quoique faible, le cœur battait et, bien que compressés, les poumons laissaient encore échapper une légère respiration. Des spécialistes appelés à son chevet murmuraient, échangeaient mais semblaient perplexes. Madame Courcy, épouvantée, demanda à l'un d'eux: «Vous connaissez le docteur Daniel Primard? C'est son médecin!» On le connaissait effectivement, même si Primard n'était pas attaché à cet hôpital. Sortant le carnet de numéros de téléphone du sac à main de Mathilde, elle fouilla, trouva, et le remit à une infirmière en lui criant: «Appelez-le! Dépêchez-vous! Ma fille est sa fiancée! Il sait peut-être ce qu'elle a! C'est lui qui la soigne! C'est son docteur que je vous dis!»

Pendant que Mathilde était conduite aux soins intensifs pour y être suivie de plus près, l'infirmière se décida, sur les supplications de la mère, à téléphoner au médecin chez lui. Fort heureusement, Daniel n'était pas encore en route pour la clinique. Prenant l'appel, il devint livide lorsque l'infirmière l'avertit qu'une dame Mathilde Authier était aux soins intensifs de l'hôpital. «J'arrive!» s'était-il écrié. Et en moins de temps qu'il n'en fallait pour prendre une douche, Daniel, faisant fi des feux rouges tout en redoublant de prudence, entra à l'hôpital et se retrouva face à face avec la mère de Mathilde.

– Qu'est-il arrivé? lui demanda-t-il, inquiet.

– Je ne sais pas, mais ça semble grave. Elle m'a télé phoné, elle n'avait plus de souffle, elle m'a demandé d'appeler le 911.

– Ne bougez pas d'ici, Madame Courcy, restez calme, je vous reviens.

Il monta en vitesse, se retrouva aux soins intensifs et, face à des confrères qu'il connaissait, il leur demanda sans même les saluer:

– Qu'a-t-elle? Vous avez un diagnostic? Qui s'occupe d'elle?

– Un pneumologue, un neurologue, ils étudient le cas, Primard. Un drôle de cas. Elle est fiévreuse, elle ne reprend pas conscience, sa respiration est faible, son pouls… Bref, un cas étrange, un cas qui semble grave.

– Et ils n'ont rien décelé? Je me dois de la voir, passez-moi un sarrau!

– Il vous faudra aussi le masque. On ne sait trop de quelle infection il s'agit, il faut être prudent. Prudent pour elle, Primard. Elle est très faible.

Daniel entra dans l'unité des soins intensifs et, tout au fond, isolée, Mathilde reposait sous une tente à oxygène, pâle, livide, inconsciente, méconnaissable. S'approchant des spécialistes, il les questionna du regard et on lui répondit:

— Un cas étrange… Selon nous, cette jeune femme est victime d'un virus, un foudroyant virus qui se serait jeté sur ses poumons. Elle avait la jambe quelque peu enflée, on a pensé à une embolie pulmonaire, mais il semblerait que l'enflure de sa jambe n'ait été causée que par la chute lors de sa perte de conscience. On lui a aussi administré un antibiotique très fort, on a dû également lui donner un calmant par intraveineuse, car ses soubresauts étaient d'aspect nerveux. Elle est inconsciente, ou plutôt à demi consciente, car il lui arrive d'ouvrir un peu les yeux, de réagir aux injections. Nous allons faire tout ce qui est possible, docteur, mais…

— Mais quoi? Vous n'allez pas me dire qu'elle est en danger…

— Hélas, sans alarmer sa vieille mère, cette femme n'en mène pas large, Primard. Sa résistance est faible, elle est fragile, sa constitution n'est pas de fer. Mais rassurez-vous, nous allons tout faire pour la sauver.

— Tout faire? Mais il faut la sauver! On doit trouver! Faites appel…

— Le meilleur spécialiste qui soit en ce domaine s'amène de toute urgence. Et voyez, l'antibiotique agit. Elle est déjà plus calme, elle respire faiblement mais de façon plus régulière. Mais sans l'intervention rapide de sa mère, sans Urgence Santé… Je crois qu'on l'a reçue *in extremis*, docteur Primard… Mais elle n'est pas que votre patiente, je crois…

— Non, Mathilde est ma fiancée. D'ailleurs, elle n'a jamais été ma patiente. Elle a travaillé à mes côtés à la clinique.

— Ah, vraiment? Madame est infirmière?

— Heu… non. Mathilde était à l'accueil… Mais…

– Oui, passons, ce n'est guère le moment. Aucun symptôme alarmant ces derniers temps? Selon sa mère, non, mais vous qui la fréquentez…

– Heu… non, quoique… Attendez! J'y suis! Pourquoi n'y ai-je pas pensé plus tôt? Elle a eu un étourdissement, dernièrement. Un vertige qu'elle attribuait au trac avant et après son tour de chant. Mathilde chante. Elle donne des récitals… Ah, mon Dieu! J'aurais dû insister, j'aurais dû prendre ce léger malaise plus au sérieux. Ce n'était sûrement pas la première fois. J'ai tenté de la questionner, mais selon elle, ce n'était que l'anxiété, le stress causé par ses apparitions publiques. C'était sans doute autre chose, mais Mathilde a été cachottière, je m'en rends compte. Elle a sans doute cru que ce n'était que passager. Quand on fréquente un médecin, vous savez… Mais là, il faut trouver, il faut la sauver!

– C'est ce que nous tentons de faire, docteur Primard. Mais dans votre condition, aussi inquiet que sa mère, je vous recommande de retrouver votre calme et d'aller rassurer cette brave dame qui est dans tous ses états. Votre fiancée est entre bonnes mains, et comme l'unité est déjà chargée, je vous saurais gré de nous laisser. Le spécialiste est arrivé, on vient de nous en aviser.

– Mais je ne tiens pas à la quitter d'un pouce! Mathilde n'est pas qu'un cas…

– Raison de plus, docteur Primard, votre présence risque de perturber la situation. Restez au moins à l'écart, laissez-nous faire notre travail, nous vous préviendrons de toute éventualité, de chaque étape.

Daniel sortit, la tête lourde, le cœur à l'envers. L'étrange malaise dont Mathilde était victime n'était guère de son ressort. Il se devait de la laisser aux bons soins de ses confrères, de s'informer, de suivre de près, mais de ne pas entraver la longue recherche sur «le cas».

Désemparé, il se rendit auprès de madame Courcy qui se jeta dans ses bras en pleurant. Retrouvant son calme, il lui dit:

— Assoyez-vous, Madame Courcy, détendez-vous, votre fille est entre bonnes mains.

— Ce n'est pourtant pas ce que j'ai entendu! Une infirmière a dit à une consœur en passant: «C'est un cas grave, elle n'est pas hors de danger.»

— Elles parlaient sans doute d'une autre patiente, Madame Courcy.

— Non, c'est de Mathilde qu'elles parlaient! L'autre a même ajouté: «Une si jeune femme!» Je ne suis pas folle, Daniel! Tout ce que j'ai vu entrer ici à part elle, c'étaient des vieilles de mon âge! Vous me cachez la vérité!

— Non, Madame Courcy, je ne vous cache rien, mais Mathilde est forte…

— Allons donc! Un poussin! C'est un poussin, ma fille! Elle a toujours été frêle! Je l'ai eue de justesse! Un poussin que j'ai couvé toute ma vie…

— Allons, allons, calmez-vous. Je serai là, près d'elle, tout ira bien.

— C'est peut-être un trouble d'organes? Leur avez-vous dit qu'elle avait toujours eu des problèmes de ce côté-là? Ça vient peut-être de son épaule plus basse que l'autre… Leur avez-vous mentionné cette infirmité? C'est moi qui devrais être là, pas vous! C'est moi, sa mère, qui la connais, ma petite fille! C'est moi qu'on devrait questionner, pas vous! Que savez-vous de sa santé, vous?

— Madame Courcy, je vous en prie, vous êtes dans tous vos états. Je vous comprends, mais pensez à Mathilde. Elle a besoin de calme… Et puis, pour ne rien vous cacher, on croit qu'elle est aux prises avec un virus.

– Un virus? Quel virus? On n'attrape pas un microbe du jour au lendemain…

– Un virus peut germer longtemps avant de se manifester.

– Bien, si c'est ça, ne cherchez pas où elle l'a attrapé, ce virus-là! À la clinique! Cette maudite clinique où tout le monde lui toussait en pleine face! Je lui disais que c'était dangereux, qu'elle aurait dû porter un masque! Des malades à longueur de journée! Des gens qui toussent, qui crachent en remettant leur carte. Des cartes avec des microbes! Ah, mon Dieu! Si elle était restée à sa machine à coudre… Damnée clinique!

Constatant que la pauvre vieille était alarmée au possible, Daniel demanda à une infirmière de rester auprès d'elle, de la rassurer et de lui administrer, si nécessaire, un léger sédatif. Épuisée, Florence Courcy ne disait plus un mot. Abattue dans un fauteuil de cuir, elle pleurait dans son mouchoir lorsque Daniel, discrètement, s'en éloigna pour retrouver «son ange».

Le spécialiste venu expressément pour elle accepta de s'entretenir avec Daniel.

– C'est un virus, docteur Primard. Un virus sournois. Je ne sais trop lequel, les symptômes ressemblent à d'autres, mais j'ai ordonné un antibiotique différent. Quand on m'a parlé de sa jambe, ça m'a inquiété, mais je me suis rendu compte qu'il n'y avait aucun rapport entre la jambe et le malaise dont elle souffre. D'ailleurs, d'ici deux jours, sa jambe devrait être redevenue normale. Une mauvaise chute, un tendon, sans doute, mais rien de grave.

– Rien n'est perdu, j'espère? osa Daniel avec une certaine appréhension.

– Non, je ne crois pas, à moins que des complications nous attendent, mais ce qui n'aide guère pour l'instant, c'est que cette femme a peu de résistance. Elle est frêle, elle est menue, elle ne se défend pas. Loin d'être une costaude, votre amie, docteur! Même les solutés n'ont pas le succès escompté pour lui redonner des forces. Mais si l'état ne s'aggrave pas, on peut espérer qu'elle s'en sorte. Ça peut être plus long, mais avec de la bonne volonté... Si seulement elle avait plus d'énergie pour combattre. J'ai demandé qu'on diminue de moitié les sédatifs; elle est aussi vulnérable qu'un enfant face aux effets. Elle retrouve sa conscience, elle ouvre les yeux, mais elle n'a pas le temps de prononcer un mot qu'elle retombe dans une somnolence. Si elle n'était pas aussi agitée, je les lui couperais sur-le-champ... Mais là, avec cet antibiotique, je crois que les résultats ne se feront pas attendre. Du moins, je l'espère. Elle restera aux soins intensifs pour quelque temps encore. Il vous faudra vous armer de patience, docteur. Dites, a-t-elle de la famille à part sa mère que j'ai entrevue en passant?

– Heu... non. Pourquoi cette question?

– Parce que si c'eut été le cas, il aurait été sage de les prévenir. À la moindre récidive, vous savez...

Daniel ne répondit pas. Il laissa le docteur s'éloigner, jeta un dernier regard à celle qu'il aimait et qui semblait dormir paisiblement sous l'effet du nouveau médicament. Mais il était songeur. S'il fallait que... Mathilde n'avait pas que sa mère... Et Daniel culpabilisait à l'idée de le taire.

Madame Courcy accepta qu'on la raccompagne chez elle le soir venu. Elle était faible, elle n'avait presque rien avalé de la journée. Elle était plus détendue, plus calme avec le léger comprimé que l'infirmière lui avait fait prendre. Et c'est Daniel qui avait fini par la convaincre de rentrer chez elle ou d'aller passer la nuit chez Mathilde. Madame Courcy accepta qu'on la raccompagne chez sa fille, se souvenant qu'elle n'avait pas fermé la porte à clef et sachant que, de la rue Georges-Baril, elle ne serait pas très loin d'elle. Elle partit en compagnie d'un infirmier de l'hôpital qui terminait son quart de travail et à qui Daniel avait demandé ce service. Non sans avoir promis à Florence de veiller sur Mathilde, de ne pas la quitter, de rester auprès d'elle jour et nuit. Il l'avait même rassurée en lui remettant le numéro de son cellulaire, tout en lui promettant de lui donner des nouvelles durant la soirée, tout comme à l'aube, le lendemain. La vieille dame partit en compagnie de l'infirmier à qui elle disait que la perruche de sa fille devait mourir de faim dans sa cage, mais juste avant de franchir la porte, elle revint sur ses pas et demanda à Daniel, sans que personne l'entende:

– Vous êtes sûr que ce n'est pas la dévoreuse de chair?

– Madame Courcy! Cessez de vous tracasser de la sorte. Rien de tel, je vous le jure. Un virus dont nous viendrons à bout, vous verrez.

– Bon, je veux bien vous croire, mais j'ai entendu parler de poumons. On dit que la tuberculose revient...

Il hocha la tête et la mère de Mathilde finit par franchir la porte au bras de l'infirmier tout en marmonnant, à ce dernier, d'autres hypothèses.

Daniel Primard passa la nuit au chevet de «son ange», sans fermer l'œil, secondé par les infirmières qui se relayaient. Il la regardait dormir et il sentait son cœur noué par l'émotion. S'il avait fallu... S'il fallait... Daniel l'aimait plus que tout au monde. Il respirait avec elle, il aurait voulu respirer pour elle, il sursautait au moindre souffle irrégulier. Au point que les infirmières avaient vite remarqué que ce n'était pas le «médecin» qui était au chevet de la malade, mais l'homme qui l'aimait. De son cellulaire, il avait averti son fils, Sébastien, de l'état de Mathilde et ce dernier en fut bouleversé. Au petit jour, alors que le soleil se levait à peine, il vit Mathilde entrouvrir les yeux. Heureux, le cœur battant, il lui murmura:

– Mathilde, c'est moi, Daniel. Ne dis pas un mot, ne fais aucun effort, mais fais-moi juste un signe si tu me reconnais.

Mathilde, somnolente, la tête entre deux mondes, le regardait béatement.

– Ne t'en fais pas, mon ange, ce n'est rien, tu vas t'en remettre. Je serai là sans cesse. Ne fais que m'écouter. Toi et moi…

Il s'était interrompu. Il venait de se rendre compte que, sans signe de la tête, Mathilde avait fermé les yeux pour retrouver son propre univers Sans avoir rien entendu des propos réconfortants de Daniel. Mais lui, apaisé, ému, soupira d'aise, sûr et certain qu'elle savait… qu'il était là.

Une heure plus tard, au grand désarroi de Daniel, Mathilde souffrait encore d'une forte fièvre. Mandé d'urgence, le spécialiste lui ordonna une autre dose d'antibiotique, tout en disant à Daniel:

– Normalement la fièvre ne devrait pas revenir. Quel combat! C'est comme si la patiente ne s'aidait pas… J'avoue que ça m'inquiète, le souffle est court, elle ne reprend pas de forces… Par contre, sa jambe est redevenue normale, tel que je l'avais prédis, son pouls est meilleur, sa pression, plus normale.

Il donna des ordres aux infirmières et Daniel notait tout avec elles. Il voulait être celui qui allait la sauver de ce minable virus qui l'avait attaquée. Un virus venu de… Sa vieille mère avait peut-être raison. Mathilde, si fragile, si frêle, avec tous les malades qu'elle avait côtoyés. Puis, soudaine culpabilité, il ne pouvait pas, en son âme et conscience, manquer d'avertir «la famille» du très sérieux état de Mathilde. Selon la loi, devant Dieu, Gilbert était encore son mari. Daniel se devait, ne serait-ce que par éthique professionnelle, faire savoir à celui… Il aurait préféré passer outre, mais dans une situation pareille, Mathilde était encore une Authier.

Lorsque Florence Courcy se rendit à l'hôpital tôt le matin, elle fut ravie d'apprendre que Mathilde avait passé une bonne nuit. Non, elle ne pouvait pas la voir. Pas encore. Mathilde était en isolement. Et Daniel se garda bien de lui dévoiler que la fièvre avait refait surface. Toutefois, il ne put s'empêcher de lui dire qu'il avait averti la famille Authier de l'état de Mathilde. Ce qui fit sauter Florence de sa chaise!

– Quoi? Vous avez fait ça? Comment avez-vous pu, sans m'en parler…

– Il était de mon devoir de les prévenir, Madame Courcy.

– Allons donc! Elle n'est pas mourante, non? Et elle n'est même plus de cette famille! Elle est séparée, divorcée!

– Pas encore, Madame Courcy. Aux yeux de la loi, elle est toujours la femme de Gilbert. J'ai prévenu Pierre-Paul qui, lui…

– Qui lui va le dire à sa mère puis elle, à Gilbert! Vous avez manqué de tact, Daniel! Des plans pour qu'il surgisse ici! Ah, lui! S'il ose se montrer la face, je ne réponds pas de moi! Elle n'a jamais eu de ses nouvelles sauf une lettre dernièrement et il aurait l'audace?…

– Une lettre? demanda Daniel, sourcils froncés, soucieux.

Voyant qu'elle s'était trahie, la vieille dame balbutia:

– Heu… une lettre sans importance. De la mièvrerie, des sornettes…

– Une lettre récente, dites-vous? Curieux, Mathilde ne m'en a pas parlé.

– Parce que ça n'en valait pas la peine, voyons! Elle l'a brûlée!

Daniel, quelque peu incommodé, la regardait, et Florence, mal à l'aise, avait détourné la tête. Au même moment, une infirmière vint le quérir. On le réclamait à l'étage. Daniel s'y rendit en trombe. Moins fiévreuse, Mathilde avait ouvert les yeux et ne cherchait plus à les refermer. Elle semblait inquiète, elle semblait se demander où elle était, mais sa respiration laissait encore à désirer. S'approchant d'elle, masque protecteur sur la bouche, Daniel se rendit compte, par son regard sous sa tente à oxygène, qu'elle venait de le reconnaître.

– Ne dis rien, reste calme, je suis là, lui murmura-t-il avec tendresse.

Elle ferma les yeux, les rouvrit, et Daniel perçut un regard inquisiteur.

– Tu as traversé de durs moments, mon ange, mais ça va aller. Tu dois reprendre des forces. Ce n'est qu'un virus. Nous en viendrons à bout. Ta mère n'est pas loin, Mathilde. Elle ne peut monter pour l'instant, mais d'ici un jour… Là, repose-toi, reste calme, je prends soin de toi.

Ne pouvant répondre, détendue dans ce lit recouvert d'une toile transparente, elle acquiesça de la tête et Daniel crut déceler, sous le respirateur, un très léger sourire. Le premier! Peu à peu, selon son cœur, son ange reprenait vie. Et après avoir parcouru l'unité du regard, scruté tous les visages, Mathilde, tout doucement, se rendormit. Et Daniel, épuisé par toutes ces heures de veille, heureux de sentir l'espoir à l'horizon, essuya de sa manche une larme d'émotion. Le spécialiste qui la suivait et qui avait noté tous les progrès, alors que Daniel lui parlait, s'adressa à son collègue pour lui dire:

– Ne vous en faites plus, docteur Primard, elle va s'en sortir. D'ici un ou deux jours, elle respirera beaucoup mieux; les solutés semblent enfin lui redonner de l'énergie. Une découverte, que ce nouvel antibiotique! Un véritable tueur ! Rien ne lui résiste!

Gilbert et sa mère venaient à peine de rentrer de ce voyage aux Bahamas qui n'avait en rien redonné de la vigueur à l'homme qui semblait même plus torturé qu'à son départ. Et ce, au grand désespoir de sa mère qui avait tout fait pour lui changer les idées, sachant, néanmoins, qu'elle ne pouvait lui insuffler l'élan dont il avait besoin. Au retour, à bord de l'avion, constatant qu'il était songeur, elle lui avait dit: «Tu sais, Gilbert, une mère, c'est fait pour consoler, pour conseiller, mais pas pour te sortir d'un marasme dont toi seul as la clef. Je regrette, j'ai fait ce que j'ai pu, à toi maintenant de prendre en main les guides de ta destinée. À quarante et un ans, c'est d'une femme dont on a besoin, pas de sa mère, Gilbert. Surtout pas pour aller de l'avant et sourire à la vie.» Il l'avait regardée, il l'avait embrassée tendrement sur la joue pour ensuite lui murmurer à l'oreille: «Merci maman d'avoir été là. Je m'excuse de ne pas t'avoir rendu ce voyage agréable, mais quoi que tu en penses, ta présence m'a été réconfortante. Je n'ai que toi, tu sais…» N'écoutant que son bon cœur, elle lui avait répondu: «Voilà le drame, Gilbert. Tu ne peux n'avoir que moi… Il te faut trouver quelqu'un, refaire ta vie, repartir à zéro s'il le faut.» Il n'avait pas répondu. Il était resté de marbre comme l'homme qui n'a plus envie du moindre effort. Il était resté de pierre, comme si sa rupture avec Mathilde l'avait figé à tout jamais dans la nef d'une cathédrale. Non pas seulement sa rupture, mais le divorce qu'elle réclamait et qu'elle était en droit d'obtenir sans bruit, sans cris, tout comme elle l'avait fait, elle, quand il était parti avec Lucie.

Gilbert venait à peine de déposer sa mère chez elle avec ses valises et de regagner son isoloir, qui lui semblait plus terne que jamais, que le téléphone sonna. «Ah, non! Pas déjà Marois! Je dépose à peine mes valises!» marmonna-t-il en décrochant le récepteur. Mais non, c'était sa mère. Déjà!

— Gilbert, je m'excuse de te relancer aussi vite, mais Pierre-Paul vient de m'appeler pour me dire que Mathilde est à l'hôpital!

Gilbert sentit ses jambes céder sous son poids. Anxieux, il demanda:

— À l'hôpital? Pourquoi? Que lui est-il arrivé?

— Je ne sais trop, Gilbert, mais elle est très malade. Elle est atteinte d'un virus et ça semble grave. C'est son ami, le médecin, qui a cru de son devoir d'en avertir la famille.

Gilbert crut défaillir. La nouvelle l'avait atteint de plein fouet. D'une voix tremblante, il demanda:

— Que dois-je faire? A-t-elle demandé à me voir, maman?

— Non, c'est à peine si elle entrouvre les yeux. C'est sérieux, selon Pierre-Paul. Aux dernières nouvelles, elle semblait vouloir s'en sortir, mais elle a failli y laisser sa vie. Un virus sournois, venu on ne sait d'où…

— Maman! Que dois-je faire? Aide-moi! Devrais-je m'y rendre? Devrais-je appeler sa mère? À moins que toi…

— Non, Gilbert, je n'appellerai pas madame Courcy. Tu sais, elle et moi… Et je ne te conseille pas de le faire, elle pourrait te recevoir avec du fiel au bout de la ligne.

— Alors, que dois-je faire?

— Tu n'as pas à me le demander, Gilbert, je n'ai pas de conseils à te donner, mais je te ferai remarquer qu'elle est encore ta femme, mon fils.

— Maman! Elle a demandé le divorce! Tu me vois arriver là et me faire rabrouer par son futur mari, par sa mère…

– Gilbert, c'est de Mathilde qu'il s'agit, pas de ceux qui l'entourent. Elle est aux soins intensifs, donc inutile que je me présente, on m'en refuserait l'accès. Je vais lui faire parvenir des roses dès demain, mais toi, son mari...

– En un mot, tu me conseilles de me rendre à son chevet, non?

– Je ne conseille pas, je suggère, Gilbert. Si ta démarche se veut de trop, c'est à Mathilde de te le laisser savoir, à personne d'autre. Mais tu auras la conscience en paix. Tu auras fait ton devoir.

– Conscience! Devoir! Crois-tu, maman, que si je m'y rends, ce ne sera que par devoir? Crois-tu que, malgré l'instance de divorce, Mathilde ne soit plus rien pour moi? Crois-tu, maman...

– Je ne crois rien, mon fils, c'est à toi de croire et de suivre ce que ton cœur te dicte. Mathilde est hospitalisée à... Dieu que je suis nerveuse! J'ai oublié le nom... Attends une seconde, je te le donne ainsi que le numéro de téléphone.

Pierre-Paul et Rachel ne s'y sont pas rendus, j'espère?

– Non, et ils n'y seront pas demain, si c'est là ce qui t'inquiète.

Quoique fatigué par le voyage et épuisé par ses mornes pensées, Gilbert n'avait pu fermer l'œil de la nuit. Mathilde, sa Mathilde, «sa douce», s'était battue contre la mort alors qu'il se la coulait douce aux Bahamas? C'était inconcevable! Pourquoi ne l'avait-on pas prévenu avant? Comment Pierre-Paul avait-il pu garder sous silence l'état de Mathilde jusqu'à son retour? Mathilde! Sa femme! Celle qui aurait pu quitter ce monde sans qu'il soit là pour recueillir son dernier souffle. Elle qui, encore malade, pouvait partir cette nuit même alors qu'il se meurtrissait d'angoisse dans son lit. Gilbert, n'en pouvant plus d'étouffer entre ses murs, enfila ses vêtements et, sans se raser, sans se coiffer, passa la nuit à sillonner les rues de la ville jusqu'à ce que le jour se lève. Il était même passé devant la maison rue Georges-Baril et, déchiré par le chagrin, avait fondu en larmes sur le volant de sa voiture. Il trouva, boulevard Saint-Michel, un restaurant ouvert jour et nuit et commanda café sur café pour tenir sur ses jambes et retrouver son aplomb. Après avoir fumé plusieurs cigarettes sans les compter. Nerveusement, maladroitement. Pour que la caféine et la nicotine le rendent apte à vaincre tout obstacle sur sa route.

Mathilde s'était réveillée tôt et, au grand soulagement des médecins, la fièvre était tombée. Ses poumons malmenés n'étaient guère en puissance, mais, selon les disciples d'Esculape, le pire était passé. Daniel était à son chevet. Depuis quarante-huit heures et plus, avec quelques heures de sommeil dans un fauteuil tout près d'elle, alors que Mathilde sommeillait. Nourrie par un soluté, elle semblait reprendre des forces, bougeait un peu, demandait d'un signe qu'on lui remonte son oreiller, mais il lui était interdit de trop remuer et de faire le moindre effort pour parler. Sous son masque à oxygène, on pouvait la voir cependant esquisser un sourire. Ses yeux étaient plus clairs, son visage peu à peu s'épanouissait. Mais, comme elle était encore blême et fragile, Daniel lui demanda de prendre tout le temps nécessaire, de dormir le plus possible. Il l'encouragea même en lui disant que, dès le lendemain, si son état s'améliorait, elle allait quitter les soins intensifs pour se trouver dans une chambre privée. Ce qui remplit Mathilde d'aise; elle le remercia d'un clignement des paupières. Madame Courcy était montée quelques minutes tout au plus et, à sa vue, Mathilde versa une larme. La mère, émue, agitée, lui dit: «Si tu savais comme j'ai hâte de te serrer dans mes bras, ma petite fille, tu m'as fait peur, tu sais.» Puis, désignant Daniel, elle avait ajouté: «Et remercie le Ciel d'avoir un homme comme lui, Mathilde. Sans Daniel, sans son amour, sans… C'est lui qui t'a gardée en vie, Mathilde.» Florence Courcy prit congé de sa fille et Daniel, plus que mal à l'aise devant l'éloquence de cette dernière, murmura à Mathilde: «Je n'y suis pour rien, c'est la science qui t'a sauvée, mon ange. Le Ciel y est sans doute pour quelque chose. Nous avons de beaux jours à vivre ensemble, tu sais. Moi aussi j'ai eu peur, Mathilde, mais j'ai gardé confiance. Je savais que pour toi et moi, tu t'en sortirais.» Mathilde avait fermé les yeux. Des larmes inondaient ses joues. Voyant qu'elle était secouée par ces élans soudains de sa part et ceux de sa mère, Daniel lui dit en lui passant la main dans les cheveux: «Ne pleure pas, mon ange, les émotions n'aident en rien la convalescence. Je te laisse te reposer, je descends rejoindre ta mère, je te confie aux bons soins des infirmières.»

Sortant de l'ascenseur, Daniel se retrouva face à face avec sa future belle-mère qui, en furie, lui dit:

— Regardez ce que vous avez fait avec votre sens du devoir!

Il tourna la tête et aperçut sur le comptoir de la réception un gros bouquet de roses pêche avec une carte de bons vœux de Béatrice Authier. Gardant son calme, il répondit à madame Courcy:

— Que voulez-vous, c'est sa belle-mère, elle a du savoir vivre. Elle a quand même été près d'elle durant vingt ans…

— Si on veut, mais on aurait pu s'en passer! Mathilde est sensible…

— Ne vous alarmez pas, Madame Courcy, Mathilde ne peut recevoir de fleurs aux soins intensifs. Mais il va de soi que nous lui remettrons la carte. Mathilde est en droit de savoir qui pense à elle.

– Je vous gagerais n'importe quoi qu'il va se pointer ici, celui-là!

– De qui parlez-vous?

– De Gilbert, voyons! Qui d'autre? S'il ose se montrer la face…

Constatant que la mère de Mathilde était prête à l'attendre au front, à le fusiller du regard, Daniel parvint à la convaincre de retourner chez Mathilde et de revenir le soir même. Ce qu'elle accepta de fort mauvais gré, mais comment ne pas obéir à celui qui, selon elle, avait sauvé sa fille. Et Daniel l'avait évincée gentiment, assuré, quoique peiné, de voir Gilbert Authier surgir et exiger de se rendre auprès de «sa femme». Ce qui, dans un tel cas, ne pouvait lui être refusé.

Vers deux heures du matin, exténué d'avoir sillonné les rues, le foie engorgé par toutes les tasses de café ingurgitées, n'en pouvant plus, Gilbert stationna face à l'hôpital et poussa la porte qui donnait sur la réception. Une préposée s'avança et lui demanda:

– Puis-je vous aider, Monsieur?

– Je voudrais voir madame Authier. Mathilde Authier.

La dame consulta l'ordinateur et lui répondit:

– Madame Authier est aux soins intensifs, Monsieur. Toute visite lui est interdite sauf…

– Je suis son mari, Madame. Je suis Gilbert Authier.

– Dans ce cas-là, Monsieur, montez jusqu'à l'étage et là, à la réception, on pourra vous renseigner sur l'état de votre femme.

Gilbert la remercia, emprunta l'ascenseur et se rendit à l'étage indiqué. Au sortir de l'ascenseur, il se retrouva devant un poste de réception où deux infirmières étaient occupées à vérifier des dossiers. Derrière, un peu plus à l'écart, un médecin consultait ses notes.

– Vous désirez, Monsieur? demanda l'une d'elles.

– Je voudrais voir Mathilde Authier. Je suis son mari.

L'infirmière se retourna en direction du médecin qui venait de tout entendre. Il regarda l'homme et s'approcha de lui la main tendue.

– Je suis le docteur Primard, Daniel Primard, Monsieur Authier.

Gilbert, prêt à affronter tous les obstacles, fut quelque peu surpris de l'accueil cordial. Jamais il ne s'était attendu à un tel face à face. Faisant mine d'ignorer que «l'autre» était «le futur» de sa femme, il retira sa main et lui demanda sans le moindre sourire:

– Comment va-t-elle, docteur?

– Elle se remet péniblement. Ça n'a pas été facile, vous savez…

– Puis-je la voir? Puis-je me rendre auprès d'elle?

– Heu… C'est que madame, votre femme, sommeille en ce moment. Vous pouvez certes la voir, vous êtes son mari, mais la consigne insiste sur cinq minutes, pas davantage. Empruntez ce couloir, entrez, votre femme est au fond en isolement. Et pour son bien-être, ne la réveillez pas et ne la faites pas parler. Une infection pulmonaire, vous savez…

– Je vais suivre vos ordres, docteur, répondit Gilbert d'un ton solennel.

Puis il partit en direction de l'unité comme s'il venait de s'adresser au médecin de sa femme et non à celui qu'elle allait épouser. De toute façon, Daniel Primard ne l'avait guère impressionné. Outre son titre, sans son sarrau, il n'avait rien à lui envier. De son côté, Daniel, face à Gilbert, avait quelque peu tressailli. Pas rasé, mal coiffé, habillé maladroitement, voire de façon désinvolte, Gilbert Authier était malgré tout bel homme. Très bel homme. Plus séduisant à quarante et un ans que sur son portrait de noces. Un constat qui ne laissa pas Daniel Primard indifférent. Ce qu'il souhaitait intérieurement, c'était que Mathilde dorme… profondément.

Gilbert enfila le masque et la blouse qu'on lui avait remis et s'approcha à pas feutrés du lit sur lequel sommeillait «sa douce» couchée sous une tente, masque à oxygène sur la bouche et le nez. Il la regarda et une larme s'échappa de sa paupière. Puis deux… et trois. Gilbert sentit fondre son cœur à la vue de «sa douce» dans ce lit blanc. Elle était pâle, elle était amaigrie, mais à ses yeux, elle était plus belle que jamais. Et la revoir après plus d'un an le remuait jusqu'au fond de son être. Il l'observa longuement; la vue du masque qui lui permettait de respirer le bouleversait. Mathilde dormait malgré le brouhaha des infirmières de l'unité. Passant outre aux recommandations d'usage, laissant glisser le masque qu'on l'avait obligé à porter, il glissa sa main jusqu'à la sienne et la pressa doucement… puis fortement. Juste assez pour que les yeux de la malade s'entrouvrent malgré le sédatif qu'on lui avait donné pour la calmer des émotions subies. Et c'est d'abord dans un brouillard, comme à travers un gros nuage, qu'elle distingua les traits de Gilbert. Le brouillard se dispersa, le nuage se dissipa, et Mathilde, encore sous le choc de cette main dans la sienne, reconnut Gilbert qui la regardait, les yeux embués de larmes. Sans prononcer un mot, sidérée, elle serra à son tour cette main dans la sienne. Gilbert, ne voulant pas trop la perturber, tenta de retirer sa main, mais elle s'y agrippa et, d'un regard, le supplia de n'en rien faire. Puis, émue, terriblement émue, sa respiration devint plus agitée et de grosses larmes perlèrent sur ses joues. Gilbert, secoué, ne sachant que lui dire, lui murmura: «C'est moi, ma douce, je suis là.» Et pour la première fois, le visage inondé de larmes, Mathilde fit un effort indescriptible pour murmurer sous son masque d'une voix enrouée: «Gilbert!»

L'infirmière, attirée par ce son rauque, les sanglots et la respiration saccadée de la malade, s'empressa de dire à Gilbert:

– Monsieur, je vous en prie, vous la perturbez. Retirez vite votre main de la sienne, les contacts sont interdits.

Gilbert voulut la retirer et l'infirmière, à sa grande surprise, se rendit compte que Mathilde ne voulait pas lâcher prise, qu'elle s'y cramponnait. Et ce fut elle qui se chargea de dissoudre le lien avec délicatesse.

– Monsieur, il faut garder le masque, madame est vulnérable.

Gilbert remonta son masque jusqu'au-dessus du nez, mais Mathilde ne fixait que ses yeux. Que ses magnifiques yeux pers d'où coulaient quelques larmes. Elle fit un geste comme pour les essuyer de la main, mais l'infirmière intervint. Regardant Gilbert, elle lui ordonna gentiment:

– Votre temps est écoulé, Monsieur Authier. Vous en avez même abusé.

Ne l'écoutant pas, faisant mine de n'avoir rien entendu, Gilbert se pencha quelque peu sur Mathilde et lui murmura:

– Je vais revenir, ma douce… Si tu le veux…

Mathilde acquiesça de la tête, le regarda partir et ferma les yeux sur ce qu'elle croyait être un rêve. Et c'est l'infirmière qui, d'un sachet aseptisé, sécha ses larmes. Mathilde semblait fiévreuse, mais il n'en était rien. Elle n'était que «fiévreuse» de la main chaude de Gilbert dans la sienne. Cette main qui, d'un toucher, venait, tel un baume, d'apaiser… une ancienne blessure.

Replongeant dans un sommeil, respiration plus normale, Mathilde avait emporté avec elle un visage qui ne l'avait jamais quittée. Et la chaleur, la dive chaleur de la main de Gilbert circulait dans ses veines, s'infiltrait dans son cœur et enrobait tout doucement la douleur de son âme. Un geste qui, à lui seul, venait d'anéantir tout mal en elle. Et ce, au détriment des plus récentes découvertes de la science.

Gilbert reprit l'ascenseur avec un pincement au cœur comme il n'en avait jamais éprouvé en vingt ans. Il se sentait renaître, il sentait la vie en lui, non plus l'ennui, non plus la déraison. La vie avec ce qu'elle avait de plus cher… pour lui. Il passa devant Daniel Primard sans même le regarder. Non pas par impolitesse mais par inattention. Gilbert avait les yeux fixés sur l'infini et, dans sa tête, il n'était hanté que par une seule vision. Celle de Mathilde qui, volontairement, retenait sa main dans la sienne. Il franchit la porte et disparut sous le regard quelque peu ahuri de Daniel.

Remontant à l'étage où «son ange» dormait, Daniel s'informa auprès de l'infirmière de garde du résultat de cette visite. Cette dernière, ignorant le lien entre la patiente et le médecin, lui avoua:
— Elle a été remuée, docteur. Elle tenait sa main dans la sienne et j'ai dû intervenir pour qu'elle lâche prise. C'est certes bon signe, mais sa respiration était houleuse. Elle pleurait, il pleurait et, croyez-le ou non, mais elle a réussi à prononcer son nom d'une voix quasi éteinte. Elle a parlé, docteur, elle en a fait l'effort. Madame Authier a été boulever-

sée par la visite de son mari. Était-il en voyage? On aurait pu jurer qu'elle le voyait pour la première fois... Je ne sais trop si, dans son état, c'était souhaitable, mais c'était si poignant que j'en ai presque eu les larmes aux yeux. Regardez comme elle dort paisiblement... Dois-je tout indiquer dans son dossier?

Peiné, contrarié, Daniel Primard lui répondit d'un ton ferme:

– Non. Inscrivez juste que madame Authier a parlé. C''est là un progrès.

Il allait repartir mais, se ravisant, il ajouta:

– Et dites à son médecin traitant que je la sens prête à quitter l'unité pour la chambre qui lui est réservée.

Daniel Primard sortit, retira son sarrau, avertit qui de droit qu'il serait de retour le lendemain et regagna tristement sa voiture. Se pouvait-il que Mathilde n'ait été qu'émue à la vue de Gilbert? Était-ce là une réaction normale après une si longue absence? Était-ce un simple choc ou un sursaut du cœur? Désemparé, épuisé après tous ces jours à se donner corps et âme pour celle qu'il aimait, il se rendit chez lui et tomba tel un homme usé, crevé, dans un sommeil fort agité.

Chapitre 13

Le lendemain matin, ayant récupéré ses forces, le docteur Primard se leva, tout en prenant son temps, pour se rendre à la clinique où ses collègues l'attendaient. Il avait consacré les trois derniers jours à sa bien-aimée et, malgré le médecin qui l'avait remplacé à pied levé, Daniel savait que l'administration ne dépendait que de lui. Il déjeuna légèrement, puis téléphona à l'hôpital pour prendre des nouvelles de Mathilde. On lui répondit que la patiente avait passé une bonne nuit, qu'elle regagnait des forces, mais que son souffle était encore au diapason de la veille. On se devait donc d'être prudent face aux poumons qui semblaient encore combattre le virus, malgré les fortes doses d'antibiotique. On le prévint que la malade avait été transférée dans une chambre privée, mais qu'elle garderait le masque à oxygène et que les visites, sans être interdites, se devaient d'être courtes et très sélectives au cours de la journée. Que la stricte parenté. Sa mère, son époux, les médecins et les infirmières. Soulagé, Daniel fit savoir à Mathilde qu'il serait là en fin d'après-midi après quelques urgences à la clinique. Il raccrocha et Sébastien, qui venait de se lever, lui demanda:

— Comment va Mathilde, papa?

– Hors de danger, mais sous constante surveillance. Elle m'a fait peur, tu sais. On vient à bout du virus sans toutefois pouvoir l'identifier. Tout ce que j'espère, c'est qu'il n'y ait pas de récidive. Elle est si fragile…

Constatant que son père manquait d'entrain, malgré les nouvelles rassurantes, Sébastien poursuivit:

– Fatigué, papa? Pourquoi ne prends-tu pas la matinée…

– Non, j'ai du travail à la clinique. Ça va aller…

– Tu as les yeux cernés, tu n'as pas l'air dans ton assiette…

– Ah! Laisse-moi! J'ai manqué de sommeil! lui répondit sèchement son père.

Voyant qu'il n'était guère d'humeur à causer, Sébastien prit sa douche, se sécha les cheveux, avala un jus d'orange et n'osa plus le questionner. Daniel, pris de remords, se tourna vers son fils pour lui dire:

– Excuse-moi, Sébastien, j'ai été brusque sans raison. Du moins, avec toi. Je ne suis pas de mauvaise humeur mais inquiet, songeur…

– Pourquoi, papa? Puisque l'état de Mathilde s'améliore?

– Ce n'est pas ça, c'est autre chose… Aussi bien te le dire, elle a reçu la visite de son mari, hier, et j'ai l'impression qu'elle en a été heureuse.

– Voyons donc! Elle a demandé le divorce! Surprise, peut-être…

– Non, Sébastien, ravie. D'ailleurs, c'est depuis qu'elle l'a vu qu'elle remonte la pente. Ils se sont serré les mains malgré l'interdiction et l'infirmière m'a avoué qu'elle avait eu peine à délier la main de Mathilde de la sienne. Voilà ce qui me tracasse, mon fils… Après avoir été auprès d'elle jour et nuit, une seule visite de lui et ce fut comme le remède miracle.

– Tu exagères sans doute, papa. Mathilde t'aime, vous allez vous épouser. Ce que tu imagines n'est peut-être qu'une coïncidence. L'émotion… et les sédatifs. Tu sais, dans mes cours, j'ai appris…

– La théorie, mon fils, ce n'est pas la pratique. L'observation, la psychologie, ce n'est pas dans les livres que ça se développe. Je suis passé par là bien avant toi. C'est dans la vie, au moindre geste, que l'on apprend.

– Désolé, papa, mais je suis sûr que tu te compliques l'existence. Mathilde sera ta femme l'an prochain et ce n'est quand même pas une courte visite de son mari qui va la troubler à ce point. Avec tous ces médicaments, elle est très vulnérable, donc il ne faudrait pas penser que la seule présence de cet homme l'a guérie… Au fait, comment est-il, celui qui t'a précédé, je veux dire…

– Bien, très bien même. Belle apparence, bien éduqué… Je ne m'attendais pas à cela de Gilbert Authier, je l'avoue. Sans être jaloux, j'ai éprouvé une espèce d'inconfort… Je le regardais, je me regardais… C'est bête, mais j'ai réagi dans mon cœur comme un adolescent. Et l'attitude de Mathilde…

– Papa, c'est là où tu te trompes. Tu la juges mal, tu présumes… Allons donc! Comme si Mathilde, une femme intelligente, allait ressentir quelque chose pour l'abruti qui l'a quittée. Et là, future épouse d'un médecin…

– La profession, les titres, très peu pour elle, mon fils. Tu ne la connais guère à ce que je vois. Mathilde n'a rien, mais rien d'une arriviste. Médecin ou laitier, ça n'a pas d'importance pour elle. C'est une femme à l'écoute de son cœur et de ses sentiments.

– Mais elle t'aime, papa! Elle te l'a dit, elle te l'a répété…

– Peut-être, mais sans me l'avouer avec l'éloquence que tu lui prêtes. Mathilde m'aime, mais c'est moi qui l'aime comme un fou, Sébastien.

– Papa! Vous êtes quand même… intimes, non?

– Oui, nous l'avons été, mais… Et puis, à quoi bon? Tu as sans doute raison. C'est moi qui m'inquiète, qui extrapole, qui… Sans doute la fatigue des derniers jours. Bon, je pars, je suis en retard. Cet après-midi, je passerai la voir.

– Offre-lui tous mes vœux, papa, dis-lui combien je pense à elle.

Daniel sortit, démarra et, resté seul, Sébastien semblait perplexe. Il aimait tant son père, il désirait tellement qu'il soit heureux et il était certain que Mathilde l'aimait de tout son être. À l'insu de son père, elle lui avait dit, lors de leur dernière rencontre, à quel point elle se sentait «bien»… avec lui.

Mathilde, depuis peu, était installée dans une jolie chambre privée. Porte fermée, interdiction d'entrer sans permission, elle pouvait voir de sa fenêtre les feuilles rouges et jaunes qui s'échappaient des branches d'arbre. Elle qui, depuis plusieurs jours, n'avait vu que par moments les murs blancs à peine éclairés de l'unité des soins intensifs. Allongée, sérum dans le poignet, masque sur la bouche et le nez, elle refusait les sédatifs qu'on lui apportait pour qu'elle dorme. Quitte à sentir ses poumons se serrer et à entendre ses bronches émettre des sons. Elle voulait voir, elle voulait vivre, elle avait même envie de se laisser éblouir par ce bel automne qui s'offrait à sa vue. L'infirmière lui avait remis la carte de madame Authier en lui disant qu'elle était accompagnée de roses qu'on avait dû laisser faner. Mathilde en fut émue. Sa belle-mère ne l'avait pas oubliée. Quelle délicatesse! Puis, se remémorant sa dernière journée à l'unité des soins intensifs, le visage de Gilbert lui revint. Se pouvait-il qu'il n'était pas rasé, pas coiffé? Elle ne se souvenait que de ses yeux et de sa main dans la sienne. Elle ne pouvait évoquer la trame, perdue dans ses calmants et ses médicaments, mais elle se souvenait qu'il avait été là, près d'elle, sans se rappeler de ce qu'il lui avait dit et ne pouvant retracer le moment où il était parti. Elle ne se souvenait que d'une chaleur, d'un bien-être, puis, plus rien.

Une jeune infirmière blonde et jolie entra pour lui dire, avec un sourire:

– Madame Authier, vous avez de la visite, votre mère est là. Mais selon les ordres, une courte visite. Ne m'en veuillez pas si j'ai à intervenir.

Sur ce, la mère entra et se dirigea vers sa fille. Le port du masque et du sarrau n'était plus nécessaire pour les visiteurs particuliers.

– Ma petite fille! Comme je suis contente! Tu as meilleure mine! Ça va?

Mathilde acquiesça d'un signe de la tête et sa mère reprit:

– Tu ne peux pas encore parler? Je devrai donc causer seule?

Mathilde lui désigna le masque à oxygène avec un air désolé.

– Ça va aller, tu verras. Daniel me l'a assuré. Lorsque tu sortiras d'ici, j'irai veiller sur toi. J'y passerai un mois s'il le faut. Tu verras qu'avec ta mère à tes côtés, tu vas vite te remettre sur pied. J'ai eu si peur, Mathilde...

Florence Courcy tentait de lui prendre la main, mais Mathilde lui fit signe de n'en rien faire. La consigne exigeait encore aucun toucher de la part des visiteurs. Mal à l'aise, ne sachant que dire, sa mère balbutia:

– Ton «ex-belle-mère» t'a envoyé des fleurs? Je sais, j'étais là. Des roses parfumées dans ta condition! Je vois que tu as gardé sa carte...

Mathilde, fermant les yeux, ne répondit pas.

– Puis, j'ai su qu'il était venu… Tu sais de qui je parle, n'est-ce pas? Il a du front tout le tour de la tête, celui-là! Arriver comme un cheveu sur la soupe sachant que tu as quelqu'un d'autre dans ta vie! Ah, le… J'aime mieux me taire! J'espère que tu l'as reçu froidement, ma fille! Après ce qu'il t'a fait! En instance de divorce, à part ça!

Exaspérée par le ton de sa mère, Mathilde avait détourné la tête.

– Bon, je me tais! Mais si tu savais tout ce que Daniel a fait pour toi… Que de patience, que d'amour… Il a eu si peur de te perdre. Il a même…

À ce moment, l'infirmière entra et fit signe à la mère que le temps alloué était écoulé.

– Voyons donc, vous! Je viens à peine d'arriver!

– Désolée Madame, mais j'ai des ordres à suivre. Votre fille doit se reposer, on doit changer son drap, on doit lui administrer un autre antibiotique.

– Bon, j'ai compris, je ne suis pas sourde, mais ça va durer longtemps, ce guet à la porte? Je vous sentais là, à épier, à écouter.

L'infirmière n'eut pas à répondre, Mathilde, gentiment, poliment, fit un signe à sa mère qui la priait de la quitter.

– Bon, je pars, mais je reviendrai ce soir, ma fille. Avec Daniel, je n'aurai pas à me battre pour quelques minutes de plus. Prends soin de toi, ma petite fille, moi, je prends soin de ta maison et de ta perruche. Pas facile à remettre dans sa cage, celle-là!

Mathilde avait fermé les yeux et sa mère sortit sans faire de bruit. Seule avec l'infirmière, elle les rouvrit et lui sourit. L'infirmière, complice malgré elle, comprit qu'elle venait de rendre à sa patiente… un fier service.

Vers deux heures de l'après-midi, Mathilde reçut, de la part des membres de la chorale, un buste en porcelaine de Schubert accompagné d'une jolie carte ornée de l'une des partitions du musicien. Dans la carte sans texte, des mots d'encouragement écrits à la main et, entre guillemets, «Franz Schubert te souhaite bon courage. Il a besoin de tes cordes vocales et nous aussi.» C'était signé: *Serge, Carole et les autres*. Mathilde en fut émue et c'est avec précaution que l'infirmière posa le buste de Schubert bien en vue sur une commode faisant face à la patiente. Quelques minutes plus tard, Daniel entra, vêtu d'un sarrau, un sourire aux lèvres. Un sourire que Mathilde lui rendit avec tendresse. Puis, lui prenant la main, il murmura:

– Le pire est passé, mon ange, nous sommes venus à bout de ce diable de virus. Du moins, je le pense. Il est sûr qu'une bonne convalescence s'imposera, mais je peux t'assurer que tu seras sur pied d'ici un mois.

Mathilde, sans répondre de vive voix, approuva en lui serrant le bout des doigts. Se dégageant, il lui fit l'éloge de sa chambre et la complimenta pour tous les efforts qu'elle déployait pour reprendre la forme. Puis, apercevant le buste de Schubert, il s'écria: «Comme c'est bien pensé!» S'emparant de la carte, il lut et ajouta: «Comme c'est gentil, mais ils devront être patients. Le rossignol ne chantera pas avant longtemps.» Voyant que Mathilde fronçait les sourcils, il s'empressa d'ajouter: «Du moins, pas avant la messe de minuit.» Il vérifia si le sérum coulait bien, s'informa de la dose d'antibiotique à venir auprès de l'infirmière puis, de nouveau seul avec elle, il se pencha pour lui dire:

– Si tu savais comme je t'aime. Sans toi, ma vie n'est rien, Mathilde.

Une larme coula sur la joue de la malade et Daniel, confus, lui marmonna:

– Non, pas ça, ne pleure pas, je m'excuse… Les émotions… Je devrais le savoir pourtant. Repose-toi, tu n'es pas encore forte, tu sais. Mais je ne serai pas loin, mon ange. Je serai dans les parages jusqu'à ce soir.

Il lui sourit, elle lui rendit son sourire et Daniel s'éloigna, conquis, plus épris que jamais de celle que le Ciel lui laissait. Il sortit et Mathilde, seule, regardant les feuilles tomber, sentit des larmes sur ses joues blêmes. Elle ne pouvait parler, elle n'osait pas parler, mais son cœur le faisait en silence. Ce qui l'avait navrée, chagrinée, bouleversée, c'est que la main de Daniel dans la sienne n'avait pas dégagé la chaleur… de celle de Gilbert.

Plus tard, Mathilde fut réveillée par l'infirmière blonde qui n'avait pas terminé son quart de travail.

– Désolée d'interrompre votre sommeil, Madame Authier, mais il y a un appel à la réception. C'est votre mari, il voudrait savoir…

Elle s'arrêta, s'apercevant que Mathilde avait tressailli.

– Quelque chose ne va pas? Vous vous sentez bien?

Mathilde lui fit signe que oui et, anxieuse, la pria des yeux de continuer.

– Monsieur Authier désire savoir s'il peut venir vous visiter.

Mathilde ferma les yeux, songea quelques instants et signifia à l'infirmière de lui dire de venir le lendemain matin, tôt de préférence.

L'infirmière retourna au poste pour aviser Gilbert du désir de sa femme et, restée seule, Mathilde sentit son cœur battre à tout rompre. Ses poumons la faisaient souffrir, sa gorge se nouait, mais elle était heureuse. Gilbert avait rappelé! Gilbert désirait revenir la visiter! Une main sur la poitrine, elle tentait d'étouffer ce que son âme ressentait. En vain. Mathilde avait envie de le revoir, d'entendre sa voix, de prendre sa main dans la sienne. Et elle se devait, hélas, d'attendre jusqu'au lendemain malgré l'envie de le revoir sur-le-champ. Elle se devait de s'imposer ce sursis parce qu'elle savait que sa mère ne serait pas là et que Daniel allait être à la clinique. Peinée de trahir celui qui l'aimait après avoir été naguère elle-même trahie, elle ne pouvait sacrifier pour autant ces instants qui s'offraient à elle. Gilbert viendrait, Gilbert lui sourirait... Gilbert! Avec ses yeux d'enfant si malheureux.

Sa mère revint le soir, et ce fut une corvée. Florence Courcy parlait, parlait, parlait... contre les autres. Les Authier, bien sûr, mais aussi d'une cliente qui, malgré l'état de Mathilde, réclamait une robe. Madame Courcy l'avait vertement semoncée. Et la perruche qui n'obéissait pas et qu'elle gardait, désormais, enfermée dans sa cage. Puis la mère partit, se promettant bien de revenir le lendemain en fin d'après-midi. Parce que Mathilde, subtile, lui avait signifié qu'elle passerait une batterie de tests durant l'avant-midi. Daniel vint fréquemment la voir, la rassurer, lui dire que ses poumons se dilataient, que ses bronches peu à peu se libéraient. Il resta jusqu'au soir, l'embrassa sur le front et lui promit d'être à son chevet le lendemain, dès sa paperasse terminée, aux environs de treize heures. Et Mathilde s'endormit, plus forte, plus sereine, sachant qu'à l'aube, «l'autre» serait là.

Mathilde avait été réveillée tôt par l'infirmière qui venait pour une prise de sang. Profitant de sa présence, elle demanda à se lever, à prendre un bain, à se rafraîchir quelque peu. L'infirmière s'informa et on accepta. Mathilde se leva donc avec l'aide de cette dernière. Étourdie d'être debout après avoir été si longtemps clouée au lit, elle avait l'impression de revivre ses premiers vertiges. Au moins, elle marchait. De plus, sans trop d'efforts, elle pouvait maintenant parler. Mais que pour le strict nécessaire, jusqu'à nouvel ordre. Sa voix était enrouée, rauque, un peu comme celle de sa perruche, sa Coquette qui devait s'ennuyer d'elle. Lavée, elle enfila une jolie robe de nuit, une robe de chambre, et reprit le lit, appuyée sur deux gros oreillers. Une autre dose d'antibiotique devait lui être injectée, mais le sérum, le masque, étaient désormais choses du passé. Mathilde, cheveux lavés, accepta l'offre de la blonde infirmière qui lui proposait de les lui sécher et, habilement, lui faire une tête convenable. Ses cheveux de plus en plus longs tombaient en vagues sur ses épaules. Cependant, on lui refusa tout maquillage, sauf un soupçon de rouge à lèvres qu'elle appliqua non sans peine. Jolie, présentable, assise ou presque dans son lit, Mathilde attendit la visite de Gilbert qui devait être là aux environs de neuf heures. Il arriva avec quelques minutes de retard, tenant entre ses bras un bouquet de roses que l'infirmière examina. C'était des roses de satin. D'un satin écarlate avec des feuilles d'un vert superbe. Mathilde en fut ravie, et c'est avec délicatesse que l'infirmière déposa le vase à côté de Schubert. Gilbert, rasé, bien coiffé, vêtu d'un superbe habit gris avec une cravate marine, n'avait jamais été aussi séduisant. Mathilde le regardait… conquise.

— Mon Dieu, Mathilde! Quel changement! Tu es… tu es guérie?

— Oui, presque, murmura-t-elle, en s'excusant du ton enroué de sa voix.

— Ne fais pas trop d'efforts, ménage ta voix. Juste à te regarder, je soupire de soulagement. Je ne pensais jamais qu'en si peu de temps…

Mathilde sourit et, s'emparant de sa main, marmonna d'une voix quasi éteinte:

– Avec de la volonté et du courage… Que ça, Gilbert. Et toi, ça va?

– Heu… oui, je travaille, j'ai des contrats à faire signer, des clients… Mais c'est de toi que je veux entendre parler, Mathilde. Les médecins sont satisfaits? Ont-ils réussi à trouver la cause de ta grave maladie?

Elle hocha la tête et murmura:

– C'est sans importance. En autant que ce soit parti, que ça ne revienne pas.

– Tu en as encore pour longtemps ici? On compte te donner ton congé bientôt?

– Je ne sais pas, tout dépendra de moi, mais d'ici quelques jours…

– Et après? Qui prendra soin de toi? As-tu besoin d'une infirmière?

Elle fronça les sourcils; comprenant, il répliqua:

– Ta mère! Je l'oubliais, Mathilde, pardonne-moi. Qui d'autre en un tel cas?

Elle gardait fermement sa main dans la sienne et elle ressentait la même chaleur, ce même feu qui coulait dans ses veines. Il était mal à l'aise, il aurait voulu la dégager, mais Mathilde la retenait d'une pression des doigts.

– C'est gentil de la part de tes amis de la chorale. Je parle du buste de Schubert, de la carte…

Mathilde souriait. Elle sentait que Gilbert ne savait que dire, que faire. Elle le sentait gêné, timide, comme au temps de leurs premières fréquentations. Il aurait souhaité qu'elle parle, qu'elle dise quelque chose, mais elle le regardait avec ce même sourire qu'il avait tant aimé naguère. Et c'était ce sourire qui soudain l'angoissait. Se dégageant, marchant de long en large, il balbutia:

– Je suis content… je suis heureux de voir que tout va bien. Ma mère m'a prié de te transmettre ses meilleurs vœux. Elle pense souvent à toi. Sophie lui a écrit pour lui dire qu'elle était navrée, désolée de ce qui t'arrivait. Elle a prié pour toi, a-t-elle dit à maman. Pour ce qui est des autres, Rachel, Pierre-Paul…

– N'en parlons pas. Gilbert. Ils… ils t'ont fait tant de mal.

Gilbert ne savait où regarder. Comment Mathilde pouvait-elle leur reprocher de lui avoir fait tant de mal après tout le mal qu'il avait pu lui faire à elle, lui? Gilbert était désemparé. Un peu plus et on aurait pu jurer que c'était lui qui avait le souffle entrecoupé. Prenant son courage à deux mains, incapable de la voir le fixer plus longuement, il s'approcha du lit, saisit sa main, posa ses lèvres sur le bout de ses doigts et lui dit:

– Il… il faut que je parte, Mathilde. C'était une visite en passant… Je ne veux rien déranger, je voulais être rassuré.

– Que veux-tu dire, Gilbert?

– Que… que je ne reviendrai plus, Mathilde. Ce serait de mauvais goût, tu comprends? Tu refais ta vie, tu es à l'aube d'une belle histoire… Il serait incorrect que… J'ai signé les papiers et dans peu de temps… Aucun obstacle, Mathilde, tu as droit au bonheur… Je suis venu, j'ai accouru parce que je suis encore ton mari et que ton état m'a fait mal. Mais là, comme ça va mieux, je ne reviendrai pas… J'ai…

Il s'arrêta. Stupéfait, surpris, il se rendit compte que Mathilde pleurait. Avant même de s'enquérir de la cause, la sentant fragile, il poursuivit:

– J'ai rencontré celui qui te rendra heureuse. Un homme charmant, un homme décent, Mathilde. C'est même lui qui m'a guidé jusqu'à toi lorsque je suis venu la première fois. Un homme qui te mérite…

Mathilde essuya quelques larmes, incapable de parler, muette de stupeur. Et Gilbert, ne pouvant discerner si ces larmes étaient d'émotion ou de douleur, prit son imperméable et sortit en se retenant d'éclater en sanglots. Mais avant de partir, il se pencha, lui prit la main, déposa un baiser sur son front et sentit que, du bout des doigts, Mathilde lui caressait les cheveux. Ne lâchant prise, sa main encore dans la sienne, elle balbutia:

— Tu pars? Dé... déjà?

— Il le faut, Mathilde, j'ai un contrat... J'ai... Sois heureuse, ma douce.

Il tourna les talons, mais Mathilde, les yeux rivés sur lui, avait vu une larme glisser de sa paupière. Gilbert sortit sans se retourner, et Mathilde, le visage ruisselant, le corps en avant, avait le bras tendu vers la porte qui se refermait.

Lorsque Daniel arriva en début d'après-midi, il la trouva étendue, les yeux dans le vide, morose, mélancolique. À sa vue, elle esquissa un léger sourire, mais il se rendit compte que quelque chose n'allait pas.

— Qu'as-tu, Mathilde? Ça va? Tu ne nous caches rien?

— Non, juste fatiguée. Le bain du matin, l'effort pour être sur pied, l'usage de la parole...

— Alors, ne parle plus, repose-toi, il ne faudrait pas abuser de tes forces. Et ne t'en fais pas si tu sens un certain cafard t'envahir. Avec tous ces médicaments, après les sédatifs, c'est normal, mon ange. Tu traverses peu à peu un sevrage. D'ici quelques jours, lorsque tu seras chez toi...

— Je sors quand, Daniel? Je n'en peux plus de cet hôpital, de ce lit...

— Patience, mon ange, un jour ou deux, et la médecine te libérera. Après, ce sera la convalescence; tu remonteras la pente plus rapidement chez toi. Avec ta mère, ses soins, ton environnement…

— Daniel, fais-moi plaisir, fais dire à ma mère de ne pas venir me visiter.

— Ta mère? Pourquoi?

— Je suis fatiguée, je veux dormir, j'ai besoin d'être seule.

— Si tel est le cas, compte sur moi, je lui téléphonerai tout à l'heure.

— Et à la maison, j'aimerais être seule, sans elle.

— Voyons Mathilde, tu ne peux pas rester seule, tu es encore très faible…

— Je le pourrai, Daniel, j'en aurai la force. Trouve une excuse, trouve-moi une infirmière privée pour le matin seulement. Après, je m'arrangerai, mais pas ma mère, Daniel. Je n'ai pas envie de l'avoir à mes côtés.

— Voilà qui va lui faire de la peine, Mathilde. Ta mère t'aime tant…

— Je sais, je l'aime aussi, mais j'aurai besoin de calme, de faire le vide et, avec elle… Trouve une raison, Daniel, tu es médecin, non?

— Bon, puisque tu insistes, mais on en reparlera demain si tu le veux bien. Là, une bonne sieste, la porte fermée…

Sortant de ses gonds sans qu'il s'y attende, elle cria de sa voix éraillée:

— En reparler demain? Non! Je sais ce que je dis, Daniel! Je ne suis pas sous les effets des sédatifs! Trouve une raison aujourd'hui même! Pas ma mère!

Ahuri, surpris par le ton, il la calma et lui promit de régler ce léger problème. Puis, voyant qu'elle regardait dehors, qu'elle avait l'air maussade, il se retira à pas feutrés et se rendit à la réception.

– Madame Authier me semble très agitée. A-t-elle subi une contrariété, garde?

– Heu… non, pas à ce que je sache. Elle était si joyeuse ce matin.

– Ah, oui? Parce qu'elle a reçu des fleurs de satin?

– Pas seulement des fleurs, mais de la belle visite, docteur.

– Madame a eu de la visite? Si tôt? Qui donc était-ce?

– Mais son mari, docteur! Elle ne vous l'a pas dit?

Dardé en plein cœur, faisant mine de rien, Daniel répondit:

– Heu… non. La vie privée, ce n'est pas du ressort des médecins, vous savez.

Ce n'est que le vendredi 27 octobre, trois jours plus tard, que Mathilde obtint enfin son congé. Le vent était fort, tenace, venant de tous côtés, mais pas assez violent pour que la patiente reste un moment de plus dans cet hôpital. Depuis le dard au cœur, Daniel Primard était resté songeur. Par respect, il n'avait pas parlé de la visite de Gilbert à Mathilde. Elle, de son côté, n'avait pas fait mention de cette visite qui l'avait bouleversée. Pas plus qu'elle lui avait dit d'où et de qui venaient les roses de satin lorsqu'il lui avait avoué les trouver fort jolies. Ce qui peinait Daniel, ce n'était pas qu'elle se taise. Il préférait le silence au mensonge qu'elle aurait pu lui servir s'il avait insisté. Ce qui le chagrinait, c'était le manque de confiance. Mathilde ne mentait pas, Mathilde cachait. Ses joies, ses peines, tout comme ses états d'âme. Exclu de ses pensées, tenu à l'écart, voilà comment se sentait Daniel Primard face à celle qu'il aimait. Elle lui cachait le moindre de ses gestes, la plus minime de ses pensées. Elle lui cachait tout… comme elle le faisait à sa mère. Elle lui avait même caché ses malaises, sa maladie, jusqu'à ce que, de justesse, on lui sauve la vie. Comme si Mathilde ne vivait que pour elle et pour lui... qui n'était pas lui. Comme si Mathilde, traquée, déboussolée, ne savait plus à qui s'accrocher. Du moins, pas à lui! Et c'était là le mal qui le rongeait. Lui, amoureux fou, lui, épris depuis le premier jour, lui qui ne rêvait que du moment où elle et lui... Lui qui se torturait d'un si cruel silence.

Daniel s'était chargé lui-même de ramener Mathilde dans sa maison de la rue Georges-Baril. Il avait avisé Florence Courcy, pieux mensonge, que Mathilde aurait auprès d'elle une infirmière privée, ce qui contraria la mère qui aurait souhaité être auprès de sa fille pour la dorloter de son cœur dévoué. Quoique fortement suggérée par Daniel, Mathilde ne voulait pas de l'infirmière privée. Elle voulait rester seule, surmonter sans appui la pente de la convalescence, méditer, se reposer et faire en sorte d'avoir tout à loisir de songer à son avenir. Sitôt entrée, encore frêle sur ses jambes, Mathilde s'était empressée de poser le vase contenant les roses de satin à côté de son portrait de noces. Un geste qui n'avait pas échappé à Daniel qui n'osa pas le commenter. Dans sa cage, Coquette s'agitait. Elle avait reconnu sa maîtresse et semblait lui manifester son désir de voler, elle qui avait été enfermée derrière les barreaux par Florence depuis qu'elle s'était montrée entêtée. Daniel lui suggéra de regagner sa chambre, de se reposer, mais Mathilde opta pour son fauteuil préféré, alléguant qu'elle ne retrouverait pas son équilibre en restant allongée. Elle mit en marche son lecteur de cassettes, et l'œuvre de Mozart, restée en place depuis son départ, reprit sa cadence. Les yeux fermés, Mathilde se sentait bien. Elle se sentait renaître au son de la musique, à l'odeur de sa maison et au tapage que la perruche faisait dans sa cage. Daniel insista pour passer l'avant-midi avec elle, quitte à lui faire confiance pour l'après-midi et revenir souper avec elle. Il se promettait même de lui préparer un bouillon et les quelques morceaux de poulet que son estomac, encore sensible, pouvait se permettre d'absorber. Mathilde retrouvait peu à peu sa voix claire, mais il lui arrivait de tousser lorsque l'effort pour s'exprimer était trop grand. Voilà pourquoi elle se devait d'absorber encore des antibiotiques qui, depuis la veille, se prenaient sous forme de comprimés. De son fauteuil, Mathilde voyait les feuilles éparses sur le terrain et, immobilisée, se désolait de ne pouvoir vaquer à cette tâche qui lui était coutumière. Mais Daniel, empressé, lui promit qu'il viendrait, dès dimanche, les ramasser avec Sébastien. Ce qui lui permettrait de faire de l'exercice, invoqua-t-il devant la réticence de Mathilde.

L'horloge carillonnait ses onze coups du matin lorsqu'on sonna à la porte. Mathilde voulut se lever, mais Daniel lui fit signe de n'en rien faire tout en se dirigeant vers l'entrée. C'était un livreur qui, chargé d'un arrangement de fleurs séchées, le remit à Daniel en le priant de signer. Un superbe arrangement de toutes les couleurs. Un envoi de madame Authier, avec une jolie carte sur laquelle elle put lire: «Prompt rétablissement, chère belle-fille. Et puissent ces fleurs qui ne sauront faner te rappeler à mon doux souvenir.» Mathilde en fut émue et les fleurs de toutes les saisons allèrent prendre place à la gauche du portrait de noces, tout près du buste de Schubert, à quelque huit ou dix pouces des roses de satin.

— Je dois partir, Mathilde. Tu es certaine de pouvoir rester seule cet après-midi? demanda Daniel d'une voix remplie d'amour.

— Bien sûr, le pire est passé. Vois, je me sens de plus en plus forte sur mes jambes.

— Je vois, mais il ne faudrait pas en abuser, mon ange. Il faudra te reposer, ne pas prendre trop d'appels, les laisser aux bons soins de ta boîte vocale. Et si tu peux dormir, fais-le, mais n'oublie pas ton médicament vers quinze heures. Il te faudra être prudente, Mathilde, le pire est passé, j'en conviens, mais tes poumons n'ont pas repris toute leur vigueur. Je te…

– Oui, oui, Daniel, je serai sage, je te le promets. Cesse d'être un si bon médecin et laisse le temps faire son œuvre. Je n'ai pas l'intention d'abuser de mes forces, je crains la récidive. Je serai prudente, crois-moi.

Rassuré, Daniel partit, non sans d'autres recommandations d'usage et non sans l'avoir serrée dans ses bras avec toute l'ardeur de ses sentiments. Restée seule, Mathilde ferma les yeux, se délecta des dernières notes de l'œuvre de Mozart puis, nonobstant toute consigne, s'empara du téléphone à sa portée. Il lui fallait remercier sa belle-mère, lui dire combien elle avait apprécié sa douce pensée, prendre de ses nouvelles, lui donner des siennes. Bref, Mathilde voulait lui faire sentir qu'elle était encore une… Authier.

Un coup, deux coups, et la belle-maman de Mathilde répondit au téléphone après avoir avalé une gorgée de café.

– Oui, allô?

– Madame Authier? C'est Mathilde.

– Mathilde! Quelle belle surprise! On m'avait dit que tu ne parlais pas, mais ta voix semble être revenue…

– Pas tout à fait, pas aussi claire, mais d'ici une semaine, ça devrait aller.

– Comment vas-tu, Mathilde? Si tu savais comme j'étais inquiète…

– Je me rétablis, Madame Authier. Je suis de retour à la maison… Que dis-je! Vous l'avez sûrement appris, puisque j'ai reçu votre superbe arrangement.

– Oui, c'est l'hôpital qui m'en a informé ce matin. J'ai vérifié, tu comprends.

– Merci pour les fleurs, Madame Authier, et aussi pour celles reçues à l'hôpital et que je n'ai pu voir alors que j'étais aux soins intensifs. Quelle délicatesse de votre part!

– Voyons Mathilde, tu ne pensais tout de même pas... Je veux dire, ce n'est pas parce que mon fils et toi... Et puis, à quoi bon? Tu me comprends, n'est-ce pas? Quoi qu'il arrive, tu seras toujours dans mon cœur.

– Je le sais et je vous en remercie. Vous avez toujours été si bonne pour moi.

– Trêve de remerciements, Mathilde, c'est toi qui as été une belle-fille extraordinaire pour moi. Tant d'années, tant de joies...

– Vous... vous avez des nouvelles de Gilbert?

– Il me téléphone chaque jour, Mathilde. Il s'est informé de toi, mais que pouvais-je lui dire? Là, enfin, je pourrai lui annoncer que tout va bien.

– Sans vouloir vous offenser, Gilbert pourrait prendre lui-même de mes nouvelles. Il est venu à l'hôpital à deux reprises...

– Je sais, Mathilde, mais tu connais Gilbert... Il ne veut pas s'imposer, rien déranger... Il faut le comprendre, Mathilde, tu refais ta vie.

– Oui, je comprends... Et lui, Madame Authier? Comment va-t-il?

– Il reprend le dessus, il travaille, mais pour être honnête, il a encore le moral bas. J'ai eu beau l'accompagner en voyage, ça n'a rien changé. De plus, peu jasant, introverti, je n'ai guère eu droit à ses confidences.

– Est-il avec... avec une autre? Voit-il quelqu'un? Vous savez, c'est le genre de question que je n'aurais pas pu lui poser.

– Gilbert est seul, Mathilde. Seul depuis qu'il a… Ne revenons pas sur le passé, ne parlons surtout pas d'elle. Je pense que Gilbert a vivement regretté son geste après l'avoir posé. Je parle de toi, évidemment. Mais que veux-tu? À son âge, il savait ce qu'il faisait, Mathilde. Ou peut-être ne le savait-il pas? Mais je crois qu'il paye chèrement sa décision prise à la légère. Et je ne dis pas cela pour l'excuser, Mathilde. Tu as souffert plus que lui, tu as été celle qui a absorbé le coup, et il le sait. Il vit de remords, mais c'est fort souvent la rançon d'un geste irréfléchi… Et puis, nous devrions plutôt parler de toi, Mathilde. Toi qui ne fais pas les choses à la légère. Toi qui penses, qui réfléchis… Et je t'assure du fond du cœur que je suis fière de ton bonheur.

– Merci, Madame Authier… Vous… vous avez des nouvelles de Sophie?

– Très peu, Mathilde. Elle est heureuse, du moins, elle semble l'être. Dans ses lettres, tu es la seule dont elle s'informe. Sans le démontrer, je crois que Sophie t'aimait bien, Mathilde. Elle a toujours un bon mot pour toi.

– J'en suis flattée, Madame Authier. Moi aussi, je l'aime bien, mais elle est si distante, si réservée.

– Introvertie tout comme son frère, Mathilde. C'est pourquoi ils n'ont guère communiqué, ces deux-là. Mais ils s'aiment bien tous les deux. Ils savent qu'ils se ressemblent… Tandis qu'avec Pierre-Paul…

– Il va bien? s'informa Mathilde poliment.

– Oui, Rachel aussi, mais leur Janou leur cause des ennuis. Une tête forte comme son père, celle-là! Au fait, tu n'as pas de nouvelles de Rachel?

– Non, aucune. Et sincèrement, je n'y tiens pas, Madame Authier.

– Remarque qu'elle s'informe de toi, qu'elle aimerait bien renouer…

– Désolée, mais pas moi, Madame Authier. Je suis pourtant de nature indulgente, mais Rachel, je n'y tiens pas. Pas plus qu'à Pierre-Paul, soit dit en passant.

– Pierre-Paul est pourtant un ami de ton futur mari…

– Un ami? Une relation professionnelle, rien de plus. Et puis, si vous le permettez, je vais devoir vous laisser, je sors à peine de l'hôpital…

– Pauvre petite! Où donc avais-je la tête? Tu sors à peine et voilà que je t'incommode avec des histoires de famille… Excuse-moi, Mathilde!

– Allons, pas d'offense, Madame Authier, c'est moi qui vous ai questionnée.

– Bon, je te laisse te reposer et j'espère que, malgré tout, tu me donneras encore de tes nouvelles.

– Vous pouvez compter sur moi, Madame Authier. Et… et si Gilbert le désire, dites-lui qu'il peut m'appeler, s'informer, que je n'en serai pas vexée.

– Vraiment, Mathilde? Tu ne crois pas que ça puisse gêner ton futur mari?

– Daniel? Absolument pas! Il sait très bien que, malgré tout, Gilbert et moi… Non, dites-lui de m'appeler si le cœur lui en dit. Dites-lui que ça ne gênera personne. Après tout, je suis encore sous son toit, Madame Authier.

Mathilde avait à peine raccroché qu'elle se demandait si ce qu'elle venait de faire était convenable. Elle avait demandé, elle avait presque insisté pour que Gilbert la rappelle. Elle avait, avec sa belle-mère, parlé de tout, de rien, par envie de parler… de lui. Bien sûr que la politesse exigeait qu'elle la remercie pour les fleurs, mais elle n'avait pu le faire sans parler de Gilbert. Comme pour lui faire savoir, discrètement, par l'entremise de sa mère, qu'elle était encore sous l'effet de sa main dans la sienne. En sourdine. Sans songer à Daniel, sans penser à tout ce que cet homme avait fait pour elle. Sans même s'arrêter sur le fait que son futur l'aimait profondément et qu'elle lui rendait cet amour par maillons. L'un après l'autre, après avoir accepté de devenir sa femme. Sans penser à rien d'autre qu'à «l'autre» et à sa perruche dont la mangeoire était vide.

Daniel revint le soir, ouvrit avec la clef qu'elle lui avait remise, et ce dernier fut heureux de la trouver allongée sur son lit, endormie, calme et sereine, avec une respiration presque normale. Au bruit des pas, elle ouvrit les yeux, lui sourit et tendit sa main vers la sienne. Au comble de la joie, Daniel la souleva avec délicatesse, la serra sur son cœur et lui dit:

— Mon ange, mon cher petit ange! Voilà que tu reviens à la vie. Je ne te quitterai pas de la soirée. Je vais te préparer un léger souper, tu vas te lever, marcher un peu et te détendre dans ton fauteuil. Et regarde ce que je t'ai apporté!

Mathilde leva les yeux et vit que Daniel tenait entre ses mains la cassette *live* de l'opéra *Don Giovanni* de Mozart, l'un de ses préférés.

— Nous allons passer une belle soirée, mon ange, quitte à ce que tu t'endormes au début du second acte. Tu sais, s'endormir sur un tel spectacle, c'est s'offrir une nuit de détente. Pas trop dérangée par les appels aujourd'hui?

— Non, aucun, sauf celui que j'ai fait à madame Authier pour la remercier.

Sans rien dire, Daniel se leva et se rendit à la cuisine pour préparer le léger souper escompté. Mais Mathilde avait décelé, par un certain regard détourné, qu'il avait été contrarié.

Le dimanche, par un temps gris, un vent qui s'était levé, Daniel était venu avec son fils, tel que promis, pour ramasser les feuilles mortes sur le tapis presque jauni de la pelouse. Un dur labeur que Mathilde observait de sa fenêtre avec de vifs sentiments pour celui qui se donnait de si bon cœur. Et c'est en se délectant de ses sourires que Daniel et Sébastien vinrent à bout de la corvée, malgré le vent contre lequel ils durent se battre. De plus en plus forte, Mathilde avait préparé le souper. Elle avait même trempé ses lèvres dans le vin d'Alsace qu'elle avait servi avec la volaille. Sébastien, heureux pour son père, redoublait d'égards envers elle. Plus tard, ils ouvrirent le téléviseur; quelques choix s'offraient aux téléspectateurs. Daniel n'aurait pas détesté regardé le film *Un frisson dans la nuit* avec Clint Eastwood, mais devant la moue de Mathilde, qui passait d'une chaîne à l'autre avec sa télécommande, il accepta de bon gré de regarder avec elle un concert de Roch Voisine donné au Forum. Rappelé par ses études, Sébastien partit, et c'est seule avec Daniel qu'elle regarda le beau troubadour interpréter ses chansons les plus populaires. Mathilde, ce soir-là, avait besoin de mots d'amour, de sensibilité, de tendresse. Voisine chantait, et Mathilde rêvait. On ne savait trop à qui elle collait les mots des chansons qui se succédaient, mais Daniel, qui se levait fort souvent, qui, forcément, retirait sa main de la sienne, se rendit compte que Mathilde, dans le néant, ne réagissait pas lorsqu'il déliait ses doigts des siens. Songeuse, pensive, sans rien dire, elle buvait les paroles du chanteur, le cœur en fête, la tête… ailleurs.

Mardi 31 octobre 1995, dernier jour d'un mois où les remous avaient fait place à l'accalmie de l'heure. Et ce, malgré le froid soudain, le vent, les dernières feuilles collées à la fenêtre, qui affirmaient que l'automne était en pleine force.

Rétablie, quoique frêle, Mathilde vaquait maintenant à ses occupations. Daniel n'avait plus à venir matin et soir, et sa mère désespérait de n'entendre sa fille qu'au bout du fil. «J'irai te visiter la semaine prochaine, maman. Ne sors pas, il fait froid, le vent est fort…», lui disait-elle afin d'être seule le plus longtemps possible dans sa paix retrouvée. Pas de couture, pas de chant pour l'instant. Carole avait téléphoné, la chorale s'ennuyait d'elle, les personnes âgées la réclamaient, mais elle comprenait que Mathilde devait ménager ses cordes vocales pour mieux les retrouver. Et les membres de la chorale, sa chère chorale, lui avaient fait parvenir des fleurs dont le parfum avait embaumé la solitude de son cœur. Il était dix heures, Mathilde, levée tard, enfilait une rôtie accompagnée d'une tasse de thé lorsque la sonnerie du téléphone se fit entendre. Distraite, sans se préoccuper de qui venait l'appel, elle répondit nonchalamment:

— Allô, j'écoute.

— Mathilde, c'est moi, j'espère que je ne te réveille pas.

Elle resta clouée sur place. Puis, retrouvant son souffle, elle murmura:

— Gilbert, enfin, toi… Si tu savais comme cet appel me fait plaisir.

— Comment vas-tu, Mathilde? Rétablie, j'espère? Plus forte que…

— Je me porte à merveille! Tout est derrière moi! s'exclama-t-elle, agitée, heureuse, comblée par ce coup de fil inattendu.

— Je m'excuse du délai, j'aurais voulu prendre de tes nouvelles dès que tu as parlé à ma mère, mais tu sais, sans savoir qui était là, je n'osais pas.

— Tu aurais pu, Gilbert. Ce n'est pas parce que… J'avoue que certains jours, tu aurais pu mal tomber, mais là, je suis seule, j'ai tout mon temps.

– Tu es seule pour la journée, Mathilde? Ta mère ne vient pas? Et...

– Non, personne. Je n'attends personne. Pourquoi?

– C'est... c'est que j'aimerais passer te rendre visite si ce n'est pas déplacé.

– Gilbert! Quelle remarque! Qu'y aurait-il de déplacé? Tu veux venir pour le dîner, le souper? ajouta-t-elle avec empressement.

– Non, juste en après-midi pour un café si tu n'y vois pas d'inconvénient. J'aimerais te voir, te regarder, me rendre compte dans quel état tu es. Moi, le téléphone...

– Alors, viens Gilbert, ne prends pas tous ces détours. Viens prendre le café, viens causer. Moi aussi, je serai heureuse de te revoir.

– Dans ce cas, je serai là vers quatorze heures et je te promets de ne pas prendre tout ton temps. J'aimerais qu'on parle de la maison... Non, pas seulement de la maison, de ta santé, de ton bien-être, mais tu sais, selon la demande, je crois qu'il me faudra la mettre en vente. Je pensais la récupérer...

– Gilbert, garde tout ça pour cet après-midi, veux-tu? On trouvera bien une solution, tu verras. On en parlera, on ajustera...

– Alors, je serai là Mathilde et... je t'embrasse.

Il avait raccroché et Mathilde était encore sous l'effet du choc. Ce «je t'embrasse», qu'il avait hésité à lui dire, l'avait comblée d'aise. Mais elle était désemparée à l'idée que Gilbert ne puisse acquérir la maison, qu'il ne puisse la reprendre en lui versant sa part. Cette maison, cette jolie maison dans laquelle vingt ans de bonheur s'étaient écoulés. Cette maison dont elle avait pris soin comme de la prunelle de ses yeux. Maison des beaux jours, maison du bonheur, maison des larmes. La maison, surtout, dans laquelle elle avait vécu un si beau roman… La maison qui avait son odeur, la sienne, la maison qu'elle avait crue d'une vie entière. Mathilde était contrariée, vivement contrariée. S'il le fallait, elle la lui laisserait sans rien exiger à la condition qu'il la garde. Il ne fallait pas que le nid de leur amour abrite celui de quelqu'un d'autre. Mathilde, femme de son temps, sentiments d'antan, avait le culte de ce qu'on appelait jadis «la maison familiale». Même sans avoir d'enfants pour en prendre la relève.

Gilbert se présenta à quatorze heures pile. Cheveux ébouriffés par le vent, imperméable humide, veston noir, chandail noir à col roulé, pantalon gris, elle le trouva superbe. Et lorsqu'elle posa ses yeux dans les siens, elle crut défaillir. Ces doux yeux pers inquisiteurs, ce regard si tendre, ces yeux d'hier avec la même lueur qui s'infiltrait encore… dans les siens. Et ce sourire. Ce sourire qui, chaque soir, lui inspirait naguère une joie de vivre. Cheveux longs soigneusement peignés tombant sur ses épaules, Mathilde s'était maquillée et avait revêtu, pour la circonstance, une robe d'un vert tendre avec une boucle beige sur… une épaule.

— Tu es éblouissante, lui dit-il. Jamais je ne m'attendais à une si belle image.

Elle rougit, le délivra de son imperméable et le fit passer au salon. Il vint pour s'allumer une cigarette, se ravisa, mais Mathilde lui dit:

— Tu peux fumer, Gilbert. Ça ne m'a jamais incommodée.

— Voyons Mathilde, avec tes poumons, ta santé, ce que tu as traversé…

— Ce n'était qu'un virus, aucun rapport, ne te retiens pas pour si peu.

Mais Gilbert, conscient de l'odeur fraîche de la maison, s'en abstint pour l'instant. Face à elle, les yeux dans les siens, il lui dit gravement:

– Tu sais, Mathilde, la maison, ce n'est pas que je ne pourrais pas… Ma mère ne la veut pas, et moi, seul, je n'y tiens pas. Trop de souvenirs, trop d'évocations, tu comprends? Je ne pourrais pas revivre dans cette maison sans en souffrir… Je préfère garder mon appartement.

– Gilbert! Cette maison a été notre vie! Comment peux-tu la rejeter…

– Notre vie, tu as raison, j'en conviens, mais toi, tu vas la quitter, Mathilde. Si cette maison te tient tant à cœur, pourquoi ne pas la garder… avec lui?

– C'est… c'est qu'il a la sienne. Il était entendu…

– Et tu voudrais que moi je vienne y vieillir seul, Mathilde? Tu crois que je pourrais vivre seul entre ces murs sans en ressentir la moindre douleur? Je veux bien ne pas faire obstacle à ton bonheur, Mathilde, je veux bien ne pas faire de bruit et signer tout ce que tu voudras, mais de grâce, ne me demande pas de revenir ici me torturer sans…

Il avait hésité, il s'était arrêté juste avant de dire «sans toi». Elle le sentait, elle avait toujours lu sur ses lèvres les mots qu'il ne prononçait pas. Elle connaissait son cœur fermé comme si c'était un livre ouvert. Elle avait toujours ressenti la moindre pensée de «son introverti». Le regardant, elle lui dit:

– Il doit bien y avoir une autre solution… Faut-il vraiment s'en départir?

Gilbert se rendit compte que les yeux de «sa douce» étaient embués. Ne sachant que répondre, il balbutia:

– Nous pourrions peut-être la louer… ou y installer ta mère…

Mathilde le regardait, les yeux baignés de larmes. Muette d'émotion, elle se sentait incapable d'émettre le moindre son. Elle le sentait près d'elle, elle aurait tant voulu lui prendre la main, l'attirer à elle, mais l'audace lui manquait.

– Écoute, Mathilde, je ne suis pas venu ici pour te bouleverser. J'ai moi-même le cœur à l'envers juste à l'idée… Mathilde, je suis inconsistant, ne me fais pas éclater en… Il… il vaut mieux que je parte.

Il allait se lever et, faisant fi de l'inconvenance, elle s'empara de sa main et la porta à ses yeux, à sa bouche. Gilbert, désemparé, mortifié, sentit son cœur fondre et se laissa choir en sanglots dans ses bras.

– Mathilde, Mathilde, ma douce… Qu'ai-je fait?

Et il pleurait de tout son cœur sur sa poitrine alors que, en sourdine, on pouvait entendre un émouvant passage de l'opéra *Carmen*. Elle lui passa la main dans les cheveux, et tel un enfant repentant, il se blottit dans son cou, sur sa poitrine, tout en prenant de sa main, dont le sang était chaud, celle de «sa douce». Un tel contact, un tel moment, et Mathilde, la tête de Gilbert sur ses genoux, essuyait ses larmes de ses doigts. Puis, n'en pouvant plus, elle éclata:

– Je t'aime, Gilbert! Je t'aime! Je n'ai jamais cessé de t'aimer!

À cet aveu qui lui mit le cœur en morceaux, il releva la tête et, de ses yeux d'enfant mouillés de larmes, il la regarda tendrement pour lui dire:

– Je t'aime aussi, Mathilde! Je n'ai aimé que toi, je n'aime que toi! Pourquoi a-t-il fallu? Si tu savais comme je me meurs de toi depuis…

Chancelante, prise de tremblements causés par l'émotion, elle approcha son visage du sien et Gilbert effleura ses lèvres, son cou, ses yeux… Puis un baiser, un brûlant baiser vint sceller ce qu'ils n'avaient osé se dire depuis le jour… après le jour.

— Mathilde, est-ce que je rêve? Suis-je en train de devenir fou? Mathilde! Aurais-tu perdu la tête? Et lui? Et nous qui allons…

Elle le fit taire d'un baiser ardent et, suant de bonheur, elle lui murmura:

— Qu'avons-nous fait, Gilbert? Qu'allons-nous faire? Oui, «nous» qui ne pouvons vivre l'un sans l'autre! Ici Gilbert! Ensemble! À tout jamais!

Il pleurait, il la serrait dans ses bras, puis, entre deux hoquets, lui murmura:

— Si tu savais comme j'ai rêvé de ce jour. Si tu savais comme j'ai prié pour ce moment, ma douce. Mais… Mais est-ce possible? N'est-il pas trop tard, Mathilde?

Devant ces yeux de gamin, devant ce regard inoffensif, Mathilde lui répondit:

— Non, Gilbert, il n'est jamais trop tard. Je suis encore ta femme et je t'en supplie, arrêtons le temps, mon amour. Arrêtons les heures, arrêtons tout. Tu vois? Il ne reste que nous, Gilbert! Que nous qui avions peur… de nous.

Après la scène plus qu'émouvante, plus qu'éprouvante pour l'un comme pour l'autre, Mathilde et Gilbert, enlacés sur le divan, étaient restés de longs moments sans rien dire. Puis, retrouvant quelque peu son calme après ce dur tourment, Gilbert murmura:

— Tu es sérieuse, Mathilde? Tu veux vraiment que je revienne?

— Oui, Gilbert, de tout mon être… Si tu le veux, bien entendu…

— Après ce que je t'ai fait, Mathilde? Sans même avoir obtenu ton pardon?

Elle se leva, croisa les bras et, sûre d'elle, lui dit:

— En as-tu vraiment besoin, Gilbert? Notre amour en a-t-il besoin? Nous reprendrons là où tu me souriais, juste avant… Nous referons mille pas en arrière toi et moi, dans l'oubli le plus total de ce mauvais rêve.

— Mais tu n'as rien à te reprocher, toi… C'est moi…

— Gilbert, le pacte aura servi pour deux. Je me suis donnée, moi aussi…

— L'aimais-tu, Mathilde? L'aimes-tu?

— Je l'ai aimé, je l'aime encore, mais jamais comme je t'ai aimé, Gilbert. Je sais que ce sera très difficile pour lui, ce sera même cruel de ma part, mais je suis prête à tout pour que toi et moi… Ah, Gilbert! Laisse-moi faire le bout de chemin que tu as fait. Que cela! J'en aurai la force.

— Es-tu consciente de son amour, Mathilde? Sa déception, sa souffrance… Moi, je n'ai aucun mérite, je ne l'aimais pas, je ne l'ai jamais aimée, et elle ne m'aimait pas. C'était un amour mort-né, Mathilde! Mais Daniel et toi…

— Je sais ce que ça implique, je suis consciente du mal que je lui ferai, mais devrais-je me sacrifier, feindre, le berner, alors que c'est toi que j'aime?

— Non, mais je me sens coupable, Mathilde, je me mets à sa place…

— Il vivra ce que j'ai vécu, Gilbert, et je sais que ça fait mal. Mais si j'ai eu la force de remonter, d'attendre, après vingt ans… Tu comprends?

— Oui, ma douce, mais ce qui me fait peur, c'est que tu n'oublies jamais.

— Gilbert, c'est déjà oublié. J'ai oublié, j'ai pardonné dès que j'ai senti que tu ne l'avais jamais aimée. J'ai souffert, Gilbert, mais toi aussi. Et j'imagine qu'on souffre davantage avec le remords qui s'ajoute à la peine. Et je me dois d'être honnête envers Daniel. Mieux vaut le chagrin que le mensonge, Gilbert.

– Après tout ce qu'il a fait pour toi? Après t'avoir sauvé la vie?

– Daniel et ses collègues m'ont sauvée de la mort, Gilbert. C'est toi qui m'as sauvé la vie. J'ai repris vie le jour où ta main s'est posée dans la mienne, mon chéri. Je serai toujours reconnaissante à Daniel pour son appui, pour son amour qui, hélas pour lui, m'a permis de l'attendre, mais je ne peux sacrifier notre si longue histoire, fil décousu pour un moment, et feindre d'être heureuse dans ses bras alors que, yeux fermés, je me sentais dans les tiens.

Les paupières inondées de larmes, Gilbert la serra contre lui et lui murmura:

– Et ta mère, Mathilde? Ta mère qui risque d'y laisser son pauvre cœur…

– Ma mère ne sera qu'un fil de soie dans mon histoire. Un fil que je manierai du bout des doigts, Gilbert. Ma mère peu à peu s'en ira, je le sens. Mais nous, en pleine force, au mitan de notre vie, nous devons vivre pour nous. Envers et contre tous, Gilbert. Envers et contre… tout.

Il était dix-sept heures et Gilbert était encore dans ses bras. Le téléphone avait sonné maintes fois, et la boîte vocale avait tout avalé. Même les appels de Daniel qui se terminaient par des «je t'aime, mon ange». Le temps ne comptait plus. Le cœur de Mathilde battait au rythme de celui de Gilbert, alors que, dans ce lit de leurs amours, ils s'étaient ardemment donnés l'un à l'autre. Tout comme jadis avec l'odeur de l'un s'imprégnant dans la peau de l'autre. En silence, souffle coupé, comme naguère. Et sans que Mathilde sente en lui le très peu «chaud lapin» qu'il était pour «l'autre». Blottis l'un contre l'autre alors que le téléphone sonnait de nouveau, Gilbert, heureux, amoureux, regardait celle qu'il aimait.

— Je n'ose croire que toi et moi... Je me sens guéri, Mathilde, guéri de ton absence.

— Et moi, guérie par ta présence. Guérie à tout jamais du mal de l'âme.

Par terre, un pantalon, un chandail noir à col roulé, une robe verte, un soutien-gorge, gages d'un amour charnel... consommé.

Il était vingt heures lorsque Gilbert prit congé de «sa douce» avec un renouveau au fond du cœur. Tel un enfant, il avait hâte d'annoncer à sa mère que sa femme était encore... sa femme. Il la regardait alors qu'elle enfilait sa robe et, ébloui par sa beauté, par sa sérénité, il lui dit en souriant:

— Mathilde, est-ce encore nécessaire d'ajuster des boucles à ton épaule? Avec tes cheveux longs, on ne distingue plus ce qui t'a tant fait mal.

Elle sourit et lui répondit en jetant ses bras autour de son cou:

— Des boucles, des choux, des fleurs, ça rehausse de beaucoup les copies des grands couturiers, mon amour.

Ils s'étreignirent, puis il la quitta avec des larmes dans les yeux et un amour à tout rompre dans le cœur. Mathilde, heureuse, délivrée du mal de vivre, apaisée, éblouie par le corps de Gilbert, attendit quelques minutes avant de relever tous ses messages. Un de sa mère et quatre de Daniel, dont le dernier lui disait: «J'ai de bonnes nouvelles. Mon avocat m'assure que d'ici une semaine... Es-tu sûre de ne pas préférer janvier à mai pour notre union, mon ange? Où es-tu? Où es-tu donc, toi que j'aime?»

Mathilde, dans le noir, fut prise de compassion et d'une certaine panique. Elle savait que ce tournant allait être un drame pour celui qui l'aimait. Elle le savait, elle n'osait y penser. Et Mathilde, dans le noir, songeait à sa plus belle mise en scène. Dans le noir, parce que, depuis une heure ou deux, les enfants du quartier sonnaient encore à sa porte pour obtenir des friandises. Elle qui chaque année les comblait de surprises. Elle qui, cette fois, n'avait pas eu la force de tout mettre en œuvre pour l'Halloween. Elle qui, cette année, avait préféré, à tous les masques, le doux visage et le corps à nu de celui qu'elle n'avait jamais oublié et à qui, enfin, elle venait de se redonner, dans le creux de... leur lit.

Chapitre 14

Le lendemain matin, dès son arrivée au bureau, Gilbert téléphona à Mathilde et, après lui avoir renouvelé ses sentiments, il lui apprit que sa mère était folle de joie à l'idée de cette réconciliation inattendue. «Elle en pleurait, Mathilde», ajouta-t-il, encore euphorique face à cette volte-face à laquelle lui-même ne s'était guère attendu en se rendant visiter «sa douce» la veille.

— Tu as bien dormi? s'enquit-il. La nuit ne t'a pas fait changer d'idée?

— Gilbert! Je n'attends plus que le moment où nous serons réunis, toi et moi. Si tu savais comme j'ai hâte de sentir le passé derrière moi.

— Tu comptes parler à Daniel quand, Mathilde?

— Cette semaine. Sûrement pas aujourd'hui, je n'en aurais pas la force. Et avec ce temps maussade, ce serait rendre la situation plus pénible. Ma boîte vocale était remplie de messages de sa part, et dans le dernier, il me disait vouloir précipiter le mariage. L'avocat a fait activer les procédures. Comme tu peux voir, je n'ai guère de temps à perdre, mais d'ici là, je t'en supplie, ne signe plus rien, Gilbert. Plus rien sur le plan juridique.

— Et après, Mathilde? Tu veux que je revienne quand?

— Le plus tôt possible, Gilbert. Depuis hier, je ne vis plus sans toi. Laisse-moi régler avec diplomatie ce que Daniel va prendre comme une rupture…

— Mais c'est le cas, Mathilde…

— Oui, si on veut, mais nous n'avons vécu que sur une promesse, lui et moi, rien de concret. Je vais tout faire pour m'en sortir sans le heurter, sans trop le blesser…

— Comme j'ai tenté de le faire, tu veux dire…

— Gilbert! Il ne faut plus revenir sur le passé. Dès que nous serons ensemble, voilà quel sera notre pacte. Rien derrière, tout devant, et c'est moi qui l'exige cette fois.

Gilbert lui promit d'être fidèle à un tel engagement, et Mathilde, profitant de ces quelques moments avec lui au bout du fil, lui demanda:

— Que devient Marc, Gilbert? On n'entend plus parler de lui.

— Marc Derouet? Parti, Mathilde. Il est allé vivre à Vancouver où un poste intéressant l'attendait. Il y a de cela plusieurs mois.

— Oui, je sais, tu me l'avais appris dans ta lettre, mais tu as sûrement eu de ses nouvelles depuis… Il est heureux, là-bas?

— Non, je n'ai eu aucune nouvelle, Mathilde, pas même une lettre.

— Voyons, Gilbert, c'était ton meilleur ami!

— Je le croyais aussi, mais je me rends compte que les amis du milieu ne sont, à la toute fin, que des connaissances de parcours. Marc s'est sans doute fait d'autres amis… Tu sais, l'amitié… Bah! Qu'importe, Mathilde. Tu es là, je suis là, et ça, c'est un lien que rien ne dissout, des sentiments que rien n'entrave, pas même le destin.

Ils se quittèrent sur des «je t'aime» et Gilbert avait au moins la fierté de ne pas avoir trahi son ami. Mathilde n'avait

rien su et ne saurait jamais que Marc Derouet l'avait aimé...
plus que Lucie.

Daniel finit par atteindre Mathilde au bout du fil et, soulagé, lui reprocha d'un ton gentil:

— On ne rend plus ses appels, Madame Courcy? Étais-tu
sous l'effet d'un somnifère, mon ange?

Mathilde, surprise de constater qu'il n'employait plus le
nom Authier, même dans ses blagues, lui répondit subtile-
ment:

— Non, docteur Primard, parce que j'étais chez la véritable
madame Courcy, ma mère, hier soir. C'était soir d'Halloween,
tu comprends.

— Tu aurais certes été dérangée, j'en conviens, mais n'est-
ce pas un peu tôt pour conduire ta voiture le soir? Tu sais, tu
sors à peine d'un grave malaise.

— Docteur Primard, ce n'est pas en restant étendue toute la
journée que je vais me remettre d'aplomb. Il me faut faire face
à la vie, reprendre mes activités. J'ai trente-neuf ans, Daniel,
je ne suis pas octogénaire.

— Tu as raison, mon ange. Déformation professionnelle,
trop protecteur. Va de l'avant, fonce dans la vie. Tout est derrière toi maintenant.

Mathilde avait blêmi. Il lui parlait maladie et elle avait
l'impression de lui avoir déjà avoué que tout était... derrière
eux. Elle rit gentiment, mal à l'aise d'avoir à lui dire, tôt ou
tard, que tout était fini.

— On peut se voir ce soir, mon ange?

— Je... Je crains que non, Daniel. Les amis de la chorale
doivent venir pour une visite. Je veux en profiter pour leur
dire qu'avant Noël...

— Demain alors?

– C'est que j'ai promis à ma mère de lui montrer des tissus pour une robe.

– En pleine soirée? Pourquoi pas l'après-midi? Ce qui n'empêcherait pas…

Elle l'interrompit, très mal à l'aise dans ses mensonges, pour lui dire:

– Daniel! Je l'ai tenue éloignée de moi si longtemps! Elle veut venir souper.

– Soit! Alors, j'ai une idée. Que dirais-tu d'une sortie vendredi soir? Une infirmière m'a offert deux billets pour le tour de chant d'Isabelle Aubret qui est de passage à Montréal. C'est au cabaret du Musée Juste pour Rire, rue Saint-Laurent. Ça te plairait? Tu l'aimes, cette artiste?

– Heu… bien sûr. Elle a une très jolie voix, j'ai encore un microsillon d'elle sur lequel elle chante *C'est beau la vie*. Oui, ça me plairait.

– Alors, si je passais te prendre tôt? Nous pourrions souper en ville.

– Ce serait trop, je serai fatiguée si c'est toute la soirée. Pourquoi ne pas aller à son récital et garder le souper pour dimanche?

– Pas bête, d'accord Mathilde. Mais dis, tu as écouté mon dernier message? Celui où je te parle de janvier au lieu de mai?

– Oui, mais je préfère mai, Daniel. Avec ma robe lilas…

– Comme je suis bête! Mon Dieu! Sans doute la hâte de t'avoir à moi…

Ils raccrochèrent et Mathilde était dans tous ses états. Ses mensonges, le mariage qu'encore une fois elle lui certifiait, la soirée Isabelle Aubret. Et ce, envers un homme qu'elle s'apprêtait à quitter. Quel fouillis, quel embarras pour une femme décente, une femme honnête. Elle ne savait plus à quel saint se vouer, mais le doux visage de Gilbert lui fit oublier tous les méfaits qu'elle venait de commettre, non sans en ressentir de la culpabilité.

Premier vendredi de ce mois de novembre. Mathilde était agitée. Elle savait que le soir même, elle allait sortir avec Daniel alors que, dans son cœur, tout était fini pour elle. Elle aurait préféré refuser, s'abstenir de prolonger l'engouement dans lequel il était plongé, mais comment refuser l'invitation alors qu'il avait les billets en main? Quelle raison invoquer? Elle se sentait comme la dernière des dernières en agissant de la sorte. Elle qui savait que c'était là… leur dernière sortie. Elle qui aurait préféré lui avouer dès le soir même que tout… Mathilde, intègre, se sentait mal à l'aise de jouer un jeu et d'être malhonnête envers celui qui ne vivait que pour elle. Ce qu'elle faisait était abominable, elle le savait, mais elle avait le cœur, tout comme la conscience, dans une trappe. Elle si bonne, si… bonasse.

Daniel arriva pimpant à l'heure convenue et Mathilde prit place dans la Mercedes en feignant le plus joli sourire qui soit. La regardant, humant l'air ambiant, il lui demanda d'un ton jovial:

– Tu as changé de parfum? J'aimais pourtant l'autre. Un caprice?

– Je sais que tu aimes les fragrances de Guerlain, mais il m'arrive de me risquer dans d'autres arômes. Celui-ci a pour nom *Eau Svelte* de Christian Dior. Il te plaît moins?

– Non, ça sent très bon, mon ange… Et Dieu que tu es en beauté, ce soir! Cette robe noire, ces bijoux en or… Que de classe, que d'élégance!

Mathilde sourit, le remercia du compliment, et Daniel enchaîna:

— Tu sais, tu me fais souffrir, Mathilde. Presque cinq jours sans te voir!

— Allons, qu'est-ce donc? Je t'ai fait languir, je l'avoue, mais pas au point d'en souffrir. Tu sais, avec tout ce monde à voir, ma mère…

— Elle se porte bien, la belle-maman? Toujours rieuse et en santé?

— Bien sûr, répondit Mathilde, feignant d'ignorer qu'il avait appelée sa mère «belle-maman». Ce qui l'avait profondément troublée.

Il lui parla de la clinique, des rhumes à répétition chez les enfants, puis de son avocat qui allait frapper fort pour que tout se joue sans retard. Au seuil de ce dernier sujet, Mathilde changea le cours de la conversation en lui demandant:

— Dis donc, c'est loin où tu m'emmènes? Que d'affluence, ce soir!

— On arrive, Mathilde. Il suffira de trouver un stationnement… Tiens! En voilà un! Nous n'aurons qu'à traverser, faire quelques pas.

Ils arrivèrent, pénétrèrent dans cette étrange petite boîte où il y avait des tables et où l'on servait des consommations.

— On dirait une boîte des années soixante, de lui dire Daniel en riant. Mais ça m'a l'air sympathique.

On les fit asseoir à une table qu'ils durent partager avec un autre couple, ce qui dérangea Daniel, mais Mathilde lui fit signe que ça irait. La salle n'était pas grande, les gens fumaient, ce qui incommodait Mathilde. Mais, heureusement, le couple dans la cinquantaine, assis à leur table, ne fumait pas. Isabelle Aubret apparut dans toute sa grâce, toujours aussi mince, aussi mignonne. On aurait dit que le temps n'avait pas d'emprise sur elle ou si peu… La chanteuse, affable, timide, offrit quelques succès de ses années de gloire, et comme elle lançait un nouvel album, les gens eurent droit à de jolies chansons comme *Adélaïde*, *Le malheur d'aimer*, *Boulevard Aragon* et *Ce qu'on est bien mon amour* qui mit Mathilde mal à l'aise, alors qu'à l'écoute des mots, Daniel avait serré fortement sa main dans la sienne. Une voix toujours aussi belle, de gracieuses révérences, des rappels, et la voix tendre de la chanteuse s'était finalement éteinte sous les applaudissements. Mathilde l'enviait. Quel bonheur que de chanter et d'être adulée. Elle qui chantait pour les personnes âgées qui l'oubliaient dès qu'ils allaient se coucher. Mais Mathilde était quand même heureuse de leur procurer ces heures de bonheur, chères à leur cœur… et au sien. Et chaque fois, apaisés, détendus par les chansons d'autrefois, ces aînés, qu'elle charmait de sa voix, l'applaudissaient tout comme on venait de le faire pour Isabelle Aubret. De retour dans la voiture, Daniel lui demanda:

— Ça t'a plu, mon ange? Pas trop déçue?

— Déçue? Cette femme a une voix qui transmet l'émotion. Elle vit chacune de ses chansons. C'est drôle, mais j'ai l'impression qu'elle a vécu des chagrins d'amour pour chanter avec autant de conviction.

Une remarque qui lui valut une riposte à laquelle elle ne s'attendait pas.

— Ce qui ne sera jamais ton cas avec moi, Mathilde, crois-moi!

Il la reconduisit, s'immobilisa devant la maison, l'embrassa sur les lèvres, mais il remarqua que Mathilde n'y mettait pas l'ardeur habituelle.

— Qu'est-ce qu'il y a? On pourrait jurer que tu t'es retenue, Mathilde.

Ne sachant trop comment s'en tirer, elle lui répondit avec timidité:

– Ce n'est pas ça, Daniel, je sors de l'hôpital, j'ai été malade…

– Ah! C'est donc ça? Tu crains de me contaminer?

Il se mit à rire, l'attira à lui et, gentiment, elle lui offrit sa joue.

– Je suis médecin, tu sais. Tu n'as plus rien à craindre, tu es…

– Guérie, oui, je le sais, mais ça m'a marquée. Je sais que ça va passer…

– Tu ne m'invites pas à entrer, Mathilde? Après tout ce temps, j'aurais cru…

– Daniel! Je suis encore fragile, je m'épuise facilement. Je ne saurais… Non, pas ce soir… Comprends-moi, ce n'est pas…

– N'ajoute rien, mon ange, je suis un malappris. Je te conseille de prendre du repos et voilà que… Je suis infâme, Mathilde, mais je t'aime tant.

Elle l'embrassa sur le front et descendit avant qu'il ne lui ouvre la portière. Déverrouillant sa porte, elle lui fit un gentil signe de la main. Porte close, appuyée contre le mur du couloir, Mathilde fondit en larmes. Son attitude envers Daniel lui faisait mal. Il était si tendre, si amoureux, qu'elle se demandait si elle aurait le courage requis dans les quarante-huit heures qui allaient suivre. Comment lui dire que tout était fini? Comment lui apprendre que Gilbert revenait, qu'elle l'aimait et que c'était avec lui qu'elle désirait finir sa vie? Elle venait de le repousser. Elle venait de se refuser à lui, sachant très bien qu'elle aurait pu se donner. Ne l'avait-elle pas fait pour Gilbert? Ne s'était-elle pas donnée de tout son corps à «l'autre»? Bouleversée, confuse, Mathilde se demandait si elle trouverait la force de le blesser comme elle avait été blessée naguère. Elle, si bonne, si généreuse. Elle, d'une autre époque.

Daniel qui lui avait promis mer et monde. Daniel à qui elle avait dit qu'elle l'aimait. Daniel qui, déçu, le cœur brisé, vivrait le désespoir qu'elle avait vécu, alors que… Non! Il ne fallait pas qu'elle y pense. La page était tournée. Elle l'avait juré à Gilbert dans leur étreinte passionnelle.

Le lendemain, alors que Mathilde était affairée à ses tâches quotidiennes, à nettoyer la cage de sa perruche, à épousseter, à mettre un peu d'ordre dans la maison, le téléphone sonna. Elle répondit d'une main, l'aspirateur dans l'autre.

– Oui, allô.

– Mathilde, c'est moi, je voulais prendre de tes nouvelles, entendre le son de ta voix.

– Gilbert! Comme c'est gentil à toi. Tu sais, j'espérais que tu appelles…

– Ah oui? Pourquoi? Rien… rien de changé, j'espère?

– Mais non, voyons! Pourquoi ce doute, cette crainte?

– Je ne sais pas, Mathilde. Le fait d'être seul depuis si longtemps, la peur que tout ne soit qu'un rêve… Et l'influence de l'autre sur toi, peut-être.

– Tu n'as rien à craindre, mon chéri. Je compte les jours, les heures. Ma vie a repris un essor depuis que toi et moi… Ai-je besoin d'expliquer davantage? Je t'aime, Gilbert. Je n'aime que toi, je…

– Moi aussi, je t'aime, ma douce, je tourne en rond, je ne sais que faire de mon corps. L'attente, tu sais, c'est… Ce qui me déroute, c'est que je sens que tu n'as pas encore parlé à Daniel. Est-ce si difficile, Mathilde?

– Ce n'est pas facile, Gilbert, et Daniel ne m'en donne guère l'occasion. Non pas que je ne sois pas anxieuse de le faire, mais je ne peux être monstrueuse au point de lui annoncer de but en blanc qu'il a perdu son temps. Tu comprends, n'est-ce pas? C'est la première fois que je suis dans une telle situation et j'ai besoin... j'ai besoin de ta force, de ta présence, Gilbert, pour y parvenir. Viens, passe la journée avec moi, aide-moi, j'ai besoin de te sentir à mes côtés, car demain est le jour où je dois tout lui dire.

— Tu permets que j'arrive, que je te dérange dans ton quotidien? Moi, je veux bien, Mathilde, mais je ne voudrais pas être envahissant. Je suis parti, je reviens, je reprends. Malgré ton soutien, je culpabilise encore, ma douce.

— Gilbert, la pente est remontée. Pour toi comme pour moi. Viens, mon amour, viens m'épauler, viens me... Viens juste me voir, Gilbert.

— Tout de suite? En pleine matinée?

— Oui, tout de suite si tu le peux. Seule, je pense, je m'invente des histoires et je ne veux plus lui mentir. Viens me donner le courage d'être franche, Gilbert.

— Personne ne viendra? Ni lui ni ta mère?

— Personne. Que toi et moi, que nous. Et avec ce vent froid, ce temps qui nous glace déjà, j'ai besoin de ta chaleur, Gilbert. Viens, je t'attends.

Gilbert arriva, secoué par le vent, emmitouflé dans un chandail de laine beige, une veste de daim, un pantalon de *corduroy* noir, des espadrilles dans les pieds. Décontracté, quoi! Pas rasé, le regard sombre, il s'excusa de sa tenue en lui offrant un merveilleux sourire. Une tenue qu'elle aimait. Celle de l'homme viril aux épaules carrées, celle de «son homme» que les femmes du voisinage reluquaient avec avidité, même si «son homme», aussi beau soit-il, n'était guère porté sur «la chose», sauf avec elle. Et encore, c'étaient des relations normales, voire distinguées, alors qu'on aurait pu s'imaginer, à son allure, qu'il était une bête de sexe. Des femmes du voisinage qui, depuis quelque temps, s'étonnaient de voir entrer chez Mathilde son mari qu'elles connaissaient de vue et un bel inconnu qui arrivait dans une voiture de luxe. Des femmes qui se demandaient comment la petite couturière, jolie sans être aguichante, avait réussi à s'approprier deux mâles de cet acabit. Pour certaines, c'était louche. Mathilde Authier avait un mari et un amant. Et aucun d'eux ne partageait son toit. «Honteuse histoire» avait chuchoté l'une d'elles à une autre voisine. Car Mathilde, tout comme Gilbert, n'avait jamais fraternisé avec les voisins, sauf pour un bonjour en passant et un sourire civilisé.

Elle le pria de se mettre à l'aise, de prendre un café avec elle. Gilbert, espadrilles enlevées, pieds sur le pouf, la regardait avec amour et dévotion.

– Si tu savais comme je me sens bien lorsque je suis ici, Mathilde. J'ai l'impression de n'être jamais parti.

Mathilde, souriante, le regardait, le dévorait des yeux avec la même ardeur que lorsqu'elle avait dix-huit ans et qu'il l'avait serrée dans ses bras en dansant. Puis, retrouvant la réalité, soufflant sur le rêve, elle lui dit:

– C'est demain que je vais rompre avec Daniel, Gilbert. Demain soir. On doit se rendre au restaurant; je lui dirai alors que toi et moi…

– Ce sera un dur coup pour lui et, j'imagine, un pénible moment pour toi.

– Oui, je le sais et ça m'angoisse. Non pas de lui dire que je t'aime, mais de lui causer de la peine. Moi qui n'ai jamais fait de mal à une mouche. Si seulement j'avais le moindre reproche à lui formuler… Mais je me dois d'être sincère, d'être honnête, je ne l'aime pas. Je l'ai aimé, du moins je le crois, mais je ne l'ai pas aimé comme je t'aime… À quoi bon te redire ce que tu sais déjà, Gilbert. Avec le recul, je crois m'être accrochée à lui comme à une bouée. Pour ne pas être seule, pour ne pas passer ma vie à t'attendre, sûre et certaine que tu ne reviendrais pas. Somme toute, je me suis efforcée de l'aimer de peur de ne plus être aimée. Et le drame, c'est qu'il m'aime, lui. Si fort que j'en tremble quand il me l'avoue. Je tremble à chaque fois, sachant que j'aurai à lui dire que notre histoire est terminée, tu comprends? Moi qui n'aime pas blesser... J'ai peur d'être gauche, de le lui dire maladroitement. J'ai peur de ne pas trouver les mots...

– Préfères-tu attendre encore un peu, Mathilde? Tu sais, quelques jours de plus...

– Gilbert! Comment oses-tu? Comment pourrais-je prolonger mon tourment? Et risquer qu'il devienne plus entreprenant? Non, Gilbert, j'aurais dû le lui dire dès le premier jour où toi et moi... J'aurais dû le lui crier lorsque tu as déposé ta main dans la mienne à l'hôpital. Quitte à lui faire subir le choc brusquement plutôt que de le tuer à petit feu. Et là, c'est moi que ça tue, j'angoisse, je ne dors plus. Je voudrais tellement que tout soit fini, Gilbert. Déjà! Depuis longtemps!

– Dans ce cas, tu trouveras la force, Mathilde. Pour nous, pour ce qui nous attend. Daniel n'est pas le dernier venu, je suis certain qu'il comprendra. Un professionnel de son âge, ce n'est pas un gamin, Mathilde. Sa fierté réagira, sa dignité s'inclinera.

– Ah! si seulement tu pouvais dire vrai! Quel soulagement ce serait que de le voir partir sans qu'il en soit meurtri. Mais, toute rupture soudaine...

Gilbert n'avait pas répondu. Il sentait que, malgré le serment de ne jamais revenir en arrière, Mathilde, en ce moment, se remémorait le drame, sachant qu'elle allait le faire vivre à quelqu'un d'autre. Pour la calmer, pour lui faire oublier les pénibles heures qu'elle aurait à passer, il lui dit, en regardant un certain meuble:

— Je vois que les disques d'Adamo sont toujours bien en vue. Tu les a écoutés, parfois? Moi, certains soirs, j'aurais souhaité les avoir à la portée de la main.

— Oui, je les écoutais parfois… Mais je t'en prie, ne me fais pas pleurer, Gilbert.

Il se leva, la prit dans ses bras et déposa un brûlant baiser sur ses lèvres.

— Loin de moi l'idée, ma douce. Un brin de nostalgie… J'ai si souvent pensé…

Elle lui caressa la nuque, glissa ses doigts sur ses joues pour les frotter à sa barbe de deux jours, puis, vulnérable, amoureuse, elle laissa glisser sa main sur son pantalon de velours côtelé pour en frôler la texture. Peu à peu, un pas à la fois, entrelacés, ils se retrouvèrent sur le lit encore défait, froissé. Elle s'y laissa tomber, et lui, enivré, s'allongea auprès d'elle. Machinalement, sans que ce soit prévu, Gilbert retira son chandail et Mathilde se blottit sur sa poitrine velue. Tout comme jadis lorsqu'elle avait froid et qu'il la réchauffait de son sang chaud, les jambes autour de ses cuisses frêles. Petite, menue, elle se rapprocha, et encore une fois, machinalement mais avec plus d'ardeur, ils firent l'amour en s'embrassant. Une relation intense, suave, dépassant de beaucoup ses nuits d'antan avec lui. Et sans forcer la note, Gilbert lui prouva qu'il l'aimait passionnément. Il lui prouva qu'il l'aimait tant, qu'elle lui dit, après un dernier baiser échangé:

— Tu viens de me donner la force dont j'avais besoin, mon amour.

Surpris, heureux, amoureux, il lui murmura:

— Tel n'était pas mon but, Mathilde. J'avais envie… J'avais une folle envie de t'aimer.

Le téléphone sonna, mais Mathilde ne décrocha pas. En fin d'après-midi, après le départ de Gilbert, Mathilde releva l'appel et put entendre d'une voix claire: «Mathilde, c'est moi, je voulais savoir si tout allait bien pour toi. J'ai adoré ma soirée au petit cabaret avec toi et je me meurs d'envie de te retrouver. Dieu que c'est loin ce demain soir! Je t'aime.» Mathilde, redevenue sombre, angoissée, traquée, murmura entre ses lèvres: «Daniel! Pourquoi faut-il?… Pourquoi faut-il que tu m'aimes?» Et elle se laissa choir dans son lit, aux prises avec l'amour de l'un, de l'autre, et un profond désarroi.

Dimanche 5 novembre 1995. Jour fatidique. Jour où Mathilde devait, dans les heures qui viendraient, rendre son verdict. Une dure sentence pour un homme qui n'était coupable de rien, sauf de l'aimer profondément. Daniel lui avait téléphoné, murmuré des mots tendres. Il lui avait dit qu'il la prendrait vers dix-neuf heures et qu'elle avait le choix du restaurant. D'avance, elle opta pour le restaurant italien où ils avaient mangé au début de leur belle aventure. Ce charmant restaurant qui, hélas, allait être le même pour leur rupture. Parce que c'était intime et que Mathilde savait que, de la table discrète cloisonnée d'un rideau, personne ne l'entendrait briser le cœur de Daniel par des mots… Des mots qu'elle aurait la force de prononcer avec le visage de Gilbert dans la tête, ses yeux merveilleux posés sur eux. Oui, Mathilde avait décidé, ne serait-ce qu'en rêve, que Gilbert serait là de son ombre pour lui donner le courage de ne pas fondre en larmes.

Pour la circonstance, Mathilde ne se fit pas trop belle. Un coup de peigne, une jupe, un chemisier, une broche sur le collet du veston, rien de plus. Elle, si coquette, si élégante, n'avait pas voulu, en ce triste soir, être trop séduisante. Elle avait même omis le parfum de Guerlain que Daniel aimait tant. Il vint la prendre à l'heure convenue, elle se glissa à ses côtés, et ils démarrèrent en direction du boulevard Laurentien. La table choisie leur était réservée et, par bonheur, avec ce temps de chien, le restaurant n'était pas bondé. Que quelques couples épars ci et là dans les alcôves le long des murs. Des couples qu'on discernait à peine et dont on entendait que les murmures. Le restaurant par excellence pour les tête-à-tête amoureux, les idylles naissantes et les ruptures .. en douce. Et par hasard, ce qui plut à Mathilde, l'alcôve à côté de la leur était inoccupée. Le serveur, courtois, s'empressa auprès du couple, et Mathilde commanda, en guise d'apéro, pour se donner du cran, un Cinzano sur glace. Lui ayant retiré son imperméable, Daniel remarqua sa tenue sobre, sa tenue plus que simple pour un dimanche soir. Elle qui possédait une garde-robe de choix avec des copies de Dior tout comme de Ralph Lauren. Et il en fut surpris. D'autant plus qu'aucun arôme ne se dégageait d'elle lorsqu'il se pencha pour lui demander: «Tu as fait ton choix, mon ange?» Mathilde ne commanda qu'une salade César et une entrée de linguini carbonara. Elle avait peu d'appétit, lui avait-elle dit. Lui, plus en forme, bonne fourchette, opta pour l'escalope de veau à la milanaise et un gros plat de fusillis avec sauce à la viande. Sans oublier la bouteille de vin rouge Santa Christina que Mathilde accepta de bon cœur et pour cause. En sourdine, on pouvait entendre des arias d'opéras chantées par Pavarotti, Domingo et Renata Tebaldi, ce qui donnait de l'ambiance et qui allait feutrer l'échange, si le ton montait.

Daniel, regardant à gauche, à droite, palpant de la main le rideau et regardant la lampe suspendue au-dessus de la table se tamiser, lui murmura:

– Quel bel endroit! Comme j'aime être ici avec toi…

– Oui, c'est bien, très bien. C'est discret, c'est de mise…
répondit Mathilde.

Les plats arrivèrent, le vin se versa dans les verres;
Mathilde, sans trop parler, laissait Daniel savourer ses mets de
choix. Elle picorait dans sa salade, avalait quelques bouchées
de pâtes, mais se délectait davantage du vin pour se donner de
l'assurance sans pour autant perdre de sa prestance.

– Tu sais que ce serait l'endroit rêvé pour notre réception,
lui dit-il soudainement. Nous pourrions réserver le restaurant;
avec le peu d'invités, ce serait passablement grand. Qu'en
penses-tu, mon ange?

Mal à l'aise, bougeant sans cesse sur sa chaise, Mathilde
se dit que c'était là le moment. Maintenant ou jamais! Elle
regarda Daniel, baissa les yeux, les releva puis, après une gorgée de vin, lui dit, sans détourner la tête:

– Il faut que je te parle, Daniel. Ça ne peut plus attendre.

Sans lever les yeux, sans la regarder, à sa grande surprise,
il murmura:

– Tu veux me quitter, n'est-ce pas?

Elle faillit renverser son verre. Stupéfaite, elle n'osait plus
rien dire.

– Allons, Mathilde, c'est ça, n'est-ce pas? Tu veux me
quitter et tu ne sais comment me le dire. Dis-moi que je me
trompe si tu en as l'audace.

Retrouvant son aplomb, elle lui répondit sur le même ton:

– De l'audace, Daniel? Non! Il faudrait que je sois malhonnête et je ne le suis pas. Mais ce que je vais te dire risque
de te faire mal…

Il l'interrompit brusquement en lui disant d'un ton ferme:

– J'ai déjà mal, Mathilde! Ça fait un bout de temps que
j'ai mal parce que je sentais ce moment venir. Tu veux
reprendre avec ton mari, n'est-ce pas?

– Daniel! Pourquoi… Pourquoi ce silence, si tu savais?

– Parce que j'ai espéré jusqu'au dernier moment que tu considérerais le fait que je t'aimais de toute mon âme. Je me suis tu, j'ai attendu, j'ai cru à une boutade, mais je sentais l'éloignement, la distance, ton embarras…

– Et tu ne m'en as rien dit? Tu m'as laissée sur mon angoisse, sur mon tourment?

– Parce que je t'aimais, Mathilde, et que je t'aime encore. Mais je ne suis pas homme à quémander, Mathilde. Et je savais que Gilbert et toi…

– Tu savais quoi?

– Que vous reviendriez ensemble, Mathilde. Je l'ai su dès que je l'ai vu à l'hôpital. Et, après son départ, j'ai compris que tu l'aimais encore. C'est lui qui t'a guérie, Mathilde. Gilbert était le baume que ton corps et ton cœur attendaient. Tu l'as toujours aimé, Mathilde, même trompée! Cet homme, tu l'as dans la peau, dans l'âme… Même si tu disais m'aimer…

Mathilde tremblait de tout son être. Jamais elle ne s'était attendue à tant de vérités de la part de celui qui feignait ne rien voir, ne rien savoir.

– Je t'aimais, Daniel, ne te méprends pas sur mes sentiments. Je t'aimais, je t'ai beaucoup aimé, mais malgré la promesse, l'engagement, il me faut être honnête. Je t'ai aimé, je te le jure, mais pas comme je l'aime, lui.

Daniel avait vidé son assiette, bu son vin avec rapidité et commanda une seconde bouteille. Ce qui laissait prévoir que l'entretien était loin d'être terminé. Mathilde, glace rompue, détendue quelque peu, se jura de seulement tremper ses lèvres dans le verre qui suivrait.

– Tu ne m'aurais pas épousé, avoue-le. À la dernière minute…

– Non, je l'aurais sans doute fait, Daniel, mais je ne t'aurais pas rendu heureux. Je le sais maintenant. Vulnérable, désemparée, j'étais certaine que toi et moi, ce serait merveilleux. Mais je l'avais encore dans le cœur, tu comprends? Que dans le cœur jusqu'à ce qu'il refasse surface…

– Il t'a suffi de le revoir pour que je sorte de ta vie? Du joli! Et moi qui croyais avoir affaire à une femme réfléchie!

– Daniel, pas ce ton, je t'en supplie. Je suis une femme réfléchie, je l'ai toujours été. Et c'est parce que je le suis que je suis ici ce soir. Je ne veux pas que tu souffres plus longtemps. Je sais ce qu'est une blessure…

– Une blessure dont on se remet à ce que je vois. Puisse-t-il en être ainsi… Ah! pardonne-moi, Mathilde. Je ne veux pas être vilain ni mécréant. Je devrais comprendre, je devrais m'incliner, mais je t'aime, que veux-tu? Et quand on aime comme je t'aime, on ne peut feindre la résignation.

Mathilde ne savait plus que dire. Bouche bée, elle aurait voulu que ça se termine là. Elle était démunie, elle n'avait pas le verbe facile. Elle n'avait pas l'habitude d'être celle qui lance le dard, mais plutôt celle qui le reçoit. Elle qui, un an plus tôt, s'était résignée sans feindre. Elle qui s'était résignée… par amour. Décontenancée, elle sentait un nœud se former dans sa gorge et Daniel, la sentant figée, incapable de poursuivre, changea de ton.

– Tu es sûre de ne pas commettre une erreur, Mathilde? Que tu m'aimes ou pas, tu es certaine de vouloir qu'il revienne? Après t'avoir trahie? Après t'avoir humiliée? Au moment où tu allais refaire ta vie?

Mathilde ne comprenait plus. Il lui demandait cette dernière question alors qu'elle venait de lui dire que c'était Gilbert qu'elle aimait. Était-ce le vin qui le faisait déraisonner? Daniel n'était pourtant pas dénué de tout sens. Ne sachant que penser, ne voulant plus penser, elle répondit au nom de celui qu'elle aimait:

— Chaque être humain a droit à ses fautes, Daniel. Gilbert m'a avoué la sienne, il en a souffert, il a payé de ses remords et de sa solitude. Non, je ne fais pas erreur en reprenant ma vie avec lui. L'erreur, je m'en excuse, eût été de poursuivre avec toi. Je ne t'aurais pas rendu heureux, Daniel.

— Sans amour, non, bien sûr...

— Sans cet amour que j'ai pour lui, voilà ce que je veux dire.

— Et là, à deux pas du divorce, tu fais demi-tour, tu effaces tout...

— Je n'efface pas tout, je te serai toujours reconnaissante...

— Trêve de gratitude, Mathilde! Je n'ai jamais voulu être le bon Samaritain!

— Ce n'est pas ce que je veux dire... Je n'oublierai pas, je n'oublierai rien...

— Bah! je t'en fais grâce... Pour ce que ça change... Et là, je te regarde. C'est donc pour ça, pour me dire que c'était fini entre nous que tu t'es vêtue si sobrement ce soir? Croyais-tu qu'il serait plus facile pour moi... Penses-tu vraiment, Mathilde, que je n'ai aimé que la femme racée, élégante? Si c'est le cas, c'est une offense. Je t'ai aimée sans ornements, Mathilde, clouée sur un lit d'hôpital à vomir, à respirer sous un masque. Je t'ai aimée dans ta petite jaquette bleue à l'urgence, sans boucle ni chou à ton épaule. Je t'ai aimée pour ton âme, Mathilde! Avec mon cœur! Et lorsque je pense à tous les subterfuges, aux supposées visites de ta mère.

— Je ne comprends pas, Daniel.

— Ta mère que tu devais recevoir cette semaine et qui, par hasard, m'a téléphoné pour le contenu d'un médicament qui l'inquiétait. Ta mère qui n'allait nulle part parce que le temps était maussade. Ta mère qui me demandait de tes nouvelles parce que tu ne lui retournais pas ses appels. Pourquoi toutes ces excuses, tous ces mensonges, Mathilde? Pourquoi pas la vérité en pleine face, comme tu le fais ce soir?

– J'en étais incapable. Je ne savais comment faire, je ne suis pas…

Et Mathilde, malgré ses efforts, éclata en sanglots dans son mouchoir. Sans que le serveur et le patron s'en aperçoivent. Daniel, constatant qu'elle était malhabile mais pas méchante pour autant, s'excusa:

– Ne pleure pas, je t'en prie. C'est la déception qui me rend tenace. Je sais, Mathilde, que ces mensonges n'étaient pas voulus.

– Si tu savais comme je m'en repens, Daniel. J'aurais tellement voulu ne pas recourir… Je ne savais que faire… Je…, parvint-elle à répondre en pleurant.

– Je sais, je sais, ne te bouleverse pas pour ce reproche dont je m'excuse. J'ai le bon bout du bâton, je m'en sers, et ce n'est pas élégant, Mathilde. Je profite de tes faiblesses, j'abuse de mon pouvoir, pardonne-moi. Je t'aime trop et tu ne mérites pas un pareil tourment. Expliquons-nous plus doucement, parlons plus décemment… Il compte revenir quand?

– Il n'attend que le moment… Il est désolé pour toi…

– Oui, j'imagine! Mais passons… Je vais te poser une seule question, Mathilde, une seule. Et promets-moi d'y répondre avec franchise.

Elle acquiesça de la tête, s'essuya les yeux, et Daniel lui demanda:

– As-tu… As-tu fait l'amour avec lui depuis que tu l'as revu?

Embarrassée, gênée, mais décidée à se rendre jusqu'au bout, à ne plus mentir…

– Oui, Daniel, à deux reprises, chez moi, dans notre chambre.

Daniel Primard but une gorgée de vin, s'essuya les lèvres et demanda:

– Tu veux qu'on arrête les procédures, qu'on avise l'avocat?

– Oui… et je rembourserai les frais.

– Pas question! Oublie tout ça, reprends ta vie, Mathilde, plus rien ne compte.

– Et ton fils, Daniel? Si tu le veux, je peux lui expliquer…

– Je me charge de Sébastien. Je suis son père. Il comprendra.

Le ton n'était pas brusque mais ferme, et Mathilde comprenait que sous son masque de glace, Daniel souffrait énormément. Et elle culpabilisait d'être celle qui lui causait ce chagrin. Elle qui, naguère, avait pleuré de tout son être.

– Daniel, tu es le meilleur homme sur terre…

– Pas la peine, Mathilde. Ce qui importe, c'est que tu sois heureuse, lui répondit-il, feignant une certaine aisance. Tu désires un café, une tisane?

– Heu… non, rien d'autre pour moi.

– Garçon, l'addition s'il vous plaît!

Puis, attendant, carte à la main, il lui dit dans un dernier effort.

– Un an ou presque… Un an ou presque et tout s'écroule…

Retrouvant son aplomb, sans se rendre compte qu'elle allait le blesser, elle lui répondit machinalement:

– Avec Gilbert, c'était vingt ans, Daniel. Vingt ans et un léger accroc…

Un léger accroc! Daniel ne répliqua pas. Gilbert l'avait trompée, quittée sans merci, abandonnée à son sort, et Mathilde considérait cette cruelle rupture comme un léger accroc. Fallait-il qu'elle l'aime! Et si, après vingt ans, le brusque départ n'était qu'un accroc, qu'était donc le «un an ou presque» qu'il venait de lui susurrer tendrement? Un coup de vent? Daniel, ahuri, vaincu, en souriait tristement. Ils quittèrent le restaurant, lieu de leur premier aveu, lieu de leur désaveu, et, à bord de la voiture, Mathilde n'osait dire un mot. Parce que Daniel s'était fait silencieux. Il la ramena jusqu'à sa porte et, au moment de descendre, Mathilde, dans un ultime effort, lui dit:

– Je suis navrée… Merci pour… Je… Je…

Mais Daniel avait détourné la tête et, à la lueur du lampadaire, Mathilde se rendit compte qu'une larme perlait sur sa joue. Bouleversée, anéantie par cette rupture qu'elle avait mise en œuvre, elle descendit, regagna sa demeure, entra, referma la porte, et entendit le moteur de la voiture qui ronronnait tout doucement. Une, deux, trois secondes, et Daniel avait repris la route calmement. Avec le cœur au bord des lèvres, des larmes sur les joues et la femme qu'il aimait, évaporée… derrière lui.

Mathilde, encore sous l'effet du choc, calée dans un fauteuil, s'était servi, sans même s'en rendre compte, un soupçon de cognac. Puis, les yeux fermés, maîtrisant sa nervosité, décompressant de cette éprouvante soirée, retrouvant peu à peu son souffle, elle s'empara du téléphone et composa le numéro de Gilbert. Ce dernier répondit au premier coup.

– Allô?

– Gilbert, c'est moi. Tu n'étais pas au lit, j'espère?

– Bien sûr que non, je regardais un documentaire. J'étais anxieux d'avoir de tes nouvelles.

– C'est fait, Gilbert. Daniel et moi avons rompu. Tout est fini.

– Et… ça s'est bien passé, Mathilde? Pas trop d'emportements?

– Non, quoique ce fut douloureux. J'ai pris tout mon courage mais, fait curieux, il semblait s'y attendre. J'ai été souvent bouche bée, il a la parole facile, tu sais. Mais l'important, c'est que tout soit terminé sans trop de ravages.

– Donc, il sait pour toi et moi? Il sait que nous allons reprendre la vie à deux?

– Il s'en doutait, Gilbert, mais ce serait trop long à t'expliquer. Ce que je peux te dire, c'est que, dès demain, toutes les procédures seront annulées. Ce qui veut dire que je n'aurai jamais cessé d'être ta femme, mon chéri.

– Mathilde! C'est le plus beau jour de ma vie! J'étais anxieux, je croyais que tu aurais du mal à t'en sortir… Il ne reviendra pas à la charge?

– Non, Gilbert. Tel que je le connais, Daniel n'est pas du genre à insister. Il a sa fierté, il a son prestige… Je sais que ça l'a chagriné, j'avais peine à le regarder dans les yeux, mais je ne tiens pas à revivre ces moments au bout du fil. Il n'est plus là, la place est libre, la maison est grande…

– Que dirais-tu si je venais passer la nuit avec toi, ma douce?

– Je n'osais pas te le demander. Il est tard, c'est un bout de chemin, tu travailles demain…

– Je prendrai congé, Mathilde. Je n'ai rien de précis, aucun rendez-vous. Et puis, nous avons tant de choses à nous dire. Mais j'arrive tel que je suis, je te préviens. Je prendrai une douche à la maison.

– Arrive, mon amour. Si tu savais comme j'ai besoin de toi après cette semaine d'anxiété et cette soirée qui m'a angoissée. D'ailleurs, j'ai encore mon léger repas sur l'estomac. Viens vite. Il sera si merveilleux de me réveiller dans tes bras. Dieu que je t'aime, Gilbert! Et à trop te le dire…

— Je t'aime aussi, ma douce, et je ne me lasse pas de te le redire. Dans quelques jours, toi et moi, notre maison, notre havre d'antan, notre quiétude… C'est le passé que nous allons revivre, ce doux passé.

— Que nous allons poursuivre, Gilbert. C'est-à-dire que nous allons reprendre le fil là où il a été rompu par mégarde. La vie devant nous, Gilbert, telle qu'elle était… Sauf qu'il y a maintenant Coquette!

— Coquette? Tu parles de qui, Mathilde?

— De ma perruche, grand fou! lui répondit-elle dans un éclat de rire.

— C'est là son nom? Elle m'aime déjà, Mathilde! Elle a peut-être besoin d'un homme, ta Coquette!

Ils rirent de bon cœur, ce qui soulagea Mathilde de son angoisse qui s'estompait.

— Et tu prévois revenir quand, Gilbert? Je veux dire, vivre ici?

— Dès mercredi, Mathilde. Je n'avais pas de bail à long terme. Le propriétaire a déjà loué l'appartement et le type compte s'y installer vendredi prochain. Je n'aurai qu'à prendre mes effets personnels et mes guenilles! Et Dieu que j'ai hâte! J'ai peine à croire, Mathilde… Mais j'y pense… Ta mère, ma douce. Ta mère! Tu comptes le lui dire…

— Je me charge d'elle, Gilbert. C'est le dernier de mes soucis. Bon, raccrochons, sinon tu ne seras pas ici avant la nuit. Viens, Gilbert, je te prépare un bon café, je t'attends, j'ai tant besoin de toi.

— Et moi donc! Est-ce possible, ma douce? La fin d'un mauvais rêve…

– Chut! Arrive! Et là, orage passé, quand tu entreras, Adamo chantera. Mais rien de triste, je te le promets. Je trouverai une chanson pour ceux qui se retrouvent et non pour ceux qui se quittent. Et nous causerons jusqu'à ce que la nuit nous emporte.

Les deux jours suivants, avant de revenir définitivement, Gilbert était venu chaque soir retrouver sa douce moitié. C'était l'euphorie, les tête-à-tête, les mots d'amour, les nuits divines qu'il passait avec elle. Et, comble du bonheur, Gilbert était moins introverti. Il se confiait, lui demandait comment avait été sa journée. Ils échangeaient, bref, ils se conduisaient comme des jeunes mariés. Comme si les vingt premières années n'avaient été que celles d'un mariage à l'essai. Comme si, dans le même décor, plus mûrs, plus sûrs d'eux l'un comme l'autre, ils venaient de trouver ensemble cet équilibre qui, jadis, se voulait titubant. À cause de lui et de son silence. À cause d'elle et de sa soumission. Il aura suffi d'un accroc pour que le fil de leur très belle histoire reprenne une cadence... sans décadence. Pour que les mailles soient sans failles. Madame Authier avait téléphoné, ravie, la voix tremblante d'émotion de les savoir tous deux réunis. Parce que pour elle, «son» Gilbert sans «sa» Mathilde, c'était une fissure dans le ciel. Par contre, de la part de sa mère, Mathilde avait eu à subir un dur calvaire. Deux jours après sa rupture avec Daniel, Florence Courcy, démente, avait été sans merci. Ayant eu vent dès le mardi de la rupture de sa fille avec Daniel Primard, par l'entremise de Pierre-Paul qui s'était fait une joie de l'en aviser, elle avait téléphoné à Mathilde alors que Gilbert était à son travail.

– Mathilde, c'est ta mère! Tu es folle ou quoi? Es-tu tombée sur la tête?

– Que veux-tu dire, maman? Tiens! Déjà au courant! On t'a renseignée à ce que je vois!

– Oui, ma fille, et c'est toi qui aurais dû avoir la décence de le faire! Imagine! Apprendre une telle nouvelle de la bouche de Pierre-Paul Authier! Comme pour mieux tourner le fer dans la plaie! Un Authier qui se permet de m'annoncer que ma propre fille a rompu avec son fiancé pour reprendre avec son damné frère! Tu n'as pas fait ça, Mathilde? Dis-moi que je rêve?

– Non, maman! Gilbert et moi avons repris la vie commune. Et Daniel Primard n'était pas mon fiancé! Mais sache que Gilbert est encore mon mari, lui! Tu n'auras pas de divorcée dans ta lignée, maman!

– Ça ne m'aurait pas dérangée, Mathilde! Pas avec l'avenir qui t'attendait! Comment as-tu pu prendre une telle décision sans me consulter?

– Te consulter? Pour que tu m'influences aussi négativement que tu l'as fait avec sa lettre? J'ai trente-neuf ans, maman! Fini le contrôle sur ma vie! Et sache que je n'ai pas de raison à te donner! C'est ma vie, pas la tienne, maman! lui répondit Mathilde d'un ton qu'elle n'avait jamais utilisé envers sa mère.

Cette dernière, ne rendant pas les armes si vite, déblatéra:

– Ce salaud! Ce sans-cœur, Mathilde! Ce mari qui t'a trompée, qui t'a quittée pour une garce! Ce mari qui a été un an sans te donner de ses nouvelles! Un homme qui t'a fait pleurer, qui t'a laissée dépérir au point que je te ramasse en miettes! Et tu le reprends! Comme une idiote! Comme une femme soumise! Gilbert est une épave, Mathilde!

À ces mots, Mathilde sursauta, s'emporta et cria à sa mère dans une sainte colère:

– Une épave? C'est de mon mari que tu parles, maman! Et si c'est ce que tu penses de lui, ne rappelle plus, maman!

Écarte-toi de notre vie! Tu as fait la tienne, toi? Elle s'achève? Alors, sors de la mienne et laisse-moi vivre mon bonheur, compris? Je ne veux plus que personne s'immisce dans mon ménage! Pas même toi, maman! Et encore moins dans ma vie!

— Mathilde! Tu ne m'as jamais parlé de la sorte. Je suis ta mère, tu sais, je t'aime, gémit Florence Courcy en sanglotant.

Consternée par le ton virulent de Mathilde, elle venait de sentir qu'elle était à deux doigts de perdre sa fille. Et sans elle, Florence Courcy était seule en ce bas monde. Retrouvant quelque peu son calme, Mathilde baissa le ton mais resta ferme:

— Je sais que tu n'as jamais aimé Gilbert, maman! Depuis le jour où il m'a décrochée de tes jupes! Mais là, après vingt ans, si tu n'as pas pu faire le deuil de ta fille, il faudra t'y mettre promptement. Je l'aime, il est toute ma vie, et nous serons ensemble à tout jamais. Mieux vaut t'y faire, maman! Je ne te demande pas de l'aimer, mais de faire semblant, comme tu l'as toujours fait. Tu as juste à reprendre là où tu avais laissé. Tu peux même te permettre d'être désagréable…

— Je n'ai jamais été désagréable avec lui, Mathilde.

— Distante, sournoise, le fiel au bout de la langue, qu'importe, maman! Si tu savais comme Gilbert se fout de ce que tu penses de lui. Ça fait vingt ans qu'il subit tes sautes d'humeur. Il s'en moque, maman, parce qu'il m'aime, parce que c'est moi qu'il a épousée, pas ma mère! Alors, si tu veux d'un bon voisinage, de rencontres et d'invitations, n'ajoute rien de plus et ne t'efforce pas d'être charmante. Gilbert est habitué à ton air bête!

— Mathilde! Je n'ai jamais été si vilaine avec lui. Tu exagères…

— N'en parlons plus, veux-tu? Tout ce que je viens de te dire, je l'avais sur le cœur depuis vingt ans! Je viens de le vider, maman, c'est fait! Notre porte te sera toujours ouverte, mais sache que Gilbert sera toujours là.

Craintive, assommée par la mise au point de sa fille, Florence Courcy répliqua d'un ton hypocrite et mielleux:

– Moi, tu sais, en autant que tu sois heureuse…

– Je le suis, maman! Gilbert m'aime et je l'aime. Autre chose?

– Non, non, ça va. C'est ce Pierre-Paul qui m'a fait sortir de mes gonds.

– Et c'est moi qui te remets à ta place! Désolée, maman, mais c'est ça ou…

– Arrête, j'ai compris! Je ne dirai plus rien, mais change de ton, Mathilde. Je suis vieille, je suis sensible, et tes reproches me font mal. Ménage mon cœur, ma petite fille. Un peu plus et j'aurais cru entendre ton père…

– Ah, oui? Et il n'avait sûrement pas tort, maman! Pas toujours! Il n'y a pas qu'un revers à une médaille! Mais pour conclure, sache que c'est maintenant Gilbert et moi, que nous deux, que notre vie… Et si tu le désires, ta place parmi nous est encore là, mais…

– Ça va, Mathilde, plus un mot. J'ai compris! Je ne suis pas sourde, tu sais!

Et c'est ainsi que Mathilde, femme de son temps, femme d'une autre époque, vint à bout de sa mère. Hors d'elle, elle venait enfin de fendre ce roc.

Encore sous l'effet de la colère, Mathilde, jadis fine comme une mouche, bonne comme du bon pain, n'en revenait pas du caractère que les derniers événements lui avaient donné. Toujours douce comme la soie, altruiste, compréhensive, elle ne se laissait plus marcher sur les pieds ni manger la laine sur le dos. Surtout quand il s'agissait de défendre… son homme! Mais avec lui, elle redevenait molle comme de la ouate, enjouée comme un chaton, aussi menue qu'une souris, parce que Gilbert était «l'homme» qu'elle aimait et qu'elle respectait. Celui qui l'avait sortie des jupes de sa mère pour en faire une femme. Cette mère possessive, cette mère tyrannique qui, sans Gilbert, l'aurait gardée liée à elle sans qu'elle apprenne à s'appliquer du rouge à lèvres. Gilbert avait été son guerrier, son Spartacus qui en avait fait une femme accomplie avec, hélas ancrées, certaines mœurs d'une autre époque dont il avait parfois, tout comme son père envers sa mère, tiré profit. Sauf que Gilbert l'avait aimée à sa manière jusqu'à ce que survienne le bris. Sauf que Gilbert, plus mûr, plus conscient, l'aimait maintenant profondément. Sans plus chercher à n'être que son protecteur, mais son mari, son amant et davantage. Et ce, depuis que Spartacus, puni, ahuri, humilié, guéri... était tombé dans les griffes de Lucie.

À peine remise de son altercation avec sa mère, ce même jour, au moment où elle s'apprêtait à sortir balayer son perron des quelques feuilles collées sur son tapis de feutre, le téléphone sonna une seconde fois. Croyant que c'était Gilbert, elle s'empressa de rentrer et de répondre précipitamment avant que la voix de l'aimé se perde dans sa boîte vocale.

— Oui, allô? répondit-elle quelque peu essoufflée.

— Mathilde? C'est Pierre-Paul! Tu ne t'attendais sûrement pas à mon appel, mais j'aimerais que tu écoutes ce que j'ai à te dire.

Au bout du fil, stoïque, sentant la rage monter, Mathilde ne répliqua pas.

— Tu es là?

— Oui, je t'écoute.

— Laisse-moi te dire que ce que tu as fait est inconcevable! J'ai appris par Daniel, mon ami, que tu avais rompu, que tout était fini et que tu comptais reprendre mon frère, ton satané mari…

Croyant qu'elle allait riposter, il se tut et Mathilde lui dit:

– Je t'écoute. Continue.

– Je ne pensais jamais que tu reprendrais ce salaud, Mathilde! Il t'a humiliée, ridiculisée, trompée, et là, seul, il est venu pleurer à ta porte et tu lui ouvres en te jetant dans ses bras! Te rends-tu compte de ce que tu as fait, Mathilde? Te rends-tu compte que tu as détruit un homme qui t'aimait et qui allait faire de toi une femme du monde?

– Comme la tienne, Pierre-Paul? lui lança-t-elle, sachant que Rachel écoutait.

– Oui, comme la mienne! Comme Rachel! Une femme de professionnel! Mais non! Tu préfères être la femme soumise d'un bon à rien, d'un type qui n'a jamais su mieux faire que de vendre des bâtiments! Un parasite, Mathilde, alors que tu avais à tes côtés un éminent médecin! Je ne te comprends pas, Rachel non plus!

Écoutant de plus près, Mathilde put entendre Rachel dire à Pierre-Paul: «Elle est folle que je te dis! Elle l'a toujours été!» Mine de rien, Mathilde laissa son beau-frère poursuivre sa plaidoirie.

– C'est grâce à nous si tu as connu Daniel, Mathilde. Nous avons tout fait pour te faire oublier l'humiliation de mon damné frère. Il t'a quittée pour une autre, mais elle, moins bête que toi, l'a foutu à la porte quand elle a vu qu'il ne valait rien. Pas même au lit! Tu dois le savoir, il n'a jamais réussi à te faire un enfant! Il dit qu'il l'a quittée, mais je sais que c'est elle qui s'en est débarrassée! J'ai fait ma petite enquête, tu sais… Mais, te rends-tu compte, Mathilde, que sans son écœurement pour lui, il serait encore avec elle? Te rends-tu compte que tu n'es qu'une bouée parce qu'il en avait assez de pleurer dans les bras de sa mère? Pauvre Gilbert! Pauvre loque! Avec ses yeux de biche et sa crinière ébouriffée, il t'a bien eue, Mathilde! Et tu vas revivre ta petite vie de femme soumise avec son corps mort dans ton lit! Après avoir su ce qu'était un homme, un vrai, dans les bras de Daniel. Voilà ce qui s'appelle se contenter de peu, mais à ce que je vois, quand on est né pour un petit pain...

Mathilde fulminait. Elle aurait voulu lui crier sa colère, mais elle attendait, patiente, d'avoir le dernier mot qui le ferait bondir de rage.

– Regarde ce que nous avons réussi, Rachel et moi. Regarde notre maison, notre chalet, notre famille. Crois-tu réaliser le quart de ce que nous avons avec ce mufle que tu as repris? Et Primard qui t'offrait mer et monde, la maison de Westmount, les voyages... Primard qui avait fait de toi une femme épanouie. Primard qui offrira sans doute à une autre ce que tu as laissé passer. Es-tu tombée sur la tête, Mathilde?

Sachant fort bien que Janou, la fille de Pierre-Paul et de Rachel, à dix-sept ans, venait de s'enfuir de la maison avec un bum, un tatoué, un gars louche de vingt ans qui l'avait enjôlée... Sachant fort bien que Pierre-Paul en était gravement affecté et que Rachel s'arrachait les cheveux, Mathilde, après toutes les insultes concernant son mari, garda son calme et répondit à son beau-frère:

– Tu as fini? J'ai une question à te poser, une seule question.

– Vas-y, ma chère, j'ai toutes les réponses, répondit-il de son ton d'avocat.

– As-tu des nouvelles de Janou, Pierre-Paul?

Bouche bée, décontenancé, atteint au cœur et dans sa dignité, Pierre-Paul tenta d'émettre un son mais, fou de rage, raccrocha brusquement.

«Il fait plus froid, c'est novembre, c'est normal», venait de lui dire Gilbert au bout du fil. «Mais j'arrive, ma douce, avec mes valises, quelques effets personnels et mon amour. Le coffre de ma voiture est plein, mais mon cœur ne contient que toi.» Les larmes aux yeux après les orageux moments de la veille, Mathilde lui répondit: «Arrive, Gilbert, je t'attends avec mon âme. J'ai mis des fleurs dans un vase de la chambre. Arrive avant que je meure d'être seule sans toi. Viens vite, tout t'attend. La maison, la musique, la chaleur, le bon vin… et moi.» Et c'est sur ce second prologue que Gilbert revint afin de poursuivre les chapitres gardés par un signet, au vu et au su de tous les voisins qui revoyaient ce bel homme, taciturne et discret, sourire à celle qui, dehors, sans manteau de pluie, se jetait dans ses bras.

Ils rentrèrent, il accepta le café chaud avec deux gouttes de cognac et, assis à ses côtés, il lui murmura:

– Nous serons heureux, Mathilde. Qu'importe l'univers, nous serons heureux, toi et moi.

Elle fit tourner une œuvre de Mozart et gentiment lui dit:

– Ne t'en fais pas, Gilbert, je l'arrêterai quand viendra l'heure des nouvelles sportives.

– Pas nécessaire, Mathilde, j'ai délaissé les sports depuis longtemps. J'ai découvert la lecture, la musique. Vois, j'ai presque terminé *La voix des anges* d'Anne Rice. J'ai changé, Mathilde, la solitude m'a beaucoup appris. J'aimerai toujours Adamo, c'est notre porte-bonheur, mais j'ai appris à connaître Beethoven, Schubert et quelque peu l'opéra. Je sais maintenant qui est Teresa Stratas. J'ai acheté *La Traviata*. Non pas pour te plaire, Mathilde, mais je me suis rendu compte qu'une certaine culture dormait en moi. Désormais, nous pourrons échanger sur plusieurs sujets, quoique j'aie encore un faible pour les films étranges comme *Entretien avec un vampire* que j'ai loué dernièrement.

Elle éclata de rire, le serra dans ses bras et appuya sa tête sur son épaule.

– Dis, Mathilde, ta mère, elle sait?

– Oui, Gilbert, et tu n'auras plus à craindre sa froideur. Ma mère a su, elle m'a téléphoné, mais tout est réglé. Elle viendra nous voir, nous irons la visiter, mais mon petit doigt me dit que tu ne la reconnaîtras pas.

– Tu ne l'as pas menacée, j'espère?

– Non, pas même semoncée. Je me suis vidé le cœur, rien de plus. Et j'aimerais ajouter que Pierre-Paul et Rachel ne donneront plus signe de vie.

– Remarque que je n'y tiens guère, mais qu'est-il arrivé?

– Il a osé téléphoner, Gilbert. Je l'ai laissé parler, je l'ai laissé «plaider», le juriste, et, à la fin, je lui ai fait perdre son procès d'une seule question.

– Laquelle?

– Est-ce vraiment nécessaire, Gilbert? Tu es là, je suis là, nous sommes réunis. N'était-ce pas ce moment que nous espérions tous deux? N'était-ce pas là…

Il lui mit l'index sur la bouche et lui murmura:

– Je t'aime, Mathilde, je t'aime… Et je remercie le Ciel…

– J'ai fait de même, mon amour. Pas plus tard qu'hier, crois-moi. Il pleuvait mais j'ai cru entrevoir un rayon de soleil. C'est peut-être mon imagination, mais, dans cette lueur, j'ai vu la vie devant nous.

– Elle était belle, ma douce?

– Elle sera merveilleuse, mon amour.

Les jours de novembre se succédèrent. Du vent, de la pluie, un jour de répit, première tempête de neige, une autre de verglas, encore de la neige le 19, un froid soudain le 25. Le mois des morts, quoi! Le mois des âmes en quête de prières, mais le mois du bonheur pour Mathilde et Gilbert qui avaient repris leur vie là où il l'avait laissée… entre parenthèses. Avec tendresse, en harmonie, avec des dialogues, de la musique, des films d'amour loués pour une soirée et d'autres, plus étranges, pour le plaisir de l'être aimé. Un soir, assis tous les deux, il lui avait demandé à brûle-pourpoint:

— Tu as vraiment envie de reprendre la couture, ma douce? Tu sais, je fais assez d'argent pour deux. Courbaturée à longueur de journée… Je ne t'impose rien, Mathilde, mais si tu t'ennuies, il y a la chorale, les récitals…

Elle avait souri tout en se rapprochant de lui.

— C'est déjà fait, mon amour. J'ai annoncé à toutes mes clientes que j'abandonnais pour raison de santé. Vois! Il ne me reste qu'une seule robe de mariée à terminer. Et je la fais sans rien charger de mon temps, la pauvre enfant est démunie. Après? Le vide, le repos, mes petites tâches, la chorale, rien d'autre, Gilbert. Que toi que j'attendrai comme je le faisais naguère. Que toi et moi… Au fait, tu permettrais que j'invite de temps à autre Serge, Carole et Paule, trois bons amis de la chorale? Carole est musicienne, elle est la conjointe de Serge.

— Mathilde! Pourquoi me demander la permission? Tes amis seront mes amis. Et je parie que je passerai de plus beaux moments avec eux qu'avec ma famille. Sauf ma mère, il va de soi. Elle n'a que nous… Je n'ai qu'elle…

Et le roman inachevé semblait se poursuivre au gré des plus belles pages.

Un autre soir, alors qu'ils regardaient un film où il était question d'un enfant qui, valise à la main, se partageait entre ses parents désunis, Gilbert baissa le volume et, regardant Mathilde, lui dit:

— Je sais que nous nous sommes juré de ne pas revenir sur le passé, mais il y a un sujet, un seul sujet que j'aimerais clarifier, Mathilde.

— À ta guise, Gilbert. Je sens que tu meurs d'envie de m'en parler.

— Tu sais, Mathilde, il est vrai que je ne voulais pas d'enfants. Je n'en désirais pas et j'ai été exaucé. Égoïstement peut-être, mais...

— Gilbert! J'aurais été incapable de t'en donner!

— Écoute, là n'est pas la question. T'es-tu seulement demandé pourquoi je ne voulais pas d'enfants? T'es-tu seulement arrêtée à cette décision?

— J'avoue que non. Connaissant mon état, peu sûre de moi...

— Je vais te faire une confession, Mathilde. Je ne voulais pas d'une famille comme la mienne. Je ne voulais pas d'un Pierre-Paul préféré de son père, ni d'un Gilbert chouchouté par sa mère. Et par la suite, Sophie, rejetée des deux parce que non désirée. Vois ce qu'elle est devenue, Mathilde! Elle écrit encore à ma mère par respect, mais jamais son cœur ne s'ouvrira pour cette famille dont elle a su se défaire. J'ai eu peur, Mathilde, de fonder une famille comme celle de mon père. Sans même penser à toi... J'ai eu peur et j'ai peut-être eu tort, ma douce, mais si le Ciel l'avait voulu...

— N'ajoute rien, Gilbert, le Ciel ne l'a pas voulu... Il nous destinait l'un à l'autre, mon amour, à personne d'autre.

Et avant qu'il puisse ajouter quoi que ce soit, elle enchaîna:

— Je n'en suis pas contrariée, Gilbert. Frêle de nature, inapte, qui sait ce que... N'en parlons plus jamais, veux-tu?

Qui sait si, tout comme ma mère, je n'aurais pas été… Merci, mon Dieu!

Redoublant d'ardeur, augmentant ses revenus, Gilbert rentrait heureux de retrouver celle qu'il chérissait. Ils reçurent madame Authier à souper qui, ravie de voir son fils transformé, avait serré Mathilde dans ses bras avec tendresse. Un autre soir, ce fut madame Courcy que le couple invita. Mathilde était anxieuse, mais sa mère, pétrifiée à l'idée de se retrouver seule, se montra fort aimable envers son gendre. Au point de le féliciter pour un meuble qu'il avait verni. Sans parler du passé, sans parler de l'avenir, Florence Courcy se délecta du moment et du sourire de sa fille, tout en étant remplie d'égards pour Gilbert. Réels ou faux, faisant semblant ou pas, Gilbert avait apprécié les bons sentiments de sa… belle-maman. Et lorsqu'elle les quitta, Mathilde et Gilbert échangèrent tous deux un doux regard complice. En souriant, quoique… méfiants. Dernier samedi de novembre et Gilbert, levé tôt, se battait contre le vent et le froid afin de lier, un à un, les cèdres qui avaient besoin de soutien. De la fenêtre, Mathilde le regardait avec tendresse. Dieu qu'il était beau dans son *jean* délavé, cheveux au vent, mal rasé, gros chandail vert sur le dos, songeait-elle. Et elle lui souriait en lui montrant la cafetière de laquelle de la buée s'échappait. Il lui souffla un baiser et, tâche accomplie, il rentra, huma, se mit à l'aise sur une chaise, et elle prit place sur ses genoux. Menue, aussi légère qu'une plume, elle n'avait que sa robe de chambre de peluche rose sur le dos. Et de sa robe qui s'entrouvrait, Gilbert apercevait un sein. Aussi menu que son genou, aussi soyeux que sa joue. La serrant contre lui, il lui caressa le sein de sa main froide qui, au contact, devint ardente et peu à peu torride. Se levant tous deux, plus petite pieds nus, elle dut s'élever sur le bout des orteils pour atteindre ses lèvres.

Épilogue

Jeudi 7 décembre 1995. Gilbert avait profité de ce jour de congé qu'il s'accordait pour garnir, d'ampoules rouges, le sapin qui présidait le terrain de leur coquet bungalow. «Pour être dans l'ambiance», avait-il dit, lui qui n'avait jamais décoré en vingt ans. La veille, Carole et Serge étaient venus souper avec eux. Paule, grippée, s'était désistée. Un couple charmant que Gilbert avait apprécié. Lui et Serge avaient parlé musique, mais il était évident que ce dernier en avait beaucoup à apprendre au néophyte qu'il était. Néanmoins, le discours du directeur de plusieurs grandes chorales, chanteur de surcroît, intéressa vivement le novice de la musique classique qui versait le vin dans les verres tout en l'écoutant attentivement. Seule avec Carole à la cuisine, Mathilde semblait ravie de la soirée, et la musicienne de lui dire: «Ton mari est superbe, Mathilde. Bel homme, distingué, belle carrure... J'avais vu l'autre...» Mais elle s'arrêta. Mathilde avait froncé les sourcils, et Carole, confuse, s'excusa de sa bévue. Après le repas, malgré les instances de Serge, Mathilde avait refusé de chanter pour les invités. Sa voix n'était pas prête, ses cordes, encore raides, selon elle. Le fait était qu'elle ne voulait pas chanter devant Gilbert. Il lui arrivait, bien sûr, de répéter quelques passages, de faire des vocalises devant lui, comme par le passé, mais de là à se produire, sachant qu'il n'avait jamais été intéressé… Et, sans l'avouer, Mathilde était plus timide de chanter devant trois personnes que devant une salle comble.

Madame Authier téléphona durant la journée. Elle s'informait des festivités, cherchait à savoir si Pierre-Paul s'était manifesté.

— Non, maman, et je n'y tiens pas, répondit Gilbert. Le fil est brisé. À tout jamais, tu comprends? Je sais que ça te fait de la peine, mais il en est ainsi. À chacun sa vie, maman. La mienne s'écoule avec Mathilde. J'imagine qu'il t'a invitée pour le réveillon, pour la nuit de Noël?

— Oui, mais je voulais savoir comment vous comptiez fêter, Mathilde et toi.

— C'est bien simple, maman, que nous deux et la mère de Mathilde.

— Je… Je peux me joindre à vous, Gilbert? J'en ai assez des réveillons de Pierre-Paul. Avec Rachel qui hurle, avec Janou qui refuse de revenir à la maison et qui compte, malgré les menaces de son père, épouser son voyou dès qu'elle aura ses dix-huit ans… Si ça ne vous dérangeait pas…

— Maman! Quelle joie! C'est avec plaisir que nous t'accueillerons!

Quelques jours plus tard, Mathilde et Gilbert furent invités à une soirée chez les Marois, le directeur des Immeubles Arc-en-Ciel.

— Il faut absolument que nous y allions? demanda Mathilde.

— Non, pas absolument, mais pourquoi pas, Mathilde? Nous sortons si peu.

– Il y aura beaucoup de monde?

– Que les collègues et leur conjoint, que l'équipe, Mathilde.

Elle était hésitante, songeuse, tout en dégageant nerveusement une mèche rebelle sur son front.

– Qu'est-ce qu'il y a, ma douce? Tu n'aimes pas les soirées intimistes?

– Non, ce n'est pas cela, mais… Tes collègues, ils savent? Ils connaissent notre histoire?

Gilbert la regarda avec un tantinet de sévérité dans les yeux.

– Mathilde, n'avons-nous pas juré que le passé était enterré?

– Oui, pour nous, mais pour eux, Gilbert? Tous ces regards posés sur nous…

Il l'attira à lui, la serra sur sa poitrine et lui dit avec une infinie tendresse:

– Écoute, Mathilde, pour nous ce fut la renaissance, souviens-toi. Dès la minute où nous sommes revenus ensemble. Hier n'existait plus… Souviens-toi, Mathilde, rien derrière, tout devant. Et ce dicton, qui est le nôtre, s'applique à l'univers. La plupart sont de nouveaux collègues sauf la réceptionniste et la comptable. Tous savent que nous avons rompu et repris notre vie à deux. C'est notre bonheur que nous nous devons d'étaler, Mathilde, que ça! Ceux qui ne te connaissent pas vont t'adorer, monsieur Marois t'aime depuis toujours, et son épouse, discrète, te recevra à bras ouverts, tu verras. Il ne faut plus craindre le passé, Mathilde. Et il ne faut plus jamais vivre en vertu des autres, mais que pour nous deux. Moi, plus rien ne m'embête.

Elle le regarda, pressa ses lèvres sur sa poitrine et murmura:

– Excuse-moi, je me suis égarée, Gilbert. Un sursaut, une petite rechute, quoi! Mais tu as raison, que nous deux. Et tous ces gens à connaître!

– N'est-ce pas ce que j'ai fait face à Carole et Serge, Mathilde?

– Oui, je l'oubliais… Pardonne-moi cette petite faille, Gilbert. On voit bien qui est le plus fort des deux.

– Oh! non, Mathilde! Pas ça! C'est toi, toi seule qui as été forte… pour deux.

Elle était ravissante dans sa robe beige rehaussée de perles. Elle semblait grande, quoique petite, dans ses escarpins à talons hauts. Elle avait l'air d'une jouvencelle avec ses cheveux tombant sur ses épaules. Petit collet haut sur la nuque, longues boucles d'oreilles, une épaulette de plus, c'était, sans le dire à Gilbert, une façon habile et élégante de camoufler son épaule plus basse que l'autre. Lui, complet dernier cri, cravate de soie à motifs abstraits, cheveux coiffés de main de maître avec quelques sillons d'argent épars, à peine visibles, avait tout du bellâtre qui avait franchi avec succès le cap des quarante ans. La soirée fut agréable et les invités, fort aimables. Monsieur Marois, distingué, peu familier avec les invités, quoique sociable, avait fait monter une somptueuse table. Et pour plaire à Mathilde, tout comme à son épouse, férue de grande musique, on pouvait entendre en sourdine des extraits des *Trois Valses*, de douces *études* de Chopin et des œuvres de Vivaldi. Madame Marois, affable, doux sourire, cheveux blancs, discrète, se montra fort aimable avec les invités. Elle avait même murmuré à Mathilde, sans que personne les entende: «Comme vous êtes ravissante, et quel beau mari vous avez, ma petite dame.» Le champagne, le caviar, les vins de qualité, on se serait cru au banquet d'un monarque. Un monarque d'un autre siècle. On parla de musique, de lecture, mais pas… d'immobilier. Voulant se montrer quelque peu littéraire, Gilbert se targua d'avoir lu récemment *La voix des anges* d'Anne Rice. Une dame, très à la page côté littérature, lui lança: «L'histoire des castrats? Ça vous a plu, Monsieur Authier? Moi, Anne Rice et ses contes maléfiques, ça me fait peur. Ce n'est pas de la littérature, c'est du cinéma! Comme tout ce qu'elle fait, d'ailleurs.» Gilbert resta perplexe, et Mathilde, devant son léger malaise, pouffa de rire.

De retour à la maison, Gilbert, à son tour, pouffa de rire.

– Elle m'a coincé, elle m'a mis en boîte, la littéraire! Elle a raison, c'est noir, c'est démentiel. Et moi qui voulais bien paraître! Dis, Mathilde, tu n'aurais pas quelque chose de plus historique dans ta bibliothèque?

Encore sous l'effet du vin et du plaisir éprouvé lors de cette soirée guindée, elle se leva et lui offrit la biographie de Pissarro, un peintre de renom que Gilbert ne connaissait pas. Riant encore de son embarras, elle lui dit:

– C'est sans doute moins captivant que les castrats, mais tu verras, ça se glisse mieux dans une conversation.

Riant de bon cœur, digérant le souper et le bon vin, ils se mirent au lit et, en proie à un désir ardent, ils firent l'amour tout simplement, riant encore de temps en temps, tout comme les tourtereaux qu'ils étaient il y a vingt ans.

Noël approchait à grands pas et ce fut la course contre la montre pour les quelques cadeaux qu'ils avaient à choisir pour Béatrice et Florence, les mères du réveillon. Entre-temps, Mathilde apprivoisait ses cordes vocales. Elle chantait, chantait, et au fil des jours, Gilbert se rendit compte qu'elle avait retrouvé sa voix cristalline d'antan. Un soir, près du feu, alors qu'il lisait et qu'elle perlait une manche de sa robe des fêtes, Gilbert lui demanda:

— Tu ne regrettes pas? Tu ne regrettes rien, Mathilde?

— Regretter quoi?

— Bien… toi et moi. Notre seconde chance, notre reprise…

— Seconde chance? N'en sommes-nous pas à la première, Gilbert? Ne venons-nous pas de nous unir à tout jamais, toi et moi?

Comblé, touché, pris du cafard que lui donnait le temps des fêtes, il soupira, la prit dans ses bras, et elle sentit une larme tomber sur sa main.

— Gilbert! Pourquoi ce chagrin? Pourquoi cette larme?

— Parce que je suis ému, ma douce. Parce que les chants de Noël à la radio m'ont toujours noué la gorge. Voilà pourquoi j'ai toujours évité l'église.

— Moi, ça me réjouit, ça me remplit le cœur de bonheur… À chacun ses émotions, n'est-ce pas? C'est simple, Gilbert, n'y pense pas. Fais tourner Adamo, écoute *Tombe la neige*, c'est de circonstance, non?

— Peut-être, mais c'est triste. Quand il arrive à «tu ne viendras pas ce soir…», j'ai le cœur au bord des lèvres. Je crains de ne plus pouvoir écouter cette chanson, Mathilde.

Se rendant compte qu'il était mélancolique et que, à son tour, il retombait dans un passé qu'ils avaient juré d'effacer, elle lui dit avec amour:

— Tu sais, j'ai eu une idée ce matin. Je ne sais si ça te plaira, mais je ne peux m'empêcher de la partager avec toi. C'est au sujet de notre cadeau de Noël…

— Dis, Mathilde, je t'écoute, tu as toujours de bonnes idées.

– J'ai pensé, je ne sais si tu seras d'accord, mais j'ai pensé que le plus beau présent que nous puissions nous offrir, ce serait des alliances. Des alliances identiques en or avec des filets d'argent. Des alliances dans lesquelles nous pourrions faire graver ce que nous sommes l'un pour l'autre.

Gilbert était surpris, agréablement surpris, mais il s'enquit:

– Et celles que nous avons, Mathilde? Celles que nous portons depuis plus de vingt ans?

– Il nous suffira de les garder dans un coffret, Gilbert. Plus tard, à l'âge d'or, nous pourrions les reprendre. Les premières seront les dernières, mais entre-temps, pour souligner la renaissance, cette nouvelle vie à deux…

– Ton idée est géniale, ma douce, mais là, à ton doigt, ta bague à diamants…

– Je la conserverai, ne crains pas. Un diamant est éternel, le symbole aussi. Femme d'une autre époque, permets-moi d'être une femme d'aujourd'hui. Des alliances jumelles, mon amour. Des alliances qu'on pourrait appeler «toi et moi» en parlant d'elles. Je les ai vues au centre Rockland et, depuis, j'en rêve, Gilbert.

– Soit! Il en sera ainsi, Mathilde! Et nous échangerons ces joncs devant ta mère et la mienne!

– Mais ils seront à notre annulaire que pour un certain temps. Dès que nous prendrons de l'âge, dès que le moment se fera sentir, nous reprendrons les alliances que nous portions jadis. Je veux mourir à l'âge de dix-huit ans, Gilbert! Très âgée, j'espère, mais avec, au doigt, les alliances qui m'ont fait vibrer au temps de nos tout premiers jours ensemble.

Gilbert était secoué. Jamais Mathilde n'avait été aussi sentimentale…

– Je veux bien, j'accepte, mais de grâce, n'en dis pas plus… Je suis déjà mélancolique… Avec le temps, je m'attendris, Mathilde, mais je ne suis pas encore guéri…

Elle sursauta. Puis, se rapprochant davantage de lui, elle lui demanda:

– Guéri de quoi, Gilbert?

– Je… Je ne suis pas encore guéri… J'ai dépéri, j'ai sombré, je me remets peu à peu, Mathilde, mais je ne suis pas encore guéri du mal que je t'ai fait.

– Gilbert! Ce que tu dis est immonde! Te faut-il un miracle?

– Non, ma douce, qu'un baiser ou deux…

Elle l'embrassa, le cajola tel un enfant, et il lui murmura:

– Tu vois? Je me sens déjà mieux. Mais, crois-moi, je ne suis pas le plus fort des deux. Je sais que nous avons juré, mais si le regret s'estompe, les remords persistent. Et j'ose espérer que ces alliances, précieux talismans de notre amour, seront un baume pour mon cœur. Je t'aime tant, ma douce.

– Je t'aime aussi, Gilbert. Qu'importe la convalescence, qu'importe le temps qu'il faudra, mais jure-moi de te confier, de m'avouer chaque fois que tu auras mal… À deux, nous vaincrons, Gilbert. Et puis, un jour, l'oubli, plus rien, que nous…

Le lendemain, tel que convenu, ils se rendirent chez le joaillier pour voir de plus près les alliances que Gilbert trouva superbes. Sans hésiter, qu'importe le prix, ils commandèrent. Et à l'insu de Gilbert, Mathilde fit inscrire dans la sienne: *À toi, à tout jamais*. Lui, moins poète mais tout aussi sincère, demanda qu'on grave dans la sienne: *À ma douce que j'aime*. Et la neige tombait. Aussi pure, aussi blanche que leur amour immaculé.

Dimanche 24 décembre 1995, la journée était clémente. On prévoyait une neige fine que pour le lendemain, jour de Noël. Dès le lever, Mathilde était nerveuse, agitée. Elle devait chanter avec la chorale dans une paroisse voisine et elle avait le trac. Un trac fou! Depuis sa maladie, c'était la première fois qu'elle allait se donner en public avec sa voix retrouvée, mais avec la peur qu'une corde vocale s'irrite et qu'elle n'atteigne pas les sons aigus qu'elle devait projeter. Gilbert lui avait dit: «Voyons, ma douce, avec toutes ces vocalises, ces répétitions, tu n'as rien à craindre. Tu es redevenue le rossignol que tu étais. Je suis certain que tout se passera très bien.» Mais cet encouragement ne parvenait pas à contrer l'angoisse qui la minait. Madame Authier avait téléphoné pour demander à Gilbert: «Tu seras là, mon fils? Tu sais que j'y serai avec la mère de Mathilde.» Penaud, il avait répondu: «Non, maman, j'en suis incapable. Les chants de Noël me bouleversent. Je n'ai jamais été capable d'assister à une messe de minuit. Rappelle-toi, enfant...» Elle avait répondu: «Oui, je sais, mais Mathilde en aurait été si heureuse...» Mal à l'aise, se sentant en faute, il avait répliqué: «Maman, ne tourne pas le fer dans la plaie. Je surmonte à peine une terrible descente... Tu le sais, pourtant. Je vous attendrai, comme je le faisais jadis, et à votre retour, vous aurez la table la plus somptueuse qui soit. Et ne t'en fais pas pour Mathilde, elle comprend, elle ne veut pas que je sois perturbé. Elle a toujours compris, maman...» Madame Authier n'insista pas, trop heureuse de sentir son fils comblé, en forme ou presque, et apte à affronter la vie avec la force du cœur.

La journée s'écoula en trombe avec tous les préparatifs. Mathilde était dans tous ses états, mais un coup de fil de Carole, qui allait toucher l'orgue le soir même, la rassura. Carole qui, depuis son arrivée au sein de la chorale de son conjoint, était devenue, pour Mathilde, une amie précieuse. Serge et elle, indulgents face à l'effroi de Mathilde, ne lui avaient confié que deux solos qui ne devraient pas la rendre craintive. Mathilde n'entamerait que les couplets de *D'où viens-tu, bergère*, ce qui n'exigerait pas d'elle des efforts de notes aiguës, puis, *Adeste Fideles* qui lui demanderait un tout petit coup de cœur afin d'être maîtrisé à merveille. Pour ce qui était des cantiques en chœur, sa voix allait s'unir à celles des autres. Somme toute, on l'avait ménagée, sachant que Mathilde effectuait un retour et qu'il n'était pas facile dans un tel cas de vaincre le trac, la peur et l'émotion à la fois. Rassurée, Mathilde répétait tout en terminant sa toilette, et Gilbert, qui l'entendait, sentait son cœur battre à tout rompre. Mal dans sa peau, ému par ces chants de Noël, il préféra pousser la porte du salon et écouter un *Concerto pour clarinette* de Mozart.

Le soir venu, à deux heures près de la messe de minuit, Mathilde apparut au salon dans toute sa splendeur. Elle avait remonté ses cheveux pour en former un chignon et entourer ce dernier d'un rang de perles bien disposé. Maquillée, boutons de perle aux lobes d'oreilles, elle avait enfilé sa superbe robe de velours vert ornée de perles le long des manches et à la hauteur des hanches. Une très belle robe ample avec un ceinturon d'argent cloisonné d'une boucle avec des franges. Sur son épaule plus basse que l'autre, elle avait appliqué un chou du même tissu duquel tombait une cascade de perles. On aurait dit des grains de neige tellement elles étaient minuscules. Il allait de soi que la couturière avait un faible pour le velours… et les perles. Une création d'un illustre couturier, modifiée, signée Mathilde Authier.

— Je ne t'ai jamais vue aussi belle, ma douce, lui murmura Gilbert, admiratif.

Elle sourit, s'approcha de lui et déposa, du bout des lèvres, un baiser sur son front.

— Et toi, que porteras-tu lorsque je reviendrai et que nous échangerons nos anneaux?

— Le complet noir que je suis allé chercher chez mon tailleur, ma chemise de soie beige et une cravate rouge à pois noirs. Ce sera joli, tu verras.

Il s'approcha d'elle, huma son parfum et lui demanda:

— C'est nouveau? Comme ça sent bon, ma douce! On te l'a conseillé?

— Ce sera l'arôme de notre renaissance, Gilbert. Je l'ai choisi parmi tous les flacons que l'on m'a suggérés. Ce parfum de Guerlain a pour nom *Jardins de Bagatelle*.

Il la prit dans ses bras, l'attira à lui, la serra sur son cœur, et elle lui rendit son étreinte avec autant d'ardeur, au risque de froisser sa robe.

L'église était bondée et, du second jubé où la chorale s'installait, Mathilde avait aperçu sa mère et madame Authier, côte à côte, dans l'un des premiers bancs afin de pouvoir se retourner et regarder Mathilde lorsqu'elle chanterait. Sa mère qui, de bonne grâce, avait accepté d'accompagner la mère de Gilbert. Sa mère qui, malgré son sourire, n'avait d'yeux que pour le manteau et les bijoux de Béatrice Authier. Sa mère qui, Dieu s'en doutait, ne portait pas encore tout à fait dans son cœur la belle-mère de sa fille. Et de là-haut, Mathilde pouvait distinguer les personnages de la crèche entourés de l'âne et du bœuf. Et comme pour faire revivre une tradition qui peu à peu se perdait, il ne manquait que le Jésus de cire qu'un enfant viendrait déposer sur la paille. L'église était pleine à craquer, les gens se bousculaient encore un peu pour obtenir les meilleures places. Les vieux toussaient, et les enfants leur emboîtaient le pas. On se mouchait, on chuchotait, on passait des remarques à voix basse, jusqu'à ce que les officiants défilent et que Carole, de son orgue, entame ses premières notes. Mathilde était émue. Cette veille de Noël, cette nuit la plus belle, allait lui faire oublier tout ce qui, durant l'année, l'avait contrariée. Un mirage! Oui, tout n'avait été qu'un mirage! Gilbert était revenu, Gilbert était à elle; elle s'était dégagée de «l'autre» et elle n'était qu'à lui. Aucun visage ne la hantait, aucun souvenir ne la tourmentait. Elle ne vivait que le bonheur présent, sa paix, son bien-être, son accalmie, et leurs plus que douces retrouvailles.

Mathilde, dès le premier couplet de *D'où viens-tu, bergère*, sentit les papillons, qui lui nouaient la gorge, s'envoler un à un. À la fin du cantique, lasse mais détendue, elle était heureuse. Le trac était vaincu. Un baryton prit la relève, le chœur l'accompagna, et Serge, de son doigté, dirigeait sa chorale tout en posant des regards tendres sur l'organiste, sa musicienne, sa bien-aimée. Quelques rituels de la part des célébrants, un sermon où l'amour des nations était en évidence, l'odeur de l'encens, et ce fut au tour de Mathilde d'entamer le sublime *Adeste Fideles*. On aurait pu entendre une mouche voler tellement la voix était pure, cristalline. Sa mère et sa belle-mère s'étaient retournées, émues, contemplatives, mais Mathilde ne les vit pas dans cette foule si dense sous les jets de lumière. Au moment où elle allait reprendre la seconde partie de son chant liturgique, la porte du jubé s'ouvrit et Paule se retourna. Carole détourna légèrement la tête, et Serge, dos à l'assistance, face à ses chantres, aperçut une silhouette dissimulée dans l'embrasure de la porte. Paule poussa légèrement Mathilde du coude et, ayant entamé le second souffle de son cantique, elle fit un effort surhumain pour ne pas perdre la voix, tout comme les accords de l'orgue. Très discret, quoique visible, Gilbert, les yeux baignés de larmes, tremblait au son de la voix de celle qu'il aimait. Mathilde crut défaillir, mais, tout en sentant une larme s'échapper de sa paupière, elle poursuivit son chant jusqu'à la dernière note. Sans faille, sans accroc, même si l'émotion lui étranglait la gorge. Libérée, laissant place au chœur qui reprit le *venite adoremus* en puissance, elle s'évada en douce du groupe et, pleurant à chaudes larmes, se jeta dans ses bras. Carole avait peine à retenir les siennes, et Serge, d'un geste de la tête, offrit un sourire à Gilbert.

Pas un mot, pas un bruit. La main de l'un dans celle de l'autre, Mathilde et Gilbert sentirent une chaleur se répandre... l'un dans l'autre. Au moment où le prêtre s'apprêtait à bénir la foule, Gilbert sortit les écrins de sa poche et fit signe à Mathilde que c'était là le moment. Émue, chancelante, elle lui glissa l'anneau au doigt tandis que d'une main tremblante, il lui para l'annulaire du sien. Enlacés l'un contre l'autre, puis l'un dans l'autre, il lui murmura avec des sanglots dans la voix: «Je t'aime, Mathilde. Si tu savais comme je t'aime, ma douce...» Faisant fi des collègues, ils s'embrassaient. Faisant fi du monde entier, ils baignaient de larmes les émotions qu'ils vivaient. Mathilde était heureuse. Si heureuse qu'elle ressentait un doux vertige. Mais, dans ses bras, rassurée, elle laissa sa tête choir au creux de sa poitrine. Mathilde était aux anges. Jamais elle n'aurait cru que le bonheur pouvait être si gratifiant. Mais ce qui la combla, ce qui la bouleversa jusqu'au plus profond de son âme, c'est que Gilbert, chaviré, mélancolie défiée, était venu l'entendre chanter... Pour la première fois!

Imprimé au Canada